HERSCHENSOHN

Le défi américain

DU MÊME AUTEUR

Lieutenant en Algérie (Julliard)

JEAN-JACQUES SERVAN-SCHREIBER

Le défi américain

DENOËL

L'édition originale de cet ouvrage a été tirée à vingt-deux exemplaires sur velin pur fil Lafuma Navarre, dont quinze exemplaires numérotés de 1 à 15 et sept exemplaires hors commerce marqués de A à G.

Si tu donnes un poisson à un homme,
il se nourrira une fois
Si tu lui apprends à pêcher,
il se nourrira toute sa vie.

Kuan-tzu

Sommaire

QUATRIÈME PARTIE

LES VOIES DE LA CONTRE-OFFENSIVE

CINQUIÈME PARTIE

LA QUESTION POLITIQUE

SIXIÈME PARTIE

LES GISEMENTS DE PUISSANCE

ANNEXES.

INTRODUCTION

Ce livre est le déroulement d'une enquête à partir de l'observation d'un fait. Il se trouve que cette enquête mène loin.

En partant de l'examen, assez prosaïque, de l'investissement américain en Europe, on découvre un univers économique qui s'affaisse — le nôtre — des structures politiques et mentales — les nôtres — qui cèdent devant la poussée extérieure, les prémices d'une faillite historique ; la nôtre.

On pense naturellement à dresser des défenses, à empêcher l'envahisseur de pénétrer. Mais toute mesure « défensive » risque d'aggraver notre faiblesse. En cherchant pourquoi, on tombe sur l'essentiel : la guerre, car c'en est une, ne nous est pas livrée à coups de dollars, de pétrole, de tonnes d'acier, ni même de machines modernes, mais à coups d'imagination créatrice, et de talent d'organisation.

Une quinzaine, au moins, d'experts européens, de qualité et d'autorité, savent ces choses depuis quelque temps, et ils les ont très bien dites ; ils n'ont pas été entendus. Le déroulement de notre enquête c'est, essentiellement, l'assemblage de ce que ces hommes ont aperçu, décrit, et mesuré.

Mais si chaque pièce, séparée, du puzzle a été regardée avec une évidente distraction par ceux qui doivent éclairer les options et guider l'opinion, l'ensemble ne peut plus être ignoré. L'événement qu'il forme, le danger qu'il traduit, sa taille et sa puissance, dominent et fascinent. Au point que le risque serait maintenant de tomber de l'ignorance dans le découragement.

Peut-être, le jour viendra-t-il où il n'y aurait plus qu'à regarder l'Europe, comme foyer de civilisation, s'engloutir. Mais ce jour n'est pas venu ; il est encore temps d'agir.

Agir comment ? Se battre contre quoi ? C'est moins l'absence d'une volonté européenne qui est à redouter que son imprécision.

Car la General Motors n'est pas la Wehrmacht, l'affaire Bull n'est pas Munich, et le Concorde n'est pas Sedan. C'est la première grande guerre sans armes ni armures. S'il y avait aujourd'hui un autre André Malraux, ce n'est plus avec l'héroïsme des combats de Terruel qu'il ferait vibrer l'âme d'une génération, mais avec la lutte fabuleuse pour la conquête de la métallurgie du Titane ou, féroce, pour la maîtrise de l'univers mental des circuits-intégrés.

A défaut d'un grand poète lyrique les faits

eux-mêmes sont chargés de puissance et d'émotion. Il suffit d'observer, tel l'hirondelle célèbre, l'investissement américain raser d'abord le sol avec un bruit léger, de ne plus le quitter des yeux, pour voir ce qu'il porte avec lui, comment « il s'élance, tourbillonne, enveloppe, arrache, entraîne, éclate et tonne... ». Le voici.

PREMIÈRE PARTIE

LE DÉBARQUEMENT EN EUROPE

Chapitre premier

La plus belle affaire

La troisième puissance industrielle mondiale, après les Etats-Unis et l'U.R.S.S. pourrait bien être dans quinze ans, non pas l'Europe mais *l'Industrie américaine en Europe*. Aujourd'hui déjà, à la neuvième année du Marché Commun, l'organisation de ce marché européen est essentiellement américaine.

L'importance de la pénétration tient d'abord au volume des capitaux engagés. L'investissement est maintenant de 14 milliards de dollars [1]. Ensuite à la taille des entreprises qui entreprennent cette conquête. L'accélération récente des mouvements de concentration et de fusion en Europe a pour cause essentielle la nécessité de faire face aux géants américains comme I.B.M. et General Motors. C'est la pénétration directe. Mais il y a un autre aspect, plus subtil, du phénomène [2].

Un banquier américain installé à Paris reçoit maintenant chaque jour des demandes de sociétés françaises qui cherchent des collaborateurs nationaux « ayant appris à travailler dans des entreprises américaines ». Un directeur général d'aciérie, en Allemagne, n'engage plus que des cadres « qui ont acquis leur formation dans des sociétés américaines ». Le British Marketing Council envoie cinquante dirigeants britanniques pour

1. En *actif fixe,* c'est-à-dire usines et matériel sans compter les fonds de roulement (qui représentent encore à peu près autant). Source : Department of Commerce.

2. Les éléments de ce chapitre sont empruntés au « special report » de l'ensemble des bureaux en Europe de Mc Graw-Hill Inc, la principale société d'information économique aux Etats-Unis.

un stage d'un an à la Harvard Business School, et c'est le gouvernement anglais qui subventionne la moitié des frais de l'opération.

Pour les affaires européennes, si particularistes, et jalouses de leur originalité, un dénominateur commun s'impose : les méthodes américaines.

Au cours de ces dix années, pourtant, les Américains en Europe ont commis plus d'erreurs que leurs concurrents. Mais ils ont entrepris de les corriger. Et le temps qu'il faut à une entreprise américaine pour changer complètement ses méthodes est presque nul comparé au temps d'adaptation d'une entreprise européenne classique.. Les sociétés américaines installées en Europe se sont restructurées. Partout apparaissent des états-majors organisés à l'échelon européen, chargés de l'ensemble des activités continentales de la société, avec un pouvoir de décision étendu, et mission de ne pas tenir compte des barrières nationales.

Les filiales des sociétés américaines ont montré une souplesse et une faculté d'adaptation qui leur ont permis d'assimiler les conditions locales et de se prémunir contre les à-coups des décisions politiques prises, ou non, à l'échelon du Marché Commun.

Depuis 1958, les sociétés américaines ont investi dix milliards de dollars supplémentaires en Europe Occidentale, c'est-à-dire *plus du tiers* de l'ensemble des investissements américains dans le monde. Et sur 6 000 affaires nouvelles créées à l'étranger par les Américains, durant cette période, *la moitié* l'ont été en Europe [1].

Une à une les sociétés américaines mettent sur pied

1. Les mesures annoncées par le Président des Etats-Unis en janvier 1968 auront pour effet de résorber en partie le déficit de la balance des paiements américains, en freinant les sorties de dollars. Mais, comme nous le verrons dès le chapitre suivant, la prépondérance économique croissante de l'industrie américaine n'est déjà plus « une question d'argent ». Et la diminution éventuelle des investissements directs en Europe n'est pas, en soi, un facteur d'équilibre, au contraire (voir p. 37). C'est ce qui explique les réactions alarmées des gouvernements européens, à l'annonce de ces mesures.

des états-majors destinés à coiffer l'ensemble de leurs activités dans toute l'Europe Occidentale. Ce fédéralisme réel, *le seul en Europe au niveau industriel,* va déjà beaucoup plus loin que ce qu'avaient imaginé les experts du Marché Commun.

La Union Carbide a installé son état-major pour l'Europe à Lausanne, fin 1965. La Corn Products Company, qui a maintenant dix filiales en Europe, a décidé, après étude, de transporter de Zurich à Bruxelles ses services de coordination, puis les a transformés en état-major de commandement. La société I.B.M. dirige maintenant toutes ses activités européennes à partir de Paris. La Celanese Corporation of America vient d'établir son état-major à Bruxelles. L'American Express Company a créé un commandement européen installé à Londres.

La Standard Oil of New Jersey établit à Londres son PC Européen pour le pétrole (Esso Europe) et à Bruxelles son PC Européen pour la Chimie (Esso Chemical SA). Tous deux ont reçu pour instruction « d'ignorer la séparation actuelle entre le Marché Commun et la zone de libre échange (Angleterre, Scandinavie) ». Pour Esso, l'Europe constitue maintenant un marché *plus vaste que les Etats-Unis,* et qui s'accroît *trois fois plus vite* que le marché américain.

La compagnie Monsanto a transporté son département international de Saint Louis (Missouri) à Bruxelles. Et c'est de Bruxelles maintenant que M. Throdahl, vice-président à Monsanto, dirige non seulement les opérations pour l'Europe mais toutes les activités de sa société hors des Etats-Unis. La Monsanto installe ses usines en France, en Italie, au Luxembourg, en Grande-Bretagne, en Espagne et elle organise son installation en Ecosse et en Irlande. *La moitié* de son chiffre d'affaires est réalisée en Europe.

C'est la richesse supérieure des industries américaines qui leur a permis de traiter leurs affaires en Europe avec plus de souplesse et de rapidité que leurs concurrents européens. Maintenant c'est *cette souplesse,* plus que leur richesse, qui devient leur arme principale. Alors que les autorités du Marché Commun en sont encore à chercher un statut qui permette de créer de grandes entreprises européennes, les sociétés américaines constituent directement, avec leurs propres états-majors, le cadre concret d'une réelle « européanisation ».

Un grand banquier belge vient de déclarer : « A mon avis, le statut européen ne sortira pas à temps, et les sociétés américaines jouiront dans les prochaines années d'un avantage décisif sur leurs rivales européennes. » Les géants américains installés en Europe deviennent vite de plus en plus grands, et de plus en plus forts. Et ils s'adjoignent maintenant des experts en « développement » dont la mission spéciale est de rechercher de nouvelles acquisitions.

Pendant ce temps les Européens ont encore fait peu de progrès pour tirer avantage du nouveau marché. L'Europe n'a presque rien, sur le plan industriel, de comparable aux entreprises à grande aire d'activité qui caractérisent les sociétés américaines s'implantant sur son sol. Une exception intéressante : L'Imperial Chemical Industries (Angleterre), seule compagnie européenne qui ait organisé un état-major à l'échelon du continent pour prendre en main l'administration de ses cinquante filiales.

Les efforts déployés par quelques autres sociétés européennes apparaissent timides. Le plus connu est celui d'Agfa le fabricant de films (du groupe Bayer) qui a décidé de « fusionner » il y a deux ans avec son concurrent belge Gevaert. Mais c'est une fusion bien froide. Les deux compagnies ont échangé des directeurs, placé un trait d'union entre leurs deux noms (Agfa-Gevaert), et mis en commun leurs départements de recherche ; c'est à peu près tout. Pour le reste, elles ont annoncé leur intention de former une société réellement unifiée — le jour où les autorités du Marché

Commun le permettront par l'établissement d'un statut, encore inexistant, des sociétés européennes. Elles attendent la législation.

Les sociétés américaines procèdent au quadrillage de l'Europe à leur convenance. On lit dans le rapport de Mc Graw-Hill : « Les créateurs du Marché Commun, les Robert Schuman, les Jean Monnet, et les Walter Hallstein, peuvent être fiers d'avoir contribué à abattre les cloisons qui divisaient l'Europe. Mais ce sont les sociétés américaines qui ont compris leur idée et qui révèlent l'Europe à elle-même en appliquant directement, avec quelques variantes, les méthodes qui ont permis à l'Amérique de créer son propre grand marché. »

Les Européens envient particulièrement l'aisance avec laquelle les sociétés américaines modifient leurs structures pour profiter de toutes les possibilités du nouveau marché. Ils sont conscients de l'avantage qu'elles prennent. La question qu'ils me posent le plus souvent, dit un dirigeant américain installé en France, est simplement la suivante : Comment faites-vous ?... »

Ainsi est en train de se développer, en plus, une autre grande affaire américaine en Europe : la création des organismes de conseil en direction.

Les trois cabinets de conseil américains installés en Europe (Booz, Allen and Hamilton ; Arthur Little Inc. ; Mc Kinsey and Company) *doublent* leurs effectifs *chaque année,* depuis cinq ans. Ce que les Américains font naître autour d'eux c'est la « conscience du marché ».

Selon un dirigeant américain de Francfort : « Si un directeur allemand veut accroître sa production, il considère l'ensemble des facteurs qui entrent en ligne de compte pour arriver à fabriquer son produit. Mais si je dois accroître ma production, j'ajoute, à ces mêmes opérations, nos études et prévisions de marchés, si bien que je saurai non seulement comment produire mais comment produire la quantité voulue au moindre coût.

Ce qui m'intéresse, c'est ma marge de bénéfice ; ce qui intéresse mon concurrent européen, c'est une usine qui tourne. *Ce n'est pas la même chose.* » Cette science, le « marketing », est nouvelle en Europe. Il n'y a guère de grands dirigeants européens qui ne la mettent, désormais, en tête de leurs préoccupations.

Ainsi, au-delà même de l'investissement, c'est la gestion « à l'américaine » qui est en train d'unifier l'Europe à sa manière. L'industriel américain de Francfort, cité plus haut, conclut : « Le Traité de Rome *est la plus belle affaire que l'Europe ait jamais mise sur pied.* C'est ce qui nous a amenés ici. Nous sommes contents d'être là. Nous gagnons de l'argent. Nous en gagnons de plus en plus. Que les négociations politiques à Bruxelles avancent ou n'avancent pas, les perspectives industrielles et commerciales, pour nous, sont encore meilleures ici qu'aux Etats-Unis. »

C'est bien, en effet, la plus grande affaire dont on ait pu rêver... Pourquoi eux, et pas nous ? Comment se fait-il qu'ils réussissent chez nous mieux que nous ? En commençant simplement par chercher la réponse à cette question, on découvre un monde.

Chapitre 2

Pas une question d'argent

Aux yeux des citoyens de l'Europe Occidentale, l'investissement américain reste un problème obscur et technique, réservé aux spécialistes de la finance et de l'économie. La place qu'il tient dans la vie politique est presque nulle. Sa portée échappe à la plupart de ceux qui s'intéressent aux affaires publiques et même à la majorité des gouvernants. Son sens n'est pas perçu en dehors des cercles d'experts. « Technological gap », « managerial gap », ces expressions, qu'on est lassé d'entendre, sont usées avant même que leur signification ait pénétré dans les esprits.

C'est un phénomène subtil à bien des égards. Car nous n'assistons pas à un débordement de dollars qui ne trouveraient pas à s'employer aux Etats-Unis, et qu'une conjoncture plus ou moins passagère orienterait vers le Marché Commun, mais — ce qui est nouveau et autrement plus grave — au déploiement sur le sol européen d'un *art de l'organisation* auquel nous demeurons étrangers.

L'Europe du Marché Commun est devenue pour les hommes d'affaires américains un nouveau Far West, et leurs investissements se traduisent moins par de larges transferts de disponibilités que par une *prise de pouvoir* au sein de l'économie européenne. Les chiffres globaux ne rendent donc pas assez compte de l'acuité du problème. C'est pourquoi un groupe d'économistes des six pays du Marché Commun s'est livré, depuis un an, à un analyse plus détaillée[1].

Pour les investissements industriels, la part des entreprises américaines dans les pays européens est actuellement limitée à moins de 10 % de la formation brute de capital des entreprises (sauf la Belgique). Cette constatation doit être complétée par l'analyse du *rythme de progrès* actuel de ces investissements.

Le Department of Commerce de Washington trouve en effet « frappant » le fait qu'en 1966 par rapport à 1965 les investissements américains, globalement, aient augmenté de 17 % aux Etats-Unis, de 21 % dans le reste du monde, *et de* 40 % *dans le Marché Commun.* Ce chiffre va déjà un peu plus au cœur des choses : le Marché Commun devient bien la nouvelle frontière de l'industrie américaine, son terrain d'élection.

Une enquête, de Donaldson et Lefkin, auprès des principaux groupes industriels américains montre qu'ils considèrent comme normal, pour l'avenir, de placer « 20 à 30 % de leurs actifs en Europe », ce qui confirme, puisque nous en sommes encore loin, la probabilité d'un rythme de croissance élevé des investissements américains dans les prochaines années.

Et plus encore que par son rythme, c'est par ses aspects *qualitatifs* que se caractérise le phénomène.

On note une dissymétrie significative entre les investissements faits par les Européens aux Etats-Unis, qui sont généralement des placements financiers, et les investissements faits par des Américains en Europe, qui constituent le plus souvent une prise de contrôle.

C'est une règle de caractère historique : lorsqu'un pays est politiquement et économiquement le plus fort, il choisit les investissements directs (prise de contrôle)

1. Le document, auquel nous avons largement emprunté les informations de ce chapitre, sera publié en 1968 sous la signature de Walter Bruclain : « Les grandes affaires américaines et l'avenir du marché commun ».

dans les pays tiers. C'est ainsi que les capitaux européens partirent autrefois en Afrique, non pas à des fins de placement mais pour y exercer le pouvoir économique et exploiter les ressources locales. A l'inverse, les pays économiquement faibles voient, selon une loi classique, leur épargne liquide aller à l'étranger, dans des pays plus forts, sous forme de placements. C'est ce qui se produit aujourd'hui pour les titulaires de revenus élevés, des pays sous-développés d'Afrique, vers l'Europe.

Le plus frappant est le caractère, pour ainsi dire stratégique, de la pénétration industrielle américaine. Elle choisit, un à un, les secteurs marqués par une technologie avancée, un rythme d'innovation rapide, et un fort coefficient de croissance.

M. Bertin a montré, déjà en 1963, que les firmes américaines contrôlaient en France : 40 % de la distribution du pétrole ; 65 % de la production des surfaces sensibles ; 65 % du matériel agricole ; 65 % du matériel de télécommunications ; 45 % du caoutchouc synthétique ; etc. [1]. Le secteur le plus significatif, et déterminant pour l'avenir, est celui de l'électronique. On y voit apparaître clairement le lien direct entre la part des entreprises américaines et le degré de technicité de la production. Ainsi les entreprises américaines *contrôlent en Europe* :

— *15* % de la production des *biens de consommation* (récepteurs radio et télé, appareils d'enregistrement) ;

— *50* % de la production des *semi-conducteurs* (qui remplacent les anciens tubes électroniques) ;

— *80* % de la production des *ordinateurs* (ces calculateurs électroniques à grande puissance, qui transforment, entre autres, la gestion des entreprises) ;

— *95* % du marché nouveau des *circuits-intégrés*

1. Dans « L'investissement des firmes étrangères en France », par M. Gilles Bertin, diplômé de l'Université de Californie, professeur d'Economie politique.

(ensembles miniatures dont dépendent les engins balistiques et la nouvelle génération des ordinateurs).

Ces chiffres sont importants à retenir : l'électronique n'est pas un secteur industriel quelconque. Il est celui dont dépend directement le prochain développement industriel. Après la première révolution qui, au dix-neuvième siècle, a remplacé la force physique par celle des machines (les moteurs) ; nous assistons maintenant à la *deuxième révolution industrielle* qui permet de remplacer chaque année un nombre croissant de tâches du cerveau humain par le travail de nouvelles machines (les ordinateurs).

Un pays qui achètera à l'étranger l'essentiel de son équipement électronique sera dans une situation d'infériorité analogue à celle des nations qui, il y a un siècle, ont été incapables de maîtriser la mécanisation du travail. Ces nations se sont placées pour longtemps hors civilisation, si brillant qu'ait été leur passé. Si la faillite de l'Europe dans le secteur électronique devait se confirmer, l'Europe risquerait, de ce simple fait, et en une génération, de cesser d'être une zone de civilisation avancée [1].

L'aspect le moins connu du phénomène des investissements américains en Europe est encore celui de *son financement*. Le problème du financement, pour leurs investissements, se pose de moins en moins aux entreprises américaines. Grâce à leurs surfaces, à leurs capacités, et à leurs méthodes, elles trouvent sur place l'argent pour s'installer.

Les Américains ont investi, en 1965, 4 milliards de dollars en Europe [2]. Voici comment ils ont été financés :

— emprunts obtenus sur le marché européen des capitaux (Euro-émissions) et crédits obtenus directement dans les pays européens : environ 55 % ;

1. Comme les prévisions faites par le Hudson Institute sur l'état du monde dans trente ans nous le montreront au chapitre suivant.

2. Chiffres tirés du « Survey of Current Business ».

— subventions budgétaires des autorités des pays européens, et autofinancement sur place : environ 35 %.

— transferts nets de dollars en provenance des Etats-Unis : environ 10 %.

C'est ainsi qu'à concurrence des *neuf dixièmes,* les investissements américains réalisés en Europe sont financés au moyen de ressources européennes. *Nous les payons, en quelque sorte, pour qu'ils nous achètent.*

Le marché de l'Euro-émission a fourni à l'investissement américain de 450 à 500 millions de dollars en 1966. Ce sont des capitaux particuliers, dont l'origine se rattache directement au déficit de la balance des paiements des Etats-Unis [1]. Ces Euro-dollars, gagnés par l'Europe par des ventes aux Etats-Unis, constituent un marché financier privilégié. En fait ils sont prêtés aux filiales des sociétés américaines. Très rares sont les entreprises du continent qui ont la surface nécessaire pour accéder à ce marché aristocratique.

Le solde du financement des investissements américains est assuré, comme nous l'avons dit, d'abord par les ressources propres des filiales en Europe (autofinancement) dont le rendement financier dépasse, en moyenne, de moitié celui des entreprises européennes, enfin par des subventions budgétaires des gouvernements locaux.

Alors que les Etats européens visent, en principe, à constituer entre eux une communauté économique, ils commencent, en fait, par se livrer à une concurrence de plus en plus vive, par le jeu de subventions gouverne-

1. Depuis 1960, chaque année, de 1 à 3 milliards de dollars quittent les Etats-Unis. Une partie va entre les mains des banques d'émission étrangères ; c'est là un problème monétaire connu. Mais une autre partie reste entre les mains des sociétés bancaires, commerciales ou industrielles. Une entreprise européenne, qui a vendu des marchandises aux Etats-Unis et qui a reçu des dollars en échange, n'est pas tenue de les reverser à sa banque. En France cette liberté date de 1967, mais elle est déjà ancienne dans la plupart des pays européens. Ainsi existent sur notre continent des comptes dollars, libres, très importants. Cette masse est celle des Euro-dollars.

mentales directes, pour amener chez eux les investissements américains.

La technique mise en œuvre prend comme prétexte, pour rester en règle avec les dispositions du Traité de Rome, l'aide au développement régional. A mesure que les progrès de la concurrence dans le Marché Commun ont suscité de nouveaux problèmes régionaux (notamment dans les zones fondées sur les industries traditionnelles comme le charbon et l'acier), et qu'un certain ralentissement global de l'expansion a provoqué une tendance au chômage, les différents Etats se sont engagés dans une course aux aides régionales, sans concertation ni programme commun, dont les principaux bénéficiaires sont les investisseurs américains.

Le gouvernement belge, par exemple, a fait adopter par son Parlement en 1966 une nouvelle loi qui lui permet d'accorder, sur près de la moitié de son territoire, des subventions sous forme de primes en capital, qui peuvent aller jusqu'à 30 % de la valeur des investissements extérieurs. Un nouveau pas, depuis, a été franchi par le gouvernement hollandais qui a déposé un projet de loi portant ce taux à 40 %.

A ces avantages, considérables, offerts aux investissements étrangers, s'ajoutent d'autres primes occultes qui vont du prix de cession de terrains industriels jusqu'aux bénéfices de certaines conventions fiscales, en passant par des tarifs particuliers pour le gaz ou l'électricité.

Lorsque les entreprises américaines décident de franchir l'Atlantique pour s'installer en Europe, elles sont évidemment indifférentes à la localisation de leurs investissements dans tel ou tel pays du Marché Commun et elles peuvent ainsi, sans difficulté, la mettre aux enchères entre les gouvernements de manière à obtenir les meilleures conditions. Elles les obtiennent.

Enfin l'entreprise européenne subit, par rapport à son concurrent américain, un dernier facteur d'infériorité, peut-être le plus redoutable : l'appui systématique et organisé du gouvernement fédéral des Etats-Unis à ces industries de pointe, par ses commandes publiques et contrats de recherche.

Cette situation apparaît clairement dans l'électronique. L'industrie électronique américaine bénéficie, *pour 63 % de son chiffre d'affaires,* de commandes publiques (contre 12 % pour l'industrie européenne). Et, pour les dépenses, décisives, de recherche et de développement, la part du financement public est de *85 % aux Etats-Unis* (contre 50 % dans la communauté européenne). Dépenses de recherche qui sont elles-mêmes près de moitié moins fortes, en pourcentages du chiffre d'affaires, en Europe.

Ces chiffres résument la supériorité accablante dont jouit actuellement l'industrie de pointe américaine. Supériorité actuelle et supériorité potentielle : capacité immédiate d'investissements, et puissance du rythme de développement.

L'irruption de la puissance industrielle américaine en Europe n'en est, donc, qu'à ses débuts, et son accélération pose un problème majeur à chaque gouvernement européen ; comme le souligne M. Boyer de la Giroday, des services de Bruxelles, dans son exposé du mois de juin 1967, dont voici la conclusion : « Le phénomène de l'investissement américain en Europe a un caractère fondamental... En posant les bases de la Communauté Economique Européenne, nous avons fait quelque chose d'utile, mais de modeste et d'inachevé. Son résultat le plus clair jusqu'ici a été de favoriser une certaine progression de notre prospérité économique en créant les bases les plus propices à *l'implantation de plus en plus étendue des entreprises américaines. Elles, et elles seules,* ont jusqu'ici agi dans la logique du Marché Commun. »

Que faire ? M. de la Giroday répond, d'abord, par une remarque d'évidence économique : « Toute action négative, de dissuasion, ou de restriction, à l'égard des investissements américains en Europe, n'irait qu'à notre détriment, sur les plans économique et technologique, sans rien nous apporter de concret. En outre, toute action négative de ce genre se heurterait aux obstacles qui proviennent de l'existence même du Marché Commun que personne ne remettra en question. Le gouvernement français lui-même, après avoir cru pouvoir mettre un frein aux investissements américains sur son sol, a dû leur permettre de s'y multiplier. »

Parce que la question est immense et que la réponse n'est pas simple, il y a quelque temps déjà que les gouvernements, et que les chefs d'entreprises, s'en préoccupent. La voie de l'interdiction, ou de restrictions importantes, étant illusoire car elle ne ferait que retarder notre développement, il reste que si l'Europe continue à assister passivement au flux de l'investissement, son économie passera sous commandement américain.

Un membre du Parlement allemand, M. Hans Dichgans, constatait en mars 1965 : « L'Histoire nous enseigne que les économies nationales saines doivent se dégager à la longue du capital étranger et le remplacer par leur capital propre. Les Etats-Unis en sont le meilleur exemple. »

Encore faut-il que l'économie soit en état de le faire. Dans les pays faibles, dans les pays du tiers-monde, on constate au contraire une attitude, à l'égard des investissements étrangers, qui oscille entre une tolérance mêlée à un sentiment d'exploitation, et des réactions violentes qui se traduisent par des interdictions ou des nationalisations. Ces extrémités ne répondent en aucune manière aux questions posées à une économie moderne comme celle de l'Europe. Et, dans la mesure où l'investissement étranger ne fait que traduire une supériorité technologique, la nationalisation ne nationaliserait que les murs de l'usine : on n'exproprie pas le savoir-faire technique et la capacité d'invention.

C'est donc à la recherche d'une réaction plus adaptée

que se sont livrés, en ordre dispersé d'ailleurs, les gouvernements européens avec des idées variables que l'auteur allemand, M. Reiner Hellmann a répertoriées dans son livre « America auf dem Europa Markt ».[1] Nous nous y attarderons un instant.

Le gouvernement français a changé trois fois de politique. De 1959 à 1963, il a encouragé les investissements étrangers. Le Premier ministre, M. Michel Debré, écrivait le 1er juillet 1959 « qu'il était souhaitable, en tout état de cause, que les entreprises américaines qui s'établissent dans la Communauté Européenne choisissent la France plutôt que nos partenaires ». Ce qui est vrai.

Puis quelques problèmes ont attiré l'attention de l'opinion publique sur certains aspects sociaux, ou spectaculaires, des prises de contrôle américaines. Licenciements décidés par la General Motors à Gennevilliers, par Remington Rand à Caluire. Rachat par Chrysler de Simca, installation de la Libby dans le Bas-Rhône/Languedoc. Enfin, l'affaire extrêmement regrettable de la cession des Machines Bull (ordinateurs) à la General Electric. A la suite de ces difficultés, le nouveau gouvernement français, de M. Georges Pompidou, s'engagea dans une politique de restriction dont la conséquence simple et immédiate fut de déplacer les investissements américains vers les autres pays du Marché Commun.

La General Motors devait s'installer à Strasbourg ; elle y renonça pour l'Allemagne[2]. La Ford avait prévu Thionville ; elle choisit la Belgique. La Philips Petroleum devait venir à Bordeaux ; elle y renonça pour le Benelux. Dans la compétition, déjà difficile, avec nos partenaires, nous leur accordions une arme supplémentaire : l'avantage des investissements américains, avec

1. « L'Amérique dans le Marché Commun » par Reiner Hellmann (Hambourg).

2. Depuis, le gouvernement français ayant changé de politique, c'est de nouveau Strasbourg.

tous les atouts technologiques, et de marketing, qu'il comporte.

Aussi depuis le début de l'année 1966, un troisième gouvernement, avec MM. Pompidou et Debré, a renoncé à cette politique qui comportait, à côté d'avantages psychologiques provisoires, des inconvénients économiques graves, pour réadmettre les investissements américains en France, en essayant de les sélectionner.

Au sein du Marché Commun, un pays qui adopte à l'égard de l'investissement américain une attitude plus restrictive que les autres se condamne, le plus souvent, à avantager ses concurrents à son propre détriment.

Le gouvernement travailliste, conformément à sa philosophie, à sa volonté naturelle d'exercer sur l'économie anglaise un plus grand contrôle, se déclara tout d'abord moins favorable que les conservateurs à la liberté de l'investissement américain. Le Premier ministre, M. Harold Wilson, a été le meilleur avocat de la nécessité de créer en Europe une puissance technologique capable de rivaliser avec l'Amérique au lieu de passer sous sa coupe. Il a affirmé à plusieurs reprises que la volonté majeure de l'Europe devait être « d'empêcher la domination de son économie par les investissements américains ».

Mais l'Angleterre étant, comme les autres, isolée dans ses réactions, et soumise à la surenchère des rivalités nationales, la pratique est moins simple. En 1964, les travaillistes étant dans l'opposition, la société américaine Chrysler avait acquis une part importante, mais minoritaire, du capital de la grande usine d'automobiles Rootes. Le parti travailliste avait vivement réagi. Or, en 1967, les travaillistes au pouvoir, Chrysler s'est déclaré en mesure de prendre le contrôle complet de la société Rootes. Le gouvernement Wilson, après avoir étudié le problème, a d'abord repoussé la demande syndicale suggérant une nationalisation de la compagnie, puis accordé son autorisation à Chrysler.

C'est aussi une attitude nuancée, mais en sens inverse, qui se développe en Allemagne depuis le changement de Chancelier. Après une longue période de libéralisme excessif, à motif politique, les industriels allemands ont commencé à manifester une certaine appréhension. La Commertzbank évaluait déjà en 1965 à deux milliards de dollars le montant des investissements sous contrôle américain en Allemagne alors que *l'ensemble du capital* des sociétés cotées en bourse en Allemagne était de l'ordre de 3,5 milliards de dollars. Il était temps de réagir.

Lorsque la Mobil Oil fit une démarche, en 1967, pour obtenir le contrôle de la société allemande Aral, le gouvernement allemand exigea que cette participation soit limitée à 28 % et que l'ensemble des actionnaires d'Aral passent une convention par laquelle : « ils conviennent que le caractère allemand de la société sera maintenu. »

Pendant que le gouvernement anglais constatait qu'il ne pouvait pas appliquer rigidement sa doctrine de contrôle, le gouvernement allemand constatait, de son côté, qu'il ne pouvait plus s'en tenir strictement au libéralisme, et le gouvernement français évoluait successivement dans les deux sens. L'Italie et le Benelux qui avaient repoussé énergiquement, en 1963, la demande de la France visant à établir un contrôle commun des investissements américains dans la Communauté, se préoccupent maintenant du problème à leur tour. Ces pays ont exprimé leur intention « d'encadrer les investissements américains dans les objectifs généraux de leur programmation nationale ». Formule trop vague pour être contraignante, et trop théorique pour être applicable. Toujours le même problème : les mesures nationales aboutissent simplement à transférer l'investissement dans les pays voisins, ce qui n'est pas une solution.

La réaction la plus instructive est celle, toute récente, du patronat. Les patrons européens sont regroupés dans l'U.N.I.C.E. (Union des Industries de la Communauté Européenne). Ils ont adopté, en commun, cette année, une déclaration de principe qui mérite d'être diffusée dans le public.

Elle commence par se référer aux principes libéraux classiques : « l'industrie est fondamentalement attachée aux principes de la liberté des mouvements de capitaux et de la liberté d'établissement des entreprises. Dès lors, elle adopte une attitude positive et libérale à l'égard des investissements américains, et de l'implantation d'entreprises américaines dans la Communauté.

« Dans cet esprit, elle exprime le vœu que, si des dispositions doivent être prises en vue d'être mieux informés des mouvements de capitaux en provenance des pays extérieurs, ces mesures ne puissent en aucun cas constituer un obstacle à l'entrée des capitaux étrangers dans la Communauté, ni affecter leur orientation. »

Après cette affirmation de principe, qui paraît régler le problème au nom d'une certaine logique, d'ailleurs largement justifiée, le patronat passe à l'exposé prudent de ses « préoccupations ».

Il déclare : « Les investissements américains ne devraient pas prendre une valeur démesurée de telle sorte que l'économie de certains pays européens, ou certains secteurs importants d'activité, ne deviennent trop fortement tributaires de décisions répondant essentiellement à des impératifs de la politique économique des Etats-Unis ou de la gestion des entreprises américaines. »

Excellente déclaration, aussi catégorique et aussi justifiée que la première — sous réserve qu'elle en est la contradiction.

Après ce double exposé des motifs, le manifeste de l'U.N.I.C.E. passe aux choses sérieuses, c'est-à-dire les craintes plus concrètes du patronat qui se classent sous trois rubriques :

1°. — « Le problème des investissements américains n'a pas soulevé de difficulté aussi longtemps que l'industrie américaine n'a pas utilisé le marché financier européen, comme elle semble maintenant le faire d'une façon de plus en plus massive... Il est à craindre que les appels des entreprises américaines au marché européen des capitaux ne s'effectuent maintenant au détriment des possibilités de financement des entreprises européennes. » Voilà un premier conflit.

2°. — Le deuxième est plus important : « Alors que dans certaines régions l'implantation d'entreprises américaines a contribué fort heureusement à la création d'emplois nouveaux (par exemple en Italie), dans la plupart des autres pays qui connaissent une tension sur le marché du travail, l'appel de main-d'œuvre qu'entraînent les investissements américains suscite des difficultés. Ces difficultés sont aggravées par les pratiques utilisées par les chefs d'entreprises américaines en ce qui concerne le recrutement du personnel et les conditions offertes. » Le deuxième reproche, après celui d'assécher le marché des capitaux, est donc celui de provoquer des hausses de salaires en raison des augmentations substantielles offertes par les Américains aux candidats qu'ils recrutent.

3°. — Troisième reproche : les entreprises américaines cassent les prix. C'est sous une forme non dissimulée que l'U.N.I.C.E. reproche à ses concurrents étrangers de ne pas respecter les cartels et les ententes qui visent à maintenir les marges de profits : « Il est apparu, dit le manifeste, que certaines sociétés américaines étaient mal informées des mécanismes de prix existant sur le marché européen et que les divers concurrents continentaux s'efforcent de respecter. Une étude en commun des méthodes applicables à l'établissement des prix de revient nous a permis d'établir des règles qui, tout en sauvegardant la concurrence, se sont révélées bénéfiques pour toutes les parties intéressées. Aussi conviendrait-il d'éviter que, par ignorance, les entreprises américaines provoquent une guerre de prix risquant d'entraîner des troubles graves sur le marché. »

Animation du marché financier, meilleurs salaires, meilleurs prix ; peu de plaidoyers autant que celui-là sont susceptibles, en somme, de convaincre du bien-fondé d'une politique libérale à l'égard des investissements américains.

Autrement dit, l'investissement extérieur est en train de secouer sérieusement, on le voit, les habitudes de pensée des dirigeants politiques comme des chefs d'entreprise. Aucune politique claire n'est encore apparue, mais la prise de conscience, parfois même l'alarme, est déclenchée.

La marge d'action est étroite. Toute politique nationale restrictive comporte des dangers plus graves que les investissements américains eux-mêmes. Et le seul niveau auquel une politique pourrait être décidée, et mise en œuvre, est celui de la Communauté, à condition d'aller à la source même du phénomène.

Pour éviter des polémiques futiles, reconnaissons, une fois pour toutes, que l'investissement américain a des aspects bénéfiques importants, et sans doute même irremplaçables [1].

Ne perdons pas de vue, surtout, que cet investissement n'est pas une cause, mais *un effet.* Il est la conséquence d'une série d'écarts dont l'ensemble traduit le retard global de l'industrie européenne sur l'industrie américaine. Si nous en venions à nous priver nous-mêmes de l'influx de puissance, d'organisation, d'innovation, et d'audace qui caractérise les grandes sociétés américaines, les retards de l'Europe n'en seraient qu'entretenus et aggravés. Avant d'étudier les moyens de riposter, il

1. La meilleure étude, à ce jour, sur la *fertilisation* du Marché Commun par l'investissement extérieur est celle de M. Christofer Layton, « Transatlantic investments » : Il note que « sans la rigoureuse concurrence qu'apportent les investissements américains, les industriels européens ne parleraient pas de la nécessité des concentrations et des fusions comme ils le font aujourd'hui ».

importe donc de bien voir l'apport technologique très positif qui accompagne les investissements américains.

Ce sont en effet les grandes firmes américaines, et non pas les entreprises moyennes, qui assument la part prépondérante de la pénétration en Europe. Plus de la moitié des filiales sont celles de 340 firmes américaines qui figurent sur la liste des 500 plus grandes entreprises du monde. Et 40 % des investissements américains directs en France, Allemagne et Grande-Bretagne sont effectués par trois géants américains. Or nous savons que 85 % des dépenses de recherche et de développement en matière d'industrie, aux Etats-Unis, sont effectués précisément par les grandes entreprises, celles qui emploient plus de 5 000 personnes. Celles qui sont en mesure de nous aider, par leurs apports, à combler le fameux « gap » (fossé) technologique entre l'Europe et l'Amérique [1].

D'autre part, toute politique délibérément restrictive à l'égard des investissements américains dans le Marché Commun susciterait automatiquement un double effet de substitution.

Les produits remplaceraient d'autant plus aisément les capitaux que les dernières étapes du Kennedy Round ont abaissé la plupart des tarifs douaniers. Faudrait-il, alors, après avoir dressé les obstacles contre le capital américain, reconstruire de nouvelles barrières devant les produits américains ? Ce serait courir au sous-développement. Pour la plupart des objets de la technologie avancée, dont le prix de revient est fortement grevé par l'amortissement des frais de recherche, les produits américains présentent le plus souvent, dans l'état actuel

1. Une étude de la Chase Manhattan Bank montre la relation qui existe entre l'importance des dépenses de recherche et le nombre des opérations d'investissement dans la Communauté pour les entreprises américaines : près de 70 % des opérations d'investissement ont été réalisés au cours des huit dernières années, dans les trois secteurs de la construction électronique, de l'industrie chimique, et de la construction mécanique — qui, à elles trois, totalisent 80 % des dépenses de recherche.

des choses, un caractère irremplaçable. On ne règle pas le commerce international des ordinateurs par un maniement de tarifs douaniers.

Une étude, non encore publiée, d'un jeune chercheur de la Colombia University, M. Donald B. Keesing, révèle la part américaine dans les échanges occidentaux pour les industries à haut degré de développement technique.

On constate que plus le secteur est à haute technicité (mesurée par le nombre de savants et d'ingénieurs en proportion du nombre total d'employés) plus la part américaine est forte. La suppression de *l'investissement* américain en Europe ne ferait ainsi qu'accroître encore la nécessité d'importer des *produits* fabriqués en Amérique.

Le deuxième danger de substitution, après celui des produits, serait celui *des investissements eux-mêmes.* Les entreprises américaines qui seraient aux prises avec des restrictions imposées dans le Marché Commun ne manqueraient pas, comme elles le font souvent déjà, de s'installer en Grande-Bretagne, en Scandinavie, en Espagne, et dans des pays associés, ce qui leur permettrait automatiquement de bénéficier des réductions tarifaires qui ont été décidées entre ces pays et le Marché Commun.

En définitive, les Européens se trouvent devant un dilemme que l'on peut qualifier, sans exagération, d'historique.

— Si nous acceptons la libre entrée des investissements américains, dans les conditions actuelles, nous vouons l'industrie européenne, en tout cas dans sa partie la plus technique et la plus scientifique, celle qui porte l'avenir, à un rôle de sous-traitance, et l'Europe elle-même à une situation de satellite.

— Si nous adoptons des mesures restrictives qui soient efficaces, nous sommes assurés d'être pris de revers, et par des produits dont nous avons besoin, et par les capitaux qui iront s'installer au-delà de nos frontières. Nous

nous condamnerions plus sûrement encore, par cette autarcie, au sous-développement.

Alors ? C'est qu'en vérité il n'y a pas un phénomène isolé, et spécifique, des investissements américains. Ils ne sont que l'un des aspects particuliers d'un phénomène général de puissance, de décalage de puissance, et de décalage croissant, entre l'Europe et l'Amérique.

Rien ne serait plus absurde que de traiter l'investisseur américain en « coupable » et de concevoir notre riposte sous une forme répressive. Aussi résolu que l'on doive être d'assurer à l'Europe la maîtrise de son destin, on ne doit pas hésiter à reprendre la remarque que faisait Hamilton en 1791 à propos de l'investissement étranger aux Etats-Unis : « Plutôt que d'être traité en rival, l'investisseur étranger doit être considéré comme un auxiliaire particulièrement précieux, car il permet une quantité accrue de travail productif et d'entreprises efficaces. »

Si l'investissement américain ne fait que traduire un phénomène de puissance, le problème pour l'Europe est de devenir une puissance. Ce qui apparaît aujourd'hui comme « la grande braderie » de notre industrie aux Américains pourrait, paradoxalement, finir par provoquer le salut. « Rien ne peut aiguillonner plus violemment l'Europe vers les moyens de son propre redressement que ce défi économique américain chez elle. » (Newsweek, février 1967).

La puissance américaine n'est plus celle que nous avons connue après la guerre. Elle a changé d'échelle et, pour ainsi dire, de nature. Nous la découvrons parce qu'elle débarque ici. Tant mieux. Le choc est rude. Il est préférable à la surprise. Il nous oblige à regarder.

Car cette puissance américaine a fait *depuis dix ans,* depuis la fin de la guerre froide et l'apparition du premier spoutnik, un bond en avant, d'une ampleur sans précédent. Elle a subi une révolution interne violente et féconde, que l'on pourrait décrire ainsi : la production de l'innovation technique est devenue aujourd'hui *l'objet même* de la politique économique. En Amérique aujourd'hui, l'administrateur gouvernemental, le manager industriel, l'économiste d'université, l'ingénieur et le savant mettent en œuvre des techniques rationnelles d'association des facteurs de production qui produisent un renouvellement permanent dans la création industrielle. C'est ce qu'on appelle la « cross-fertilization ».

L'originalité de cette véritable révolution consiste précisément en ce que l'association qui l'engendre se réalise dans des décisions prises en commun par les administrations, les grandes entreprises, et les universités. Ce qui est bien loin de l'image ancienne des Etats-Unis, celle de la libre entreprise non seulement éloignée du gouvernement mais en lutte avec lui, celle du cloisonnement entre les vendeurs et les intellectuels. Le tout forme au contraire, en 1967, un formidable complexe intégré, que J.K. Galbraith vient de baptiser « technostructure »

Si nous acceptons que les grandes décisions d'innovation industrielle, de création technologique, ayant des conséquences directes chez nous, soient prises entre Washington, New York, Harvard, Detroit, Seattle et Houston, il est à craindre que l'Europe ne parvienne plus à créer en son sein l'un de ces grands foyers d'innovation en dehors desquels précisément il n'y aura pas de civilisation originale. L'investissement américain, sa force, son accélération, son caractère inéluctable nous préviennent et nous interpellent. Quel avenir voulons-nous ?

Nous évoquions le début d'une prise de conscience. Quelques-uns de ceux qui ont vécu la décadence de Rome ou de Byzance, nous en avons des témoignages, ont eu aussi des lueurs sur l'avenir qui se préparait. Cela n'a pas suffi à changer le cours des choses. Aujourd'hui nous avons besoin, pour le modifier, d'un réveil, et d'un réveil brusque. S'il ne se produit pas, l'Europe, comme avant elle tant d'autres glorieuses civilisations, se trouvera sur la pente de la déchéance sans avoir compris pourquoi ni comment. Spengler philosophait, en 1923, sur le « Déclin de l'Europe ». En 1967, il nous reste juste le temps de comprendre.

Dans les prochaines années, l'investissement américain en Europe va continuer à croître rapidement, beaucoup plus rapidement que l'investissement européen. Les bénéfices qu'il produit sont moitié plus élevés. Dans les secteurs stratégiques, du point de vue du développement, il tend à devenir prépondérant. Il ne se manifeste pas par des placements mais par des prises de contrôle, qu'il métamorphose en pouvoir et richesses, et il le fait avec une épargne européenne que nos chefs d'entreprises ne parviennent pas à mobiliser.

Ce qui menace de nous écraser n'est pas un torrent de richesses, mais une intelligence supérieure de l'emploi des compétences. Alors que les entreprises françaises, allemandes ou italiennes, en sont toujours à tâtonner dans le grand espace ouvert pour elles par le Traité de Rome, comme hésitant à sortir du refuge démantelé de leurs habitudes, les unités lourdes de l'industrie américaine, après s'être informées des particularités du terrain, manœuvrent maintenant de Naples à Amsterdam avec l'aisance et la rapidité des blindés israéliens dans le Sinaï.

Face à cette conquête, les dirigeants européens, politiciens ou chefs d'entreprises, ne parviennent pas à fixer une ligne de conduite cohérente. Le public, mal éclairé par leurs discours contradictoires et leurs revirements inexpliqués, ne peut pas savoir si l'investissement américain est un bien ou un mal.

Il est les deux à la fois. Le stimulant de la concurrence, l'apport de méthodes neuves et de techniques avancées, est sans contestation possible un bien pour l'Europe. Mais le sous-développement cumulatif qui risque de transformer cet apport en mainmise est un mal.

Le mal ne réside pas dans la capacité américaine mais dans l'incapacité européenne, et dans le vide qu'elle creuse. C'est pourquoi les restrictions, interdictions, répressions, provoquées ou souhaitées, ne répondent pas à la question, ou n'en résolvent qu'une petite partie. Supprimons l'investissement américain, nous n'aurons pas comblé le vide, bien au contraire. Et nous nous serons affaiblis.

Pendant ce temps nous ne sommes pas malheureux, nos économies progressent, notre niveau de vie augmente gentiment. Alors pourquoi s'alarmer ? Jetons un regard sur l'horizon.

Chapitre 3

La société post-industrielle

Grâce, en particulier, à l'afflux de la technique et de l'organisation américaines en Europe, nous sommes entraînés dans un mouvement général de progrès. La lenteur de nos réactions devant ce déversement de puissance, l'étrange ankylose de notre faculté de création, nous orientent, à l'intérieur de ce mouvement d'ensemble, vers une situation de deuxième ordre par rapport à la puissance dominante.

Avant d'analyser, de plus près, le mécanisme précis par lequel la dépendance économique altère, et limite, le progrès, jetons un regard sur l'horizon avec le Hudson Institute qui vient de terminer les premières études chiffrées sur la situation mondiale dans trente ans — dans une génération. En l'an 2000 [1].

En 1968, M. Herman Kahn et le Hudson Institute sortiront un rapport de mille pages sur les caractéristiques d'ores et déjà mesurables de l'an 2000, par extrapolation des données actuelles et en fonction des inno-

1. Le Hudson Institute a été fondé par quelques-uns des hommes qui avaient dirigé la Rand Corporation. La Rand avait inauguré, pendant la guerre, la « recherche opérationnelle » qui consistait, pour la première fois, à intégrer tous les facteurs possibles d'une décision stratégique pour en déceler les différentes options. Dans ses activités militaires, branchées directement sur le Département de la Défense et la Maison Blanche, la Rand a contribué non pas à assurer la victoire militaire des Etats-Unis — qui était d'une manière ou d'une autre acquise — mais à rapprocher le terme de la guerre, à garantir le minimum de pertes et le maximum de rapidité pour les opérations de débarquement en Europe comme dans le Pacifique.

Après la guerre, la Rand a continué ses opérations d'intégration

vations prévisibles. L'ayant lu, nous pouvons en donner ici un rapide aperçu.

Le Hudson Institute établit d'abord, en 1967, la liste des neuf premières puissances mondiales, classées d'après le revenu par habitant : Etats-Unis, Scandinavie, Canada, Allemagne, Grande-Bretagne, France, U.R.S.S., Italie, Japon.

Deux autres pays sont éudiés par le Hudson Institute, bien que le revenu individuel y soit très faible, car leur avenir est important pour le monde : l'Inde et la Chine. Au total onze puissances.

L'histoire de notre génération, l'histoire des trente prochaines années, sera l'avènement de ce que M. Daniel Bell [1] appelle d'une expression neuve qu'on entendra beaucoup : la « société post-industrielle ». Nous devons retenir ce terme. C'est celui qui définit l'horizon. Il renferme un certain nombre de changements fondamentaux par lesquels la société de l'an 2000, dans certaines parties du monde industriel, sera aussi différente de celle que nous connaissons aujourd'hui que la nôtre peut l'être, en ce moment, de l'Egypte ou du Nigeria.

Les principaux traits de cette nouvelle société seront, d'après MM. Bell et Kahn, les suivants :

— Le revenu industriel sera cinquante fois supérieur, environ, à celui de la période pré-industrielle ;

— La majorité des activités économiques auront quitté les secteurs primaire (agriculture) et secondaire

opérationnelle sur les problèmes nucléaires de la guerre froide. Elle a joué non pas un rôle de décision, qui appartient toujours à la puissance politique, et qui n'est pas susceptible d'appartenir aux ordinateurs, mais un rôle de clarification et de prévision qui permit d'ajuster les choix.

Elle a contribué à la victoire des Etats-Unis dans la confrontation nucléaire, et dans la compétition pacifique, avec l'U.R.S.S.

Des hommes comme MM. Herman Kahn et Anthony Wiener ont alors créé un nouvel organisme de recherche, le « Hudson Institute », près de New York, qui travaille pour le gouvernement des Etats-Unis et pour de grandes entreprises industrielles privées.

1. Dans son nouveau livre : « The Reforming of General Education ».

(production industrielle) pour passer aux tertiaire et quaternaire (secteurs de services) [1] ;

— Les entreprises privées auront cessé d'être la source principale de la réaction technique et scientifique ;

— Les lois du marché joueront sans doute un rôle inférieur à celui du secteur public et des fonds sociaux [2] ;

— l'ensemble de l'industrie devrait être commandé par la cybernétique ;

— Le principal facteur du progrès résidera dans les systèmes d'éducation, et l'innovation technologique mise à leur service ;

— Les facteurs de temps et d'espace ne joueront plus de rôle important dans les problèmes de communication ;

— L'écart, dans une société post-industrielle, entre les revenus élevés et les revenus bas, sera inférieur à celui que nous connaissons aujourd'hui dans la société industrielle.

L'avènement d'un pays au niveau post-industriel se produit, selon l'étude, à partir du moment où le revenu individuel par tête dépasse 4 000 dollars par an (20 000 F).

Indiquons, pour comprendre ce chiffre, que le revenu actuel par tête aux Etats-Unis est de 3 500 dollars. Il est d'environ 1 800 dollars en Europe Occidentale, et de 1 000 dollars en U.R.S.S.

Le tableau suivant d'Herman Kahn définit le type de société auquel un pays appartient, selon le revenu par tête de ses habitants.

1. Le quaternaire est défini comme un secteur avancé du secteur tertiaire (services) qui sortira progressivement des lois du marché et du profit : Fondations, recherches désintéressées, culture, « non profit organisations », etc.

2. Dans « The new industrial state » J.K. Galbraith confirme cette accommodation progressive des lois simples du marché à des relations plus complexes et plus contrôlées.

CLASSEMENT DES SOCIÉTÉS ÉCONOMIQUES	
— Pré-industrielle :	De 50 à 200 dollars par tête
— En processus d'industrialisation :	De 200 à 600 dollars par tête
— Industrielle :	De 600 à 1 500 dollars par tête
— Industrielle avancée : (société de consommation)	De 1500 à 4000 dollars par tête
— Post-industrielle :	De 4000 à 20 000 dollars par tête

Les Etats-Unis et l'Europe Occidentale (l'U.R.S.S., s'en approche) avec des différences évidentes dans les niveaux, les répartitions, et le mode d'emploi des revenus, font actuellement partie d'un même monde, qui est la société industrielle avancée.

L'étude de l'Hudson Institute indique quel sera dans trente ans, selon les prévisions probables, et sous réserve de mutations imprévues, le classement des nations. C'est ce qui constitue donc un horizon raisonnable et peut servir utilement de base à la réflexion.

Feront partie des sociétés *post-industrielles* les nations suivantes. Dans l'ordre : Etats-Unis, Japon, Canada, Suède. C'est tout. [1]

Feront partie des sociétés *industrielles avancées,* en puissance de devenir un jour post-industrielles, les nations, ou groupes de nations, suivants : Europe Occi-

1. Au cours d'un colloque à Paris, en septembre 1967, M. Herman Kahn suggéra, pour ne pas décourager sans doute son auditoire, que la France pourrait en faire partie. Ce n'est pas un service à nous rendre que de nous « tranquilliser » ainsi. Le rapport qui va être publié aux Etats-Unis dit explicitement le contraire. Et M. Kahn lui-même, dans la note que nous publions en annexe, expose à quelles conditions non pas la France mais une Europe organisée pourrait effectivement rattraper le peloton. C'est bien le problème.

dentale, Union Soviétique, Israël, Allemagne de l'Est, Pologne, Tchécoslovaquie, Australie, Nouvelle-Zélande.

Arriveront à l'état de *sociétés de consommation* les nations suivantes : Mexique, Argentine, Venezuela, Chili, Colombie, Corée du Sud, Malaisie, Formose, les autres pays d'Europe.

Le reste du monde — la Chine, l'Inde, presque toute l'Amérique du Sud, l'ensemble du monde arabe et l'Afrique noire — n'auront pas encore atteint la phase industrielle.

Une mutation sensationnelle, historique, nous est ainsi tout tranquillement annoncée. Il n'y aura plus, en l'espace d'une génération, une différence de degré entre notre situation et celle des pays avancés, mais une différence de nature. Nous ferons partie d'un autre univers. Un univers intermédiaire entre la civilisation de pointe et celle des pays arriérés.

Notons que quelques rares pays, comme le Japon et la Suède grâce à des choix précis de gestion de leurs ressources, de concentration de leurs moyens, d'adaptation à leurs caractères sociaux propres, auront réussi à rester dans le peloton de tête [1]. L'Europe Occidentale, non.

L'objet de notre analyse, et de ce livre, n'est pas de souligner le scandale, trop évident, qu'il y aurait à nous résigner à cette déchéance, à dériver doucement vers cet horizon ; il est, bien sûr, de chercher les moyens par lesquels l'Europe Occidentale peut redresser le cours désastreux des choses, rester présente dans la libre compétition entre civilisations en reprenant la maîtrise de son propre destin.

Dans trente ans, l'Amérique étant en situation « post-industrielle », le revenu par tête devrait être de 7 500 dollars (35 000 F par personne) ; la semaine de travail de

1. Nous verrons que le modèle de développement japonais, et le modèle suédois, ont cet intérêt, pour nous, supplémentaire d'être très différents.

quatre journées de sept heures ; l'année se diviserait en trente-neuf semaines de travail et treize semaines de vacances, ce qui, avec les week-ends et les jours fériés, donnerait 147 journées de travail par an et 218 journées libres de travail. Dans une génération.

Chapitre 4

Le pouvoir de créer

Plusieurs économistes raisonnables se demandent si, finalement, devant l'impressionnante avance prise par l'industrie américaine dans les secteurs clés, la voie la plus rapide du développement pour les Européens n'est pas de laisser le soin aux managers américains de gérer l'essentiel de nos industries. C'est d'ailleurs vers quoi l'Europe s'oriente depuis plusieurs années, et l'on ne voit guère de symptômes sérieux de changement de cap. N'est-ce pas, économiquement parlant, la meilleure solution, la plus simple au fond ?

On ne saurait prétendre apporter une réponse scientifique à cette interrogation. Il n'est même pas impossible que le retard pris par l'Europe, dans l'invention comme dans la gestion, soit tel qu'un effort réel vers l'autonomie ne fasse, pour un temps, que l'aggraver.

Même si cette thèse de l'aliénation systématique apparaissait comme justifiée d'un point de vue économique — et c'est ce que nous allons examiner — cela ne signifierait pas que nous devions pour autant l'adopter. On peut concevoir des arguments d'ordre politique, culturel, et moral, qui ont une valeur supérieure et qui nous conduiraient à repousser cette tentation, cette facilité qu'est « l'américanisation ». Mais nous n'aborderons même pas, pour le moment, cet aspect politique des choses. Restons sur le terrain de l'analyse strictement économique. Nous y voyons, et c'est essentiel, que *l'autonomie n'est pas d'abord une idée morale, c'est d'abord un besoin économique.*

A court terme la dépendance est bénéfique. L'investissement américain, qui est actuellement le facteur essentiel de domination, constitue aussi le véhicule principal de la pénétration du progrès technique dans nos économies.

Directement, il introduit chez nous des techniques de fabrication et des procédés de gestion que nous ne connaissions pas. Indirectement il contraint les producteurs européens à un effort de rationalisation et de progrès qu'ils n'auraient pas consenti s'ils n'avaient pas été placés sous la pression de cette concurrence. L'effet économique immédiat de l'investissement américain est positif.

Si nous continuons à admettre, sous la forme actuelle, l'afflux des investissements américains, nos pays européens ne manqueront pas de participer aux bénéfices que les investisseurs étrangers tirent de leur productivité plus élevée. Et ce phénomène tend à se diffuser dans toute l'économie, favorisant ainsi l'élévation du niveau de vie.

Un autre élément milite en faveur d'une attitude libérale à l'égard des investissements américains. Quelle que soit la portée du mouvement de rationalisation qui est actuellement en cours dans l'industrie européenne, il est vraisemblable que celle-ci ne parviendra pas avant longtemps, sauf dans quelques secteurs, à offrir aux salariés des rémunérations comparables à celles que proposent les firmes américaines. Nous ne devons pas oublier que si l'industrie européenne demeure compétitive avec celle des Etats-Unis, dans plusieurs secteurs, c'est grâce à un niveau de salaires deux fois moins élevé, dans bien des cas, en Europe qu'aux Etats-Unis.

Mais, à long terme, il n'en va plus de même. La question de savoir si les Européens n'auraient pas finalement intérêt à confier une part croissante de leur développement industriel aux Etats-Unis revient à se demander s'il est plus fécond d'être salarié ou d'être chef d'entreprise. A l'échelle des nations en tout cas, et étant donné la situation de l'Europe, on peut formuler sans ambiguïté la réponse à cette question. L'analyse économique nous montre que l'investissement étranger comporte, en matière de développement national, d'étroites limites qui sont inscrites dans le processus même de la création industrielle.

L'investisseur américain ne transfère en Europe que la fabrication de produits qui ont *déjà* été éprouvés sur son marché national. Il y a là une règle générale, fondée sur des données dont nous reparlerons plus loin (chapitres sur l'Amérique). Dans ces conditions, en confiant aux Américains un rôle prépondérant dans le développement des nouvelles productions industrielles, nous nous condamnerions à demeurer, secteur par secteur, en retard d'une ou plusieurs étapes dans la course au progrès.

L'expérience montre, sans exception, que l'inventeur d'un produit ou d'un procédé nouveau, dans l'économie moderne dont le caractère essentiel est un rythme d'innovation accéléré, se trouve en situation de force par rapport à ses concurrents. Lorsqu'il accepte de partager avec eux le fruit d'une découverte, il le fait en exerçant un véritable effet de domination qui s'exprime par le montant élevé des redevances qu'il exige naturellement en contrepartie.

Il existe, notamment, pour les grandes entreprises, une corrélation directe entre la rentabilité générale de l'entreprise et le niveau de la recherche avancée. Ce lien montre que *l'innovation constitue pour l'entreprise moderne la principale source nette de profits.*

L'intervention à doses de plus en plus massives des investissements américains dans les secteurs de pointe a, pour l'Europe, l'avantage, à court terme, de la dispenser d'efforts de recherche très coûteux ; mais, à plus long terme, elle prive l'économie européenne des possibilités d'expansion rapide qui existent seulement dans les secteurs de pointe. Elle aboutit à réduire de plus en plus la rentabilité des entreprises proprement européennes. Elle les contraint à verser des sommes croissantes au titre de brevets et licences. A ces sorties de fonds, de type néo-colonialiste, s'ajoutent celles qui correspondent aux dividendes rapatriés aux Etats-Unis. Ces dividendes sont, d'ores et déjà, plus importants que les sorties de fonds en provenance des U.S.A. qui servent à financer les nouveaux investissements américains. C'est l'une des raisons pour lesquelles nous assistons à un phénomène de boule de neige, qui a peu de chances de se freiner lui-même.

L'effet économique à long terme des investissements américains est analogue aux bienfaits, indéniables, apportés par les métropoles à leurs anciennes colonies. La construction par la France de cimenteries en Algérie ou d'huileries au Sénégal a certes contribué à diversifier l'économie de ces pays. Mais, même si ces derniers l'avaient voulu, ils eussent été, du seul fait de la colonisation économique des secteurs modernes, dans l'incapacité de poursuivre par eux-mêmes l'effort de leur propre développement. Comme nous le voyons aujourd'hui.

Or l'Europe n'est ni l'Algérie ni le Sénégal. Tout nous permet de penser que si nous créons le cadre, en Europe, d'une meilleure organisation industrielle, les peuples européens tireront de cette organisation des avantages, au bout de quelque temps, plus grands et plus rapides, dans certains secteurs majeurs, que ceux que leur laisseraient les investisseurs américains après déduction des dividendes et de redevances pour licences.

Vouloir se donner les instruments d'organisation et de gestion qui fassent de l'Europe un foyer autonome de création industrielle et technologique, c'est évidemment faire un pari qui est loin d'être gagné d'avance. Mais s'il est gagné, il nous permettra de bénéficier directement, pour nous-mêmes, des deux sources principales de la richesse moderne :

1° — L'innovation technologique ;

2° — La combinaison intelligente des facteurs de production qui est le propre de l'entreprise avancée.

Les gouvernements de l'Europe n'ont pas jusqu'à présent choisi la voie de ce redressement. Ils ne s'en sont pas donné les moyens. Et la domination de l'industrie et de la science américaines continue de progresser.

Il y a là quelque chose qui ne pourra pas se prolonger éternellement. Le moindre risque n'est pas celui d'une réaction violente et sommaire qui interviendrait, par exemple, sous forme d'une nouvelle volonté politique : « nationalisons donc les entreprises américaines installées chez nous. »

Supposons qu'un gouvernement veuille « nationaliser » I.B.M.-France, qui possède plusieurs installations industrielles de premier plan et un laboratoire avancé à La Gaude dans les Alpes-Maritimes. Devenu possesseur de ces belles installations, l'Etat aurait simplement pris la proie pour l'ombre. Puisque ce qui compte, de nos jours, pour une entreprise, ce ne sont ni les murs ni les machines mais des éléments « immatériels » qui, eux, ne se nationalisent pas. De même qu'en biologie la cellule est d'une autre nature que les molécules qui la composent, qu'elle ne se réduit pas à leur addition, de même l'entreprise moderne est un phénomène entièrement différent de la somme des facteurs de production qu'elle associe. En nationalisant I.B.M., on pousserait ses dirigeants et ses cadres à l'émigration ; on reproduirait simplement, dans cette guerre moderne qu'est la guerre industrielle, le « suicide intellectuel », scientifique, et finalement stratégique, auquel la politique antisémite d'Hitler condamna l'Allemagne il y a trente ans.

En sens inverse, et c'est la preuve complémentaire, l'Allemagne de 1947 avait perdu la plus grande part des éléments matériels de sa puissance. L'Angleterre, elle, était matériellement presque indemne. Si, vingt ans après, aujourd'hui, l'Allemagne industrielle a largement dépassé l'Angleterre, c'est que d'un côté se sont retrouvés ces éléments « immatériels » qui ont fait défaut à l'autre — la capacité et l'organisation nécessaires pour exploiter l'invention.

Proclamer que la réponse à l'accélération de l'investissement américain sera un jour « la nationalisation », c'est une réaction typique de sous-développé, qui ne voit pas la nature du problème.

En supposant même que la nouvelle entreprise, après nationalisation, parvienne à récupérer la totalité du stock de connaissances existant dans l'entreprise américaine sur notre sol, elle ne s'en couperait pas moins du courant de création continu, et décisif, qui émane de la maison-mère. Elle serait en quelques mois un établissement dépassé. La nationalisation des investisseurs américains, s'opérant dans un cadre de libération mondiale des échanges, conduirait à la ruine rapide les entreprises qui en seraient l'objet. Il ne resterait plus alors aux gouvernements qui auraient commis cette folie qu'à fermer leurs frontières, à interdire l'importation sur leur sol des progrès réalisés ailleurs.

Mais l'illusion de la nationalisation est agréable. Elle permet de ne pas réfléchir. On croit avoir une solution pour l'avenir. On a seulement une arme contre le développement du pays.

N'y-a-t-il pas une méthode moins brutale qui consisterait un jour pour un gouvernement, plus volontaire, plus ambitieux pour le pays, à obliger les investisseurs étrangers à effectuer un minimum de recherches technologiques sur le territoire national ? C'est une politique qui mérite d'être étudiée [1], et dont certaines conséquences seraient sûrement positives : mais nous devons

1. Depuis 1966, le gouvernement français, d'ailleurs, s'y emploie.

être conscients du caractère très limité des avantages à terme qui en résulteraient pour l'Europe.

Une étude publiée par l' « International Management Review » montre que, sous réserve d'exceptions peu nombreuses, la répartition du pouvoir entre sociétés internationales d'origine américaine et européenne est très différente. Et là se situe la limite des mesures envisageables. Dans le cas européen (par exemple Philips), les filiales installées à l'étranger sont très largement indépendantes de la maison-mère. Au contraire, dans le cas des sociétés américaines, le siège social aux Etats-Unis demeure le centre de décision essentiel en ce qui concerne tous les problèmes de stratégie industrielle. L'expérience moderne révèle les processus cumulatifs qui favorisent *la concentration,* plutôt que l'éparpillement, des décisions stratégiques.

Or, ce qui est fécond, et ce qui est décisif, dans l'économie contemporaine, c'est l'association du facteur de recherche avec une infrastructure industrielle, avec des moyens de financement, et avec des réseaux commerciaux correspondants. Cette association est l'activité propre du siège central de la grande entreprise.

De sorte que, même si les investisseurs américains effectuent un jour un volume de recherche plus important en Europe, la source essentielle de rentabilité pour les entreprises, et de développement pour les nations, n'en demeurera pas moins là où se situent les centres de décisions intégrées, c'est-à-dire dans les sièges centraux aux Etats-Unis.

Le centre de décision utilise les services du milieu financier constitué par ses principaux actionnaires, ses banquiers, et son marché des capitaux. Il raisonne sur les réactions prévisibles de son marché principal, qui est toujours le marché américain. Il travaille, surtout dans le cas des grandes firmes, en étroits rapports avec l'autorité politique dominante, celle de l'Etat fédéral qui, par ses commandes et ses contrats de recherche, oriente la stratégie de la firme. Enfin, il faut ajouter le rôle de l'environnement intellectuel direct, et spécialement des relations entre l'entreprise et l'université locale.

Tous ces éléments, intégrés dans la stratégie des entreprises modernes, montrent que les relations entre la maison-mère en Amérique et sa filiale en Europe ne sont pas déterminées par une loi économique simple, mais par un système complexe de relations très hiérarchisées. En cas de conflit d'intérêt entre le pays où se situe le siège social et les pays où sont installées les filiales, c'est évidemment, et forcément, le centre qui l'emporte.

Reprenons un instant l'exemple d'I.B.M.-France, qui est pour nous une source incontestable de richesses et de progrès. Cette filiale est pour la maison-mère en Amérique un gisement de connaissances et un siège d'exploitation parmi bien d'autres dans un réseau mondial. Les découvertes faites au laboratoire de La Gaude sont directement transmises par télex aux Etats-Unis, c'est là que se trouvent les centres de décision propres à les transformer. Les programmes de production qui sont ensuite assignés à la filiale française ne constituent qu'un sous-ensemble à l'intérieur d'une stratégie globale pour une entreprise dont la base essentielle est aux Etats-Unis.

C'est bien là-bas que s'opère ainsi le processus de « cross-fertilization » qui permet de polariser vers un même objet l'ensemble des facteurs de la découverte et du marketing, c'est-à-dire l'ensemble des facteurs de progrès — processus auquel les économistes modernes attachent maintenant une importance majeure.

En supposant même que l'Europe, par une politique de recherche obligatoire imposée aux investissements américains, parvienne à augmenter sensiblement l'effort de ces derniers, elle n'en demeurera pas moins, par ce processus d'où elle serait absente, dans leur dépendance économique, et dans une situation subalterne. Tant il est vrai qu'en dernière analyse, *le pouvoir de créer des richesses, pour une entreprise, c'est le pouvoir de décision.*

Les prévisions du Hudson Institute ne sont donc pas déraisonnables. Si l'univers américain demeure l'univers de la décision, et l'univers européen, celui de l'application différée, nous aurons cessé, dans une génération, de faire partie de la même civilisation. L'Amérique aura, au moins pour cette période historique, le monopole de l'aventure collective.

Une société tout à fait nouvelle est en vue, qui émergera avant que les hommes de trente ans aient pris leur retraite. Ce ne sera pas seulement une société beaucoup plus « riche ». Au-delà d'un certain seuil, la richesse se traduit moins par un niveau de vie supérieur que par un mode de vie différent. La société « post-industrielle » sera caractérisée par une liberté sans précédent de l'homme à l'égard des contraintes physiques, économiques, biologiques : quasi-disparition du travail manuel, temps libre supérieur au temps de travail, abolition des distances, développement spectaculaire des moyens de culture et d'information, pouvoir décuplé sur la nature et sur la vie, etc. Cette société sera-t-elle plus heureuse ? C'est une autre question, qui ne comporte sans doute pas de réponse. Mais il est certain qu'elle représentera l'avant-garde de l'histoire humaine, et ceci nous regarde.

Si on prolonge les courbes actuelles, nous autres Européens n'y participerons pas, du moins « à part entière ». Cela ne veut pas dire que nous deviendrons pauvres. Selon toute probabilité nous continuerons de nous enrichir. Mais nous serons à la fois dépassés et dominés, pour la première fois, par une civilisation plus avancée.

Ces prévisions des chercheurs ne décrivent pas une fatalité mais une probabilité que nous sommes encore libres de démentir. Nous le sommes d'autant plus que les sources de la richesse et du progrès sont plus immatérielles que jamais. Ce ne sont pas des cadeaux de la nature ou du hasard, comme le pétrole, l'or ou même la démographie, mais des conquêtes de l'esprit humain : aptitude à transformer l'idée neuve en réalité, à travers les phases du processus industriel ; talent d'associer les compétences, de rendre les organisations perméables au changement. L'Europe ne posséderait-elle pas les gisements d'où proviennent ces dons ?

Le savoir-faire qui commande l'accès à la société post-industrielle ne peut s'exercer que dans une collectivité jouissant de l'autonomie ; car la collectivité où s'élaborent les décisions industrielles stratégiques est celle qui accomplit les percées, occupe les positions pionnières, détient la puissance.

Le carburant qui pourrait nous pousser au premier rang est à base d'intelligence organisatrice et de volonté d'indépendance ; pour mieux saisir sa composition, regardons la « technostructure » américaine en pleine accélération.

DEUXIÈME PARTIE

LES BASES ARRIÈRE DE L'AMÉRIQUE

Chapitre 5

Mesure des États-Unis

Nous ne sommes pas en présence d'un impérialisme politique classique, d'une volonté de conquête, mais, plus mécaniquement, d'un débordement de puissance dû à la différence de « pression » entre l'Amérique du Nord et le reste du monde, Europe comprise.

Cette surpuissance de l'Amérique est ressentie, mais mal connue. Elle a fait l'objet, un peu partout, d'une importante documentation. Mais son caractère le plus nouveau étant l'accélération, les connaissances sont rapidement dépassées. Notons d'abord ici quelques indications mesurant l'Amérique dans le monde — une puissance sans précédent dans l'Histoire.

L'industrie américaine produit à elle seule deux fois plus de biens et de services que l'ensemble des industries européennes réunies (Marché Commun plus Grande-Bretagne). Cette capacité de production est deux fois et demie celle de l'Union Soviétique, qui est plus peuplée que les Etats-Unis. Elle est égale au tiers de l'ensemble de la production de tous les pays du monde réunis (Amérique non comprise). Les Etats-Unis ont atteint cette capacité avec 7 % de la surface, et 6 % de la population du monde.

De tous les étudiants qui, dans le monde, suivent des études supérieures, un tiers sont américains. Le nombre des étudiants, par rapport à la population totale, représente aux U.S.A. un pourcentage près de deux fois plus élevé que dans n'importe quel autre pays du monde [1]. Pour mille habitants, l'Amérique a 29 étudiants à l'Université ; l'U.R.S.S. en a 18 ; la Hollande et la Suède, 10.

Les Etats-Unis consomment, à eux seuls, un tiers de l'énergie produite dans le monde entier. Un tiers de toutes les routes construites dans le monde recouvrent les Etats-Unis. La moitié des kilomètres-passagers transportés chaque année dans le monde le sont par l'aviation civile américaine. Deux camions sur cinq qui roulent dans le monde, chaque jour, sont américains sur des routes américaines. Et les Américains possèdent trois sur cinq de toutes les automobiles du monde.

L'équipement technique de l'industrie américaine, et les progrès en « management », ont amené la productivité par homme employé dans l'industrie à un niveau qui est 40 % au-dessus du niveau suédois (qui suit immédiatement, dans le classement mondial), 60 % au-dessus du niveau allemand, 70 % au-dessus du niveau français, et 80 % au-dessus du niveau anglais.

Le moteur de cette puissance, c'est d'abord l'entreprise américaine. Si l'on additionne aujourd'hui les profits des dix plus grandes entreprises françaises, allemandes, et anglaises (c'est-à-dire trente entreprises), on arrive au chiffre de 2 milliards de dollars. Les profits de la seule General Motors s'élèvent à 2 milliards 1/4 de dollars [2].

Pour atteindre les profits de la General Motors, il faut ajouter aux trente entreprises européennes de tête la somme des profits des dix premières entreprises japonaises (225 millions de dollars). Et pour arriver à ce résultat, les quarante entreprises européennes et japo-

1. Un tel écart permet de faire abstraction, en première analyse, des différences résultant, pour certains pays, de la pyramide des âges, ainsi que des corrections marginales nécessaires pour ajuster la notion d'étudiant variant selon les pays.

2. *Fortune*, 1966. Un dollar, qui est l'unité de compte internationale que nous conserverons pour la commodité, égale cinq Francs.

naises réunies emploient trois millions et demi de personnes : alors que la General Motors emploie 730 000 personnes — près de cinq fois moins.

De 1961 à 1966, les entreprises américaines ont doublé le montant annuel de leurs investissements. Et elles l'ont fait, presque toujours, par autofinancement à 100 %, c'est-à-dire sans avoir besoin de faire appel à des crédits bancaires, en prenant cette surpuissance sur leurs propres bénéfices. En France, par exemple, le rythme de croissance des investissements a été deux fois moins rapide, et la part de l'autofinancement n'a cessé de diminuer (elle était déjà de moins de 60 % en 1966).

C'est qu'au cours de ces six dernières années le bénéfice brut des sociétés américaines a augmenté chaque année. En pourcentage du Produit National, il s'établit de la manière suivante :

— En 1961 .... 7,7 %
— En 1962 .... 8 %
— En 1963 .... 8,3 %
— En 1964 .... 8,8 %
— En 1965 .... 9,1 %
— En 1966 .... 9,5 %

Pour la comparaison, on peut indiquer que les bénéfices des sociétés françaises, selon les mêmes éléments de mesure, c'est-à-dire en pourcentage de produit national, ont baissé régulièrement de 1961 (6,6 %) à 1966 (3,5 %). Et la performance française n'est pas la moins bonne en Europe.

Ce qui explique que la part de l'industrie américaine, dans l'ensemble de l'industrie mondiale, déjà dominante il y a dix ans, ne cesse de croître. Le dernier résultat mesurable, celui de 1966, indique que parmi toutes les entreprises mondiales dont le chiffre d'affaires, par entreprise, dépasse un milliard de dollars, 27 sont non américaines et 60 sont aux Etats-Unis. A ce niveau, qui est celui des unités industrielles de grande taille capables de développement technologique et de commercialisation rapide, l'Amérique du Nord à elle seule égale donc plus de deux fois le reste du monde réuni [1].

Cette croissance remarquable n'est évidemment pas sans effets sociaux, dont on parle moins souvent et qu'indique le petit tableau ci-dessous.

PYRAMIDE DES REVENUS AUX ÉTATS-UNIS
(par famille et par an)

	1950	1960	1965
— Plus de 10.000 dollars	7 %	18 %	25 %
— Entre 7 000 et 10 000 dollars	13 %	21 %	24 %
— Entre 5.000 et 7.000 dollars	20 %	22 %	18 %
— Entre 3 000 et 5.000 dollars	30 %	19 %	16 %
— Moins de 3.000 dollars	30 %	20 %	17 %

Ainsi 60 % des Américains gagnaient, en 1950, moins de 5 000 dollars par an ; et 7 % gagnaient au-dessus de 10 000 dollars par an. Revenu par famille. En 1965, il n'y avait plus que 33 % des Américains gagnant moins de 5 000 dollars par an, et un quart gagnaient 10 000 dollars, ou au-dessus. Nous retiendrons ces indications sans les approfondir, pour le moment. Précisément parce qu'elles touchent au fond des choses. Et que la dialectique croissance-justice restera, au terme de ce livre, le sujet ouvert.

1. Sur les 27 sociétés non américaines indiquées ici, 12 sont allemandes, 6 anglaises, 3 néerlandaises, 2 japonaises, 2 françaises, 1 italienne, 1 suisse.

Chapitre 6

La spirale de la croissance

Comme l'a bien montré M. Gelinier, le « secret des structures compétitives » ne tient pas entièrement dans la dimension des entreprises [1]. Un certain nombre d'opérations de concentration ou de fusion ne font que multiplier les défauts de structure et de gestion. Mais, au total, les entreprises les plus grandes sont les plus aptes à fournir les efforts d'investissement, et de recherche, qui sont les clés de la compétitivité, notamment dans les secteurs de technologie avancée. L'échantillon constitué par les entreprises les plus importantes, que nous allons regarder, est donc, à cet égard, significatif.

La période considérée, la dernière sur laquelle des chiffres certains sont accessibles, est celle des années 1961 à 1965. Pendant cette période, les Etats-Unis comme la Communauté Européenne ont bénéficié d'un rythme de croissance favorable ; les termes de la comparaison paraissent suffisamment homogènes.

Nous étudierons rapidement l'évolution des *dimensions,* avant d'examiner les *structures* financières et les *résultats* — plus importants encore que la taille.

En 1961, les entreprises industrielles dont le chiffre d'affaires dépassait, par an, 500 millions de dollars, se répartissaient comme suit :

1. M. Octave Gelinier est l'auteur de deux livres fondamentaux, récents, sur le capitalisme moderne : « Morale de l'entreprise et destin de la nation », et « Le secret des structures compétitives ».

— Etats-Unis 97
— Communauté 27
— Reste du monde 22

Cinq ans plus tard :

— Etats-Unis 134
— Communauté 41
— Reste du monde 49

Malgré une légère amélioration, la proportion entre la Communauté et les Etats-Unis reste donc de l'ordre de 1 à 4 (alors que la population est équivalente).

Descendons un peu dans l'échelle pour regarder l'environnement industriel dont bénéficient ces très grandes entreprises.

En effet, le mouvement rapide de concentration observé en Europe a eu comme conséquence d'aggraver le déséquilibre de la pyramide de l'industrie européenne, qui s'est toujours caractérisé par le nombre faible d'entreprises de moyenne puissance, celles dont le chiffre d'affaires est compris entre 250 et 500 millions de dollars. Dans cette tranche, le rapport entre la Communauté et les Etats-Unis est de 1 à 6.

On s'aperçoit ainsi que le tissu de l'industrie européenne est excessivement dilaté et que, si le processus de concentration continuait dans le désordre actuel, la pyramide risquerait de se couper en deux : d'une part, un groupe restreint d'entreprises de dimension mondiale, d'autre part, une constellation très nombreuse de petites entreprises demeurant trop souvent traditionnelles et incapables d'affronter la compétition extérieure. Les opérations de concentration, accomplies pour permettre à certaines entreprises d'accéder au peloton de tête, ont laissé des places vides. Elles sont restées inoccupées.

Un deuxième élément de faiblesse ressort du fait que les taux de croissance, en chiffre d'affaires, des grandes entreprises européennes sont sensiblement moins rapides que ceux de leurs concurrents américains. Comme le montre le tableau ci-dessous :

ÉVOLUTION DU CHIFFRE D'AFFAIRES DES GRANDES ENTREPRISES
(dépassant 300 millions de dollars par an)

C.A. en millions de dollars	En 1961	En 1965	Pourcentage d'augmentation en 5 ans
— Communauté	31,5	42, 9	+ 36 %
— Etats-Unis	157,6	220,1	+ 40 %

Le chiffre d'affaires global des grandes entreprises a donc augmenté de 40 % aux U.S.A. pendant qu'il augmentait en Europe de 36 %. Le retard s'accentue. De plus, ces chiffres sont affectés par l'évolution des prix, qui n'a pas été la même de part et d'autre de l'Atlantique. L'indice des prix de gros industriels est demeuré stable aux Etats-Unis durant cette période, il a augmenté d'environ 10 % dans la Communauté. Le taux de progression réel dans la Communauté a donc été de 26 à 28 %, contre 40 % pour les Etats-Unis. C'est-à-dire *d'un tiers plus rapide* pour les entreprises américaines.

Cette dégradation, du rapport des forces, est fortement illustrée par un tableau que vient d'établir la Compagnie Lambert (Bruxelles) sur la part de l'Amérique dans la production mondiale des principaux secteurs.

PART DE LA PRODUCTION MONDIALE

Secteurs	Etats-Unis	Communauté	Reste du monde
Construction de machines	70 %	13 %	17 %
Automobile	76 %	13 %	11 %
Pétrole	73 %	14 %	13 %
Electronique	68 %	15 %	17 %
Chimie	62 %	21 %	17 %

Prenons le secteur technologique le plus avancé, celui des ordinateurs. La part prise en 1965 par les différentes entreprises dans les installations nouvelles d'ordinateurs *en Europe* est estimée de la manière suivante par M. Christofer Layton [1] :

— I.B.M. .... 62 %
— I.C.T. (anglais) .... 9 %
— Bull (français) .... 7 %
— Olivetti (italien) .... 2 %
— Divers (essentiellement anglais) .. 20 %

Comme Bull et Olivetti, en matière d'ordinateurs, sont devenues des filiales de la General Electric, la part américaine se monte à 71 % (répétons : en Europe).

Il faut s'attacher maintenant à ce qui compte plus encore que la dimension, c'est-à-dire la *structure* financière, et les *résultats* d'exploitation, des grandes entreprises industrielles.

D'abord la structure financière. En prenant la France,

1. Dans « Transatlantic Investment » (1966).

l'Allemagne et l'Italie, nous voyons que les entreprises de ces trois pays dont les *fonds propres* dépassent 50 millions de dollars sont relativement peu nombreuses. Leur nombre total était, pour la dernière année recensée, de 95 entreprises. Contre plus de 440 sociétés américaines — cinq fois plus. Et le volume global des fonds détenus par ces entreprises américaines était de 150 milliards de dollars, c'est-à-dire dix fois la somme des fonds propres appartenant aux plus grandes entreprises des trois principaux pays de la Communauté. *La différence, par société, est donc en moyenne du simple au double.*

C'est en raison de ces faiblesses de structure financière que les industries européennes n'ont pas été en mesure de trouver, le plus souvent, sur les marchés des capitaux européens, les ressources correspondant à leurs besoins. D'autant que, sur ce même marché, des ponctions importantes sont exercées par les gouvernements européens et, nous l'avons vu, par les entreprises américaines qui investissent en Europe avec des fonds recueillis sur place. Actuellement, les émissions d'actions dans la Communauté restent stationnaires. Cette insuffisance des capitaux place les entreprises européennes dans une situation délicate. Elle les conduit à s'endetter davantage, ou sinon à renoncer à leurs projets d'investissements. Ce phénomène d'endettement a un effet multiplicateur : la capacité future d'autofinancement de l'entreprise est hypothéquée d'une manière croissante par la charge des emprunts.

On peut mesurer l'augmentation de l'endettement à terme des principales entreprises en France, en Italie et en Allemagne. En France, l'endettement moyen et à long terme des 200 entreprises étudiées par la S.E.D.E.S. montre un accroissement de l'endettement de 14 % par an (*soit 70 % en quatre ans*). Pour l'Italie, un accroissement de l'endettement de 16 % par an. Pour l'Allemagne, un accroissement de 12 % par an.

Au total, la conséquence est la *dégradation des marges*

bénéficiaires nettes des entreprises tout au long des dernières années.

Pour les grandes entreprises voici la marge bénéficiaire nette :

ÉVOLUTION DES MARGES DE BÉNÉFICE PAR RAPPORT AU CHIFFRE D'AFFAIRES

	1961	1965
— Communauté	3,42 %	3,01 %
— Etats-Unis	6,05 %	7,09 %

La marge bénéficiaire moyenne a diminué de près d'un demi-point pour les entreprises européennes (et cette dégradation s'est accentuée en 1966 et 1967, mais elle ne peut pas encore être chiffrée globalement) pendant qu'elle s'accroissait d'un point pour les firmes américaines. *Ces derniers chiffres sont d'une extrême importance.* Le caractère défavorable de ces résultats montre que dans la compétition mondiale de pointe, les entreprises européennes sont de moins en moins en mesure de résister à la sélection de puissance. Le rapport annuel de la Banque d'Italie (mai 1966) note : « Cette faiblesse financière des entreprises européennes facilite d'une manière croissante leur rachat par les entreprises américaines. »

Deux tableaux, inédits, établis par la Compagnie Lambert, peuvent être consultés par le lecteur. Ils montrent — pour la chimie, l'électronique, et l'automobile — les chiffres d'affaires des principales entreprises américaines et européennes et les pourcentages de bénéfice net pour la dernière année connue. Et ils montrent, sur le deuxième tableau, les sommes qui ont pu être consacrées par chacune de ces entreprises à leur autofinancement, c'est-à-dire à leurs investissements et à leur croissance.

CHIFFRE D'AFFAIRES ET BÉNÉFICES

Secteurs	Entreprises	Chiffre d'affaires (en milliards de dollars)	Bénéfices nets en % du chiffre d'affaires
CHIMIE	Du Pont de Nemours (US)	3,02	13,5
	Union Carbide (US).	2,06	11,0
	Monsanto (US)	1,47	8,4
	Dow Chemical (US).	1,18	9,2
	ICI (Ang)	2,28	9,1
	Bayer (All)	1,58	4,2
	Hoechst (All)	1,31	4,9
	Rhône-Poulenc (Fr.)	1,01	5,1
	Badische Anilin (All)	1,01	7,0
ELECTRIQUE ET ELECTRONIQUE ...	General Electric (US)	6,21	5,7
	IBM (US)	3,57	13,4
	Western Electric (US)	3,36	5,0
	Westinghouse (US).	2,39	4,5
	RCA (US)	2,04	4,9
	General Telephone (US)	2,04	8,2
	Philips (Holl)	2,08	5,3
	Siemens (All)	1,79	2,5
	AEG (All)	1,03	2,4
	Bosch (All)	0,74	1,3
AUTOMOBILE	GM (US)	20,70	10,3
	Ford (US)	11,50	6,1
	Chrysler (US)	5,30	4,4
	American Motors (US)	0,99	0,5
	Volkswagen (All) ..	2,32	4,0
	Fiat (It.)	1,53	2,5

CHIFFRE D'AFFAIRES ET BÉNÉFICES

Secteurs	Entreprises	Chiffre d'affaires (en milliards de dollars)	Bénéfices nets en % du chiffre d'affaires
	British Motors (Ang)	1,35	3,3
	Daimler-Benz (All)..	1,30	3,0
	Citroën (Fr.)	0,79	0,7

BÉNÉFICE ET AUTOFINANCEMENT

Secteurs	Entreprises	Bénéfices nets (en millions de dollars).	Autofinancement (en millions de dollars).
CHIMIE	Du Pont de Nemours (US)	407	162
	Union Carbide (US).	226	90
	Monsanto (US)	123	49
	Dow Chemical (US).	108	43
	ICI (Ang)	208	83
	Bayer (All)	67	86
	Hoechst (All)	64	26
	Rhône-Poulenc	22	11,4
	Badische Anilin (All)	71	28
ELECTRIQUE ET ELECTRONIQUE ...	General Electric (US)	355	142
	IBM (US)	476	190
	Western Electric (US)	168	68

BÉNÉFICE ET AUTOFINANCEMENT

Secteurs	Entreprises	Bénéfices nets (en millions de dollards).	Autofinancement (en millions de dollars).
	Westinghouse (US).	107	43
	RCA (US)	101	40
	General Telephone (US)	166	66
	Philips (Holl)	110	44
	Siemens (All)	45	18
	AEG (All)	25	10
	Bosch (All)	10	4
AUTOMOBILE	GM (US)	2.125	850
	Ford (US)	703	281
	Chrysler (US)	233	93
	American Motors (US)	5	2
	Volkswagen (All) ..	94	38
	Fiat (It.)	39	16
	British Motors (Ang) (US)	45	18
	Daimler-Benz (All)..	39	16
	Citroën (Fr.)	6	2

Les économistes considèrent que, pour assurer le développement d'une entreprise, dans les secteurs de progrès technologique, le rapport entre le bénéfice net et les capitaux propres de l'entreprise doit être de l'ordre de 12 à 13 %. C'est la rentabilité normale pour les grandes entreprises américaines, pour lesquelles ce rapport monte parfois jusqu'à 30 %. Selon les dernières données disponibles, ce même rapport a été, en 1966, en France à peine supérieur à 4 %, et la moyenne européenne, de l'ordre de 5 %, est inférieure au taux de rémunération de l'argent sur le marché, ce qui explique largement le peu d'attrait que les entreprises européennes exercent auprès des épargnants.

La puissance financière des entreprises, que nous venons d'évaluer, étant l'un des facteurs de leur développement l'autre facteur essentiel est *la recherche technologique,* car l'innovation est devenue l'arme décisive de la concurrence. Le célèbre économiste Schumpeter avait prédit, dès avant la guerre, cette réalité nouvelle lorsqu'il écrivait : « La concurrence qui comptera réellement sera celle des biens nouveaux, des techniques nouvelles. Cette concurrence commandera un avantage décisif en coût et en qualité, elle frappera non pas seulement la marge des profits et les quantités produites par les entreprises, *mais leur fondation et leur existence même.* »

Plusieurs études récentes rendent compte de cette nouvelle forme de guerre industrielle [1]. Le taux de renouvellement des fabrications atteint un rythme qui était imprévisible avant la guerre, et inconnu même il y a encore dix ans. Par exemple les entreprises chimiques aux Etats-Unis considèrent qu'une situation normale, désormais, est celle où la moitié au moins du chiffre d'affaires est fondée sur des produits qui n'existaient pas il y a dix ans.

Si l'innovation devient la forme moderne de la concurrence, l'effort qu'une entreprise consacre à la recherche scientifique et au développement technique a une importance décisive. L'avance que prennent les Etats-Unis est impressionnante. En 1965, dernière année mesurée, la part du produit national consacrée à la recherche est de : 3,61 % aux Etats-Unis ; contre 2,01 % en Europe.

Les prévisions que l'on peut déjà chiffrer pour 1970 sont plus nettes encore. Sauf changement fondamental,

1. En particulier les notes du voyage aux Etats-Unis de M. Pierre Cognard, chef du service du Plan à la DGRST (Délégation Générale à la Recherche Scientifique et Technique), et le Rapport Lambert pour l'exercice 1966.

la part du produit national affectée à la recherche et au développement sera de : 4,6 % aux Etats-Unis ; contre 2,5 % en Europe.

Les dépenses de recherche et de développement par tête d'habitant étaient pour la dernière année calculée de : 94 dollars par tête pour les Etats-Unis ; contre 25 dollars par tête pour l'Europe. Les Etats-Unis dépensent 17 milliards de dollars pendant que la Communauté en dépense 3.

Si l'on compare les budgets de recherche des plus grandes entreprises chimiques aux Etats-Unis et en Europe, on aboutit au tableau suivant dont la portée est d'autant plus grande que la chimie est le seul secteur de pointe où l'Europe demeure encore en compétition avec les U.S.A.

DÉPENSES ANNUELLES DE RECHERCHE DANS L'INDUSTRIE CHIMIQUE

Entreprises	Dépenses de recherche (en millions de dollars)
— Du Pont de Nemours (US) ..	110
— Union Carbide (US)	78
— International Harvester (US).	64
— Hoechst (Europe)	64
— Bayer (Europe)	60
— Badische Anilin (Europe) ...	54

Ces efforts aboutissent non seulement à augmenter sans cesse le nombre de découvertes scientifiques, mais *à raccourcir* de plus en plus le passage de la découverte scientifique à l'exploitation industrielle : c'est là le trait caractéristique de l'économie moderne. Pour passer de l'invention scientifique à l'exploitation industrielle, il a fallu :

— 112 ans pour la photographie (1727-1839)
— 56 ans pour le téléphone (1820-1876)
— 35 ans pour la radio (1867-1902)
— 15 ans pour le radar (1925-1940)
— 12 ans pour la télévision (1922-1934)
— 6 ans pour la bombe atomique (1939-1945)
— 5 ans pour le transistor (1948-1953)
— 3 ans pour le circuit-intégré (1958-1961)

C'est dans cette perspective que la concurrence par innovation, par création de produits nouveaux, prend son importance déterminante selon la prévision de Schumpeter. Seules les firmes capables de développer et de maintenir un « leadership » technologique pourront continuer de se développer. La conclusion qu'a tirée M. Cognard, de son séjour aux Etats-Unis, est forte :

« Indépendamment de leur potentiel industriel, les entreprises américaines paraissent avoir acquis plus de maîtrise que nous dans l'intégration des possibilités scientifiques nouvelles parmi l'ensemble des données qui conditionnent l'expansion de l'entreprise et de ses marchés.

« Avec l'aide des ordinateurs qui démultiplient les efforts de compréhension et de conception, il existe une relation permanente entre les données de laboratoire, les problèmes de production, et les perspectives de marketing, toutes choses qui donnent à l'ensemble d'une industrie une cohésion, et une vue exhaustive des problèmes... Habitués à travailler dans des domaines techniques qui débordent largement les problèmes qui se posent sur les marchés, grâce aux commandes d'Etat qui constituent un filet à toute initiative hardie, les firmes américaines préparent une régénération des méthodes et des techniques industrielles qui semble déjà se situer à une échelle très supérieure à celle que nous connaissons en Europe. »

Un des facteurs nouveaux est la part prépondérante, et croissante, que prend, en effet, l'Etat fédéral dans l'aide à l'ensemble des industries de pointe. C'est l'un des aspects insuffisamment connus en Europe. Il y a déjà plusieurs années pourtant, dès le lendemain même de la guerre, que les Agences fédérales ont commencé leur collaboration active avec les grandes entreprises américaines pour la conquête de la technologie avancée.

D'après la National Science Foundation, voici la part prise par l'Etat dans les dépenses de recherche des différents secteurs industriels :

PART DU GOUVERNEMENT FÉDÉRAL U.S. DANS LES DÉPENSES DE RECHERCHE

Industries	Dépenses de recherche (en millions de dollars)	Part financée par l'Etat
Aviation et engins balistiques ..	3,96	90 %
Electricité et électronique	2,38	65 %
Instruments scientifiques	0,39	42 %
Mécanique	0,93	31 %
Transformation des métaux	0,11	28 %
Chimie	1,10	20 %

Il se dégage de ce tableau que l'action des pouvoirs publics apparaît dans certains cas comme un facteur décisif, en particulier pour les transports, les communications, et l'électronique — les grands secteurs de l'avenir.

Deux entreprises de construction électronique, l'une

française, l'autre américaine, ont été étudiées par M. Cognard.

SITUATION D'UNE ENTREPRISE ÉLECTRONIQUE FRANÇAISE PAR RAPPORT A UNE ENTREPRISE ANALOGUE AMÉRICAINE

	Chiffre d'affaires	Effort annuel de recherche	Part financée par l'Etat
— Entreprise française	1,7	0,08	0,016
— Entreprise américaine	23	2	1,2
— *Rapport de l'entreprise américaine à l'entreprise française*	*13,5*	*25*	*75*

C'est-à-dire que, pour deux entreprises analogues, le rapport des chiffres d'affaires est environ de 1 à 13 ; le rapport des efforts de recherche de 1 à 25 ; et le rapport des efforts de recherche aidés par l'Etat de 1 à 75. Ceci montre à quel point les avantages se multiplient, au bénéfice des entreprises qui ont réussi à dépasser certains seuils pour entrer dans de grands projets collectifs.

On voit alors apparaître le vigoureux processus cumulatif qui caractérise l'Amérique nouvelle :

— la grande dimension permet de constituer un potentiel scientifique d'avant-garde ;

— à son tour, ce potentiel pousse l'entreprise dans les voies nouvelles et la situe à la pointe du progrès ;

— cette situation fait de l'entreprise un exécutant valable pour des grands projets gouvernementaux et lui procure alors une aide importante des pouvoirs publics ;

— cette aide renforce encore sa capacité de profit,

donc sa croissance ; et le cercle du progrès s'ouvre ainsi en spirale.

⁂

Derrière cette première ligne d'explication, l'intuition des observateurs, et depuis peu l'investigation scientifique, distinguent un second niveau plus profond d'où pourrait venir la sève qui nourrit la spirale de progrès dont on vient de décrire l'enroulement. Les facteurs de la réussite économique n'ont pu se dégager et *se combiner,* que grâce à l'environnement d'un « milieu » favorable. Sans analyser la substance dont vit l'entreprise américaine — ce qui dépasserait le cadre de ce livre — on peut en esquisser les caractères, encore flous mais cependant bien visibles.

A l'arrière-plan du succès industriel américain, on discerne le talent d'accepter et d'orchestrer le changement. L'avance technologique est la conséquence d'une virtuosité dans la gestion. L'une et l'autre sont dues à un foudroyant essor de l'Education. Il n'y a pas de miracle. L'Amérique tire, en ce moment, un profit massif du plus rentable des investissements : la formation des hommes. C'est ce que paraissent bien indiquer les documents dont nous allons maintenant faire état.

Chapitre 7

Le rapport Denison

La théorie moderne, sur les facteurs profonds de la productivité, est récente. M. Edward F. Denison qui a rédigé sa thèse, en 1964, alors qu'il appartenait au National Council on Economic Development, a beaucoup contribué à la faire avancer. Il est aujourd'hui à la Brookings Institution. Son travail a consisté à dresser le premier bilan systématique des origines de l'expansion économique américaine.

Stimulé par ce travail de Edward Denison, le Département de Statistiques de Washington (le Bureau of Census) vient de le compléter par un ensemble de documents mathématiques regroupant les facteurs et les courbes qui contribuent à mettre en lumière le processus de l'expansion. Désormais le Bureau of Census publiera tous les ans un document analogue sur « l'expansion économique à long terme ». Que dit Denison, étayé et confirmé par le Bureau of Census ?

Pendant des années, les économistes n'ont parlé qu'en termes très généraux des facteurs de l'expansion. Jusqu'à une époque toute récente, même aux Etats-Unis, ils se sont peu attachés à découvrir ses sources, et ses stimulations possibles, au-delà de la conjoncture.

Le débat a été ouvert, il y a maintenant près de deux siècles, en 1776, par Adam Smith dans son traité sur « La Richesse des Nations ». Après lui, pendant tout le XIXe siècle, ses successeurs furent attirés davantage par les questions de la formation des prix et de l'affectation des ressources. Au XXe siècle, dominé par John Maynard

Keynes, l'attention se porta sur les cycles économiques et la manière d'éviter les crises conjoncturelles — avec succès d'ailleurs, dans l'application que l'on en a connue après la Deuxième Guerre mondiale. C'est seulement aujourd'hui que l'on cherche systématiquement à découvrir les facteurs généraux qui provoquent et entretiennent l'expansion à terme.

Au début de notre siècle, l'expansion était due en grande partie, et tout simplement, à la vertu des chiffres. Denison estime qu'entre 1909 et 1929, plus de la moitié du développement de l'économie est à mettre au compte de l'accroissement de *la main-d'œuvre* et de l'accroissement des *capitaux investis.*

Il calcule qu'ensuite, après la grande crise, les facteurs quantitatifs de cette nature sont passés au second plan. De 1929 à 1957, selon les calculs de Denison, c'est pour moins d'un tiers que les facteurs quantitatifs (main-d'œuvre et capitaux) sont intervenus dans l'accroissement du produit national. Aujourd'hui les facteurs les plus importants, dans l'expansion économique, ceux qui viennent en tête de la liste des trente et un facteurs d'expansion recensés par Denison sont : *l'éducation générale* et les *innovations technologiques.*

Le Chef du service des Statistiques du Bureau of Census des Etats-Unis, M. Julius Shiskin, après deux ans de travail, considère que l'ensemble des résultats qu'il a obtenus démontre, par un fondement statistique, la théorie de Denison.

Les diagrammes du Bureau of Census corroborent, d'abord, sous forme de graphiques les affirmations de Denison qui attribuent un rôle mineur à la main-d'œuvre dans la récente expansion économique américaine. Dans la période du premier tiers du siècle, (jusqu'en 1929), le nombre des « hommes-heures » dans l'économie s'est accru de 1,1 %. Dans le deuxième tiers du siècle (jusqu'en 1957), ce taux s'est réduit à 0,2 %.

Ces chiffres n'englobent pas encore le nombre des

hommes-heures au service du gouvernement. Ils devront donc être un peu modifiés. Mais il n'en reste pas moins que la diminution du nombre d'heures de travail par individu dans le secteur de l'industrie a amputé le taux de l'expansion économique. Denison évalue cette amputation à 0,3 %. Elle serait plus forte encore si elle n'avait été contrebalancée par les effets de la productivité. Ce n'est donc pas à la quantité de main-d'œuvre qu'est due l'expansion.

Quant au capital investi dans les affaires, il s'est accru de 2,6 % par an entre 1912 et 1929. Pendant la période qui a suivi (jusqu'en 1957), les installations et équipements industriels se sont développés à un rythme de moitié environ. Ainsi Denison évalue pour le premier tiers du siècle à 23 % la part de l'expansion revenant aux augmentations de capital investi. Et pour la deuxième période (1929-1957), il l'évalue seulement à 15 %. Ce n'est pas non plus l'augmentation du capital investi qui explique la nouvelle phase de l'expansion moderne.

L'expansion économique des derniers temps est due essentiellement à l'amélioration rapide, et croissante, de la productivité. Au début du siècle, la productivité par homme-heure, dans le secteur industriel privé, augmentait de 1,6 par an. Depuis elle augmente de 2,7 par an.

Mais ce n'est guère une explication de dire que la productivité progresse. Ce qui compte c'est de découvrir ce qui affecte réellement le rapport entre la quantité des facteurs de production employés (hommes, capitaux) et la production qui en résulte, entre ce que l'on investit et ce que l'on produit, c'est-à-dire la productivité.

La principale conclusion du rapport de Denison, c'est *que l'enseignement est le facteur le plus important,* et il le met en tête des facteurs économiques d'expansion. D'après ses chiffres, l'enseignement entre pour 11 % dans la croissance économique du premier tiers du siècle. Il lui en attribue 23 % pour la période 1929-1957. Et plus encore depuis.

Tous les chiffres d'ordre statistique qui ont pu être recueillis par le Bureau of Census témoignent du développement exceptionnel de l'enseignement aux Etats-Unis. En 1930, le total des dépenses consacrées à l'enseignement en Amérique était de 3,2 milliards de dollars. En 1965, ce chiffre a été multiplié plus de dix fois et s'est élevé, pour l'année, à 39 milliards de dollars.

En 1900, on comptait dans les universités américaines 4 % des jeunes gens en âge d'y aller. En 1965, ce chiffre est de nouveau multiplié plus de dix fois. Il est de 44 %. Parallèlement, la durée moyenne de la scolarité pour les sujets âgés de 25 ans est passée de huit ans en 1910 à douze ans en 1965.

Les progrès de l'éducation étant désormais considérés, selon la théorie de Denison, comme le premier des facteurs de développement économique, le second est ce qu'il appelle « *le progrès des connaissances* », dont l'enrichissement de l'éducation elle-même et sa généralisation aux adultes, avec les données nouvelles de la technologie.

Il est évidemment impossible de chiffrer sous forme statistique le progrès des connaissances. On peut seulement en mesurer une partie, qui sont les dépenses de recherche et de développement. Le Bureau of Census a établi, à partir de trois sources distinctes, un tableau d'ensemble qui montre que les fonds consacrés à la recherche et au développement, au « progrès des connaissances », sont passés, en moins d'un quart de siècle, de 166 millions de dollars à 19 milliards de dollars (entre 1930 et 1964). C'est-à-dire, encore une fois, multiplié par plus de dix.

Il y a un ravissant petit poème chinois qui, moins aride que Denison et beaucoup plus ancien, pourrait être la formule même de l'expansion américaine moderne. Kuan-tzu disait, il y a vingt-six siècles :

« Si tes projets portent à un an, sème du grain.
« S'ils portent à dix ans, plante un arbre.
« S'ils portent à cent ans, instruis le peuple.
« En semant une fois du grain, tu récolteras une fois.
« En plantant un arbre, tu récolteras dix fois.
« En instruisant le peuple, tu récolteras cent fois. »

Ce qu'il ramassait aussi dans une formule encore plus dépouillée :

« Si tu donnes un poisson à un homme, il se nourrira une fois.

« Si tu lui apprends à pêcher, il se nourrira toute sa vie. »

A partir de la théorie de Denison sur l'importance du facteur Education, deux autres savants ont poursuivi l'étude de la comparaison entre l'effort américain et l'effort des autres pays industriels.

L'un est le docteur Dimitris Choratas, professeur à l'Université de Washington. Il a fait l'an dernier une enquête dans 24 pays sur ce sujet. Son ouvrage paraîtra en 1968[1].

L'autre est un Français, M. Raymond Poignant, qui vient de publier, avec le Hollandais M. Kohnstamm, la première étude comparative complète sur l'enseignement dans neuf pays développés (les Etats-Unis, l'Europe du Marché Commun, la Grande-Bretagne et l'U.R.S.S.).

Ils montrent que la France a accompli ces dernières années, poussée par une croissance démographique sans précédent, un effort très important. De 1950 à 1960, la croissance des effectifs du corps enseignant français a été la plus forte du monde : 126 % pour les professeurs de collège d'enseignement général, et 102 % pour les professeurs de lycée. Contre 75 % aux Etats-Unis, et 56 % en U.R.S.S.

Pour l'enseignement supérieur, même record de la

1. « Brain Gain or Brain Drain ? » par Dimitris Chorafas.

France : une croissance des effectifs de 131 %. Contre 58 % aux Etats-Unis, 57 % en Grande-Bretagne et 63 % en U.R.S.S.

Cette augmentation des effectifs professoraux a évidemment suivi puis accompagné l'augmentation démographique du nombre des étudiants. Cet effort, qui place la France en tête de l'Europe Occidentale, n'a pas encore été suffisant pour la mettre au niveau requis.

A cet égard, le tableau établi par le professeur Chorafas, sur le bilan de la situation mondiale, mérite d'être regardé.

LA FORMATION DES JEUNES
(Extrait du Rapport de Chorafas)

PAYS	Nombre d'étudiants en 1966	En % de la population de 20 à 24 ans
Etats-Unis	5 526.000	*43* %
U R S S	4.000.000	24 %
Japon	1 370.000	13,5 %
France	500 000	*16* %
Italie	284.000	6,9 %
Allemagne	280 000	7,5 %
Canada	230 000	22,5 %
Grande-Bretagne	165 000	4,8 %
Suède	62 000	11 %
Belgique	54 000	10 %

Le France et, a fortiori l'Europe, demeurent très loin des chiffres des Etats-Unis. En Amérique 43 % des jeunes gens de 20 à 24 ans sont inscrits dans les Universités, ou les Grandes Ecoles. Il y en a 24 % en U.R.S.S. En Europe, ce chiffre évolue entre 16 % et 5 % ; la moins bonne performance étant celle de la Grande-Bretagne — ce qui explique beaucoup de choses, selon

Denison, sur la stagnation actuelle du développement britannique malgré une forte structure industrielle de base.

Pour la dernière année connue, le Marché Commun, dans son ensemble (180 millions d'habitants) comptait 101 000 diplômés d'études supérieures. Les Etats-Unis (avec sensiblement le même nombre d'habitants, 190 millions) comportent 450 000 diplômés. Le nombre de diplômés des pays du Marché Commun représente donc *moins du quart* des diplômés américains.

L'analyse par groupe de spécialités éclaire davantage encore. Car il faut examiner de plus près ce qui a trait aux disciplines scientifiques et techniques :

— *Marché Commun :* 25 000 diplômés scientifiques, soit 1,1 % des classes d'âge ;

— *Etats-Unis :* 78 000 diplômés scientifiques, soit 3,9 % des classes d'âge.

Ainsi le *rythme de formation* des scientifiques et des ingénieurs dans le Marché Commun correspond à moins du tiers de celui des Etats-Unis.

Nous tirerons enfin, de ces différents rapports, des indications sur les chances d'accès aux études supérieures qui sont offertes, ou non, *aux enfants des travailleurs manuels* et des couches les moins fortunées de la population.

Les ouvriers [1] représentent en France 56 % de la population active. Leurs enfants ne représentent que 12,6 % des étudiants. Même remarque pour les autres pays du Marché Commun : 11,5 % d'enfants de travailleurs parmi les étudiants en Belgique, 10 % aux Pays-Bas, 7,5 % en Allemagne. Alors qu'aux Etats-Unis, selon les mêmes normes de calcul, *le taux d'accès à l'enseignement avancé pour les enfants d'ouvriers de l'industrie et des agriculteurs est entre trois et cinq fois supérieur à ceux des pays du Marché Commun.*

1. Y compris les ouvriers agricoles.

M. Poignant en conclut : « Si l'on analyse l'accès à l'enseignement supérieur sous l'angle social, les pays du Marché Commun, individuellement et pris dans leur ensemble, apparaissent comme étant ceux où l'ouverture permise aux enfants des couches populaires vers le haut enseignement est la plus faible. »

Ce qui, en extrapolant la théorie de Denison sur l'expansion, pourrait bien être l'explication majeure de la domination américaine dans tous les principaux secteurs avancés de l'industrie et de la science. Et là, tout se rejoint : la justice et l'efficacité, l'enseignement et la mobilité, l'organisation du progrès. Nous essayerons, dans la deuxième moitié de ce livre, de cerner ces thèmes, qui nous interdisent le fatalisme et le découragement.

Mais le plus préoccupant, dans l'immédiat, est que le retard que nous avons pris ne paraît pas devoir se combler, si nous continuons dans nos structures sociales actuelles. M. Poignant conclut son rapport en indiquant : « L'on peut dire que la situation relative de l'ensemble des pays du Marché Commun, du point de vue de son « capital humain » en personnes hautement qualifiées, sera moins bonne encore en 1970, puis en 1975, qu'elle ne l'était en 1950 et 1960. »

Le fameux « technological gap » qui s'agrandit entre l'Europe et l'Amérique, est dû d'abord, à travers la pauvreté en formation supérieure, à la faiblesse relative de la recherche et de la science, mais il est dû aussi à une apparente incapacité — faute d'investissement, c'est bien le mot, dans l'homme — à saisir et avec vigueur les *méthodes modernes de gestion.*

L'un des meilleurs experts en cette matière, M. Robert McNamara, qui a réformé l'administration américaine après avoir transformé l'industrie automobile, a fait part, récemment, de ses remarques sur ce sujet lors un séminaire qui s'est tenu à Jackson dans le Missisipi.

Chapitre 8

McNamara sur le « gap »

Extrait de l'exposé fait par M. Robert McNamara au Séminaire de Jackson (Mississipi), février 1967.

⁂

Dans le monde moderne la défense nationale, la sécurité, ce sera en vérité le développement économique et scientifique. C'est quelquefois difficile à comprendre pour nous, pour nous qui avons des vues un peu stéréotypées consistant à calculer la sécurité en termes purement militaires. Bien entendu, la sécurité a des aspects militaires. Mais nous ferions une dangereuse erreur en imaginant que puissance militaire et sécurité resteront synonymes. L'une des plus grandes folies de l'histoire humaine a consisté à toujours dépenser davantage pour se donner les moyens de livrer les guerres que pour se donner les moyens de les empêcher. Ce calcul n'a pas été d'un très bon rendement.

Ces temps-ci, nous entendons beaucoup parler de la crise qui se développe dans le monde en raison du « gap » économique qui s'accroît entre les pays développés et ceux d'Asie, d'Afrique et d'Amérique latine.

Le revenu moyen par tête dans plus de quarante nations du monde, dans les pays sous-développés, ne dépasse pas aujourd'hui 120 dollars par an. Le revenu moyen par tête aux Etats-Unis est de plus de 3 000 dollars. C'est-à-dire une différence de 2 000 %. Ce chiffre a cessé d'avoir une signification purement économique.

Un chiffre aussi fabuleux est un chiffre volcanique qui s'enfonce dangereusement dans la surface terrestre et qui ne peut pas manquer d'avoir des conséquences explosives. Les explosions sociologiques — qui sont bien plus dangereuses, bien plus meurtrières que les explosions volcaniques naturelles — ont une différence avec ces dernières, c'est qu'elles peuvent être prédites. Et si elles peuvent être prédites, elles devraient pouvoir être empêchées.

Ne soyons pas hypocrites. Si les nations riches du monde ne font pas un effort intense, et coordonné, pour combler le fossé qui se creuse entre les deux moitiés de la planète, aucun d'entre nous ne pourra plus assurer la sécurité de son pays devant les catastrophes qui seront inévitables, devant les vagues de violence qui emporteront nos défenses. Le chaos économique que l'on peut prévoir devant de telles disparités est plus menaçant pour la sécurité des Etats-Unis que les armes atomiques chinoises. C'est aussi simple, et aussi grave que cela.

Mais, en première urgence, ce qui nous importe c'est un autre fossé, un autre « gap » qui est en train de se creuser, celui-là, entre les nations développées elles-mêmes, et plus précisément *entre les nations industrielles de l'Europe Occidentale et les Etats-Unis.*

Les Européens appellent ce fossé, depuis quelque temps, le « technological gap ». Leurs craintes et leurs critiques consistent à dire que nous sommes en train de prendre une telle avance dans le développement industriel, par rapport à eux, que nous créons une nouvelle sorte de colonialisme qui est le *colonialisme technologique.*

Le Premier ministre de Grande-Bretagne, M. Harold Wilson, a été à cet égard, l'un des plus véhéments dans un récent exposé à Strasbourg. Il redoute, dit-il, « un nouvel esclavage industriel par lequel, nous, en Europe, fabriquerons seulement les produits conventionnels de l'économie moderne, en devenant de plus en plus dépendants de l'appareil industriel américain pour tout ce qui sera la technologie avancée, pour tout ce qui sera déterminant à l'âge industriel, à partir des années 1970-1980 ».

Et à la dernière rencontre des ministres du Pacte Atlantique à Paris, le sujet qui dominait les débats fut celui du « technological gap ».

C'est le problème majeur de notre temps ; mais le mot même de technological gap n'est pas tout à fait exact. Il ne s'agit pas tellement d'un gap technologique que d'un gap de management, *c'est-à-dire de gestion.* Et si tant de savants européens émigrent vers les Etats-Unis, ce n'est pas essentiellement parce que nous avons une technologie plus avancée, mais c'est surtout parce que nous avons des méthodes plus modernes et plus efficaces de travail en équipe — de management.

Dieu est démocrate ; il a distribué la capacité intellectuelle à peu près également dans le monde entier. Mais il s'attend évidemment à ce que nous organisions d'une manière efficace cette ressource que le ciel nous a donnée. C'est là le problème du management. Le management est, en fin de compte, le plus créateur de tous les arts. C'est l'art des arts ; car c'est l'art d'organiser le talent.

Quel est le rôle essentiel du management ? *C'est de faire face intelligemment au changement.* Le management est le moyen par lequel les changements sociaux, économiques, technologiques et politiques, tous les changements humains, peuvent être organisés rationnellement et répandus dans l'ensemble du corps social.

Certains critiques aujourd'hui se préoccupent des progrès du management en craignant que nos sociétés démocratiques ne deviennent « sur-managées ». La vérité est exactement à l'inverse. La véritable menace pour une société démocratique vient de la faiblesse du management. Elle ne peut survivre et se développer que si le management ne cesse de faire des progrès.

La sous-organisation, le sous-management, d'une société, n'est pas le respect de la liberté. C'est simplement laisser d'autres forces que celles de la raison façonner la réalité. Ces forces peuvent être l'émotion, la haine, l'agression, l'ignorance, l'inertie — n'importe quoi d'autre que la raison. Quelle qu'elle soit, si la force qui règle l'activité humaine n'est pas la force de la raison, l'homme reste en dessous de ses moyens.

Les décisions vitales, en matière de stratégie d'entreprise comme en matière de stratégie politique, doivent forcément relever de celui qui est à la tête. C'est pourquoi il y est. Mais la manière rationnelle, pour lui, de prendre sa décision dépend directement du travail de clarification qui a pu être fait pour mettre devant lui les différentes options entre lesquelles il faut choisir. Le management, s'il est bon, organise l'entreprise et la société de manière que ce processus se déroule convenablement. C'est le processus par lequel les hommes peuvent le plus efficacement possible exercer leur raison, leurs capacités de création, leurs initiatives et leurs responsabilités.

C'est l'aventure humaine de notre époque, et c'est une aventure exaltante, que de mettre sur pied les organisations nécessaires à la formulation précise de ces différentes options qui préparent les décisions. Toutes les réalités peuvent donner lieu à l'exercice de la raison. Renoncer à quantifier, à mesurer, à classer, ce qui peut l'être, c'est se satisfaire de quelque chose d'inférieur à l'exercice complet de la raison.

Les attaques contre les instruments modernes, tels que les ordinateurs, sont en définitive des attaques contre la raison humaine elle-même. Non pas que l'ordinateur soit une forme de la raison. Au contraire il n'est qu'un produit de la raison, il n'est qu'un instrument pour une meilleure application de la raison. Mais s'il est vrai que certains phénomènes humains, et certaines décisions humaines, vont bien au-delà de ce qui peut être mesuré ou calculé avec précision, ce n'est en aucune manière une excuse pour négliger la tâche essentielle qui consiste à analyser d'abord tout ce qui peut être analysé. Un ordinateur ne peut pas se substituer au jugement, pas plus qu'un stylo ne peut se substituer au talent. Mais qu'est-ce que le talent sans moyen d'expression ?

Le management créateur des phénomènes modernes qui sont infiniment complexes est désormais tout à fait impossible sans l'équipement technique et les qualifications humaines que les progrès des connaissances nous ont apportés. Le gap technologique, qui se creuse entre l'Europe et les Etats-Unis, est dû très précisément à ce que nous venons de voir. Comment peut-il être réduit ?

En définitive, ce technological gap, ce management gap, ne peuvent être attaqués qu'à leurs racines : l'éducation.

L'Europe est faible, très faible sur le plan de l'éducation. Cette faiblesse est en train *d'amputer son développement*. L'Europe est faible dans son éducation générale, faible dans son éducation technique, et spécialement faible dans son éducation en matière de gestion et de management.

En Angleterre, en France, en Allemagne, en Italie, environ 90 % des jeunes gens de 13 à 14 ans vont à l'école. Mais après l'âge de 15 ans, il y a une fantastique déperdition. Il n'en reste plus que 20 % qui poursuivent leurs études.

Aux Etats-Unis, 99 % des jeunes gens entre 13 et 14 ans sont en classe. Et, au-delà de l'âge de 15 ans, il en reste 45 % qui continuent leurs études vers les études supérieures. Nous avons ici 4 millions d'étudiants au collège, ce qui représente plus de 40 % de la population en âge d'y aller. En Europe Occidentale, ce pourcentage varie entre 6 et 15 %. D'autre part, l'éducation moderne en gestion, et en management, pour les entreprises privées comme pour les administrations publiques, est pratiquement inconnue dans l'Europe industrielle.

L'avance technologique, qui repose entièrement sur un haut niveau de connaissances générales, et sur la compétence en gestion, ne peut pas être créée en dehors du socle sur lequel tout repose, et qui est l'éducation — des jeunes comme des adultes. Si l'Europe veut réduire le fossé technologique qui la sépare de plus en plus de l'univers américain, elle doit avant tout améliorer et généraliser son éducation, en quantité comme en qualité. Il n'y a simplement pas d'autre moyen de prendre le problème.

La science, la technologie, et le management modernes ne sont évidemment pas, à eux seuls, les buts essentiels de l'éducation. Le but final de l'éducation est de développer au maximum les capacités de l'homme. C'est cela évidemment qui compte plus que tout. Et c'est cela qui est la raison d'être profonde de l'éducation. Mais sans la technologie moderne, et sans l'infrastructure de management qui lui est indispensable, aucun progrès d'aucune sorte, qu'il soit économique ou humain, ne pourra vraiment se développer dans le monde moderne. Sans ce progrès dans la technique d'organisation, c'est-à-dire sans progrès dans l'éducation, le monde qui nous entoure risque tout simplement d'être de plus en plus attardé, et déséquilibré.

⁂

Chapitre 9

L'Amérique de demain (1980)

Au chapitre 6 nous avons sommairement dessiné une première « spirale de progrès » : percée technologique croissante, élargissement des dimensions, association de la grande entreprise, de l'Université et du gouvernement, développement combiné (« cross-fertilization ») de la recherche, nouvelle croissance, etc. Nous allons voir maintenant s'amorcer une *deuxième spirale* montante, plus ample que la première.

Denison et McNamara confirment que l'éducation permanente est le principal moteur de l'innovation technologique. Nous allons constater que celle-ci, dans un second temps, va bouleverser les méthodes d'acquisition et de diffusion du savoir, de stockage et de transmission des connaissances. A son tour l'emploi généralisé des auxiliaires de l'intelligence commence d'imprimer à l'économie américaine un nouvel élan, qui devrait la conduire aux accomplissements de la « société post- industrielle ».

Nous avons tenté d'apercevoir un bout de l'horizon 2 000. Arrêtons-nous plus sérieusement à l'étape intermédiaire : l'Amérique de 1980.

Cette étape, toute proche[1] a fait l'objet d'explorations approfondies. Elles confirment le fait capital : la deuxième révolution industrielle, marquée par l'ordi-

1. Quinze ans est l'horizon courant non plus de « spéculation intellectuelle », mais de « programmation industrielle » pour les très grandes entreprises en coordination avec le gouvernement fédéral.

nateur, sera la synergie du progrès intellectuel et de la croissance économique, de la pensée et de la puissance.

On sait que la General Electric vient de s'associer avec le groupe Time Inc, et l'American Telephone and Telegraph avec le « Reader's Digest », pour fonder ensemble des sociétés consacrées à la recherche des nouveaux moyens d'information, de communication et de création. Ces besoins font l'objet de mesures précises destinées, non plus aux amateurs de science-fiction, mais aux investisseurs.

Le président de la société General Learning Corporation, de Washington, qui est devenu le bureau d'études à long terme de la General Electric, a présenté récemment un rapport sur « les principaux problèmes de la société en 1980 ». Voici comment il les résume, pour les Etats-Unis [1].

⁂

A aucune autre période de l'histoire, nos modes de vie, nos systèmes d'organisation, notre société tout entière n'ont été aussi complètement soumis aux changements. En outre, le rythme de changement, selon les indications que nous enregistrons, ne fera que s'accroître dans les douze prochaines années.

Les trois facteurs les plus importants qui domineront notre environnement social en 1980 sont :

— *l'urbanisation générale,* ou quasi générale ;

— *l'automation généralisée* de l'industrie ;

— *la révolution dans l'information.*

Ces trois facteurs, pris ensemble, doivent déterminer une nouvelle organisation sociale. L'urbanisation, l'automation, et les communications, ont évidemment des effets séparés, mais la plupart de leurs effets réagiront les uns sur les autres. Nous devons donc les considérer comme

1. Rapport de Richard Shetler, assisté de Tom Paine (General Electric, California) et Alex Grover (Time Inc, New York).

des forces convergentes qui vont forger une nouvelle société, celle de l'accomplissement de la deuxième révolution industrielle.

La première révolution industrielle est encore récente. Elle a moins d'un siècle. Ce fut la révolution mécanique qui a transformé l'Amérique du Nord et l'Europe. Les voies ferrées ont ouvert nos continents. Les usines et les villes ont entraîné d'immenses changements sociaux. L'impact sur notre vie de la production de masse, de la technique du moteur à combustion, a été radical et il continue de se développer. La vie agricole traditionnelle s'éteint peu à peu. Les automobiles individuelles ont changé le visage de la société, notre mode de vie, nos modes d'éducation. Notre société d'aujourd'hui, essentiellement urbaine et industrielle, a bien des problèmes, souvent très graves, à résoudre, mais elle a aussi devant elle un horizon incomparable.

En examinant cet horizon, celui de 1980, nous voyons un développement continu de la densité et de la croissance des villes qui devrait aller jusqu'à l'urbanisation à peu près complète du monde industriel. Le tableau ci-dessous indique la courbe prévisible de l'augmentation de la population dans le monde, et la courbe de l'aug-

URBANISATION MONDIALE.

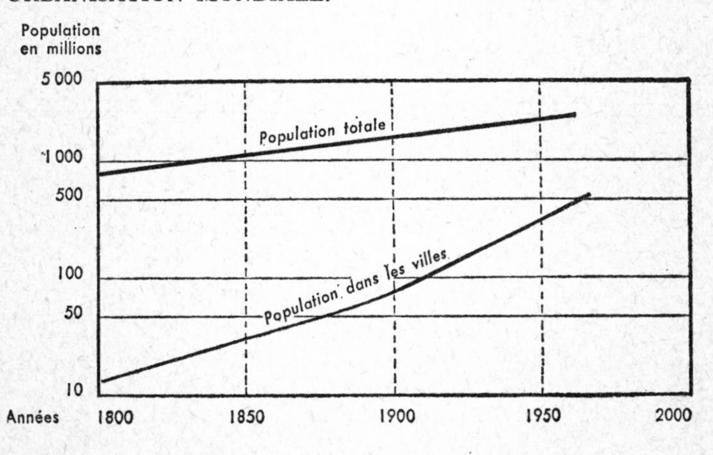

mentation de la population urbaine. Le pronostic est assez clair.

Les fruits que l'homme urbanisé recueille sont considérables. Le deuxième tableau indique la relation entre le nombre d'habitants des villes et l'élévation du niveau de vie. La recherche du pouvoir d'achat est le facteur déterminant qui entraîne une population sans cesse croissante vers les villes. Mais les habitants de ces nouvelle villes ont forcément des exigences techniques et intellectuelles de plus en plus précises et délicates. Le résultat est une demande impérative pour un meilleur système d'éducation générale.

REVENU ET URBANISATION.

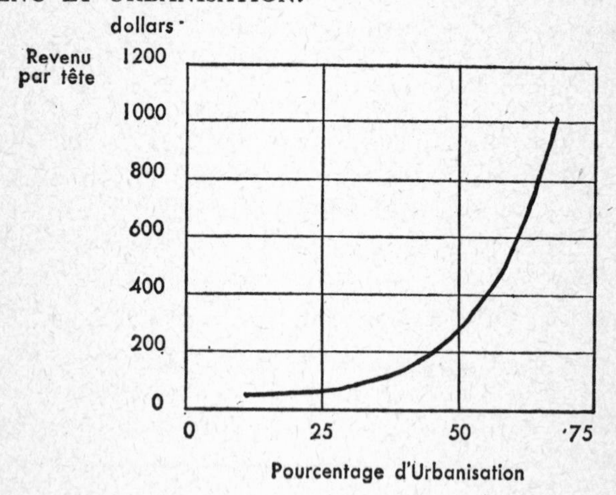

Aussi vite que se développent nos villes, aux Etats-Unis, et presque dans la même mesure en Europe Occidentale, d'autres villes sur d'autres continents se développeront plus vite encore. Les courbes que l'on peut dessiner du rythme d'urbanisation dans les nations sous-développées, en voie de développement, d'Afrique, d'Asie et d'Amérique du Sud, indiquent jusqu'à la fin de ce siècle un taux d'accroissement de la population urbaine impressionnant. Et cet accroissement s'accompagnera d'une demande criante pour des progrès dans l'éducation. Chaque élévation dans le niveau d'éducation se transformant généralement en pouvoir d'achat plus élevé.

Les investissements en éducation, déjà lourds dans les budgets de ces pays, vont continuer de s'accroître d'une manière géométrique posant ainsi toutes sortes de problèmes qui ne pourront pas être résolus sans une aide de notre part d'une tout autre ampleur. Ce serait impraticable sans l'invention de nouveaux systèmes d'éducation. Ce besoin-là sera sans doute le plus urgent de tous.

Il y a cinquante ans, H.G. Wells concluait « La Guerre des Mondes » par la vision d'une « course dramatique entre l'éducation et la catastrophe ». Le résultat de cette course est incertain.

En ce qui concerne les Etats-Unis, il leur a fallu un siècle pour commencer à devenir une société équipée intellectuellement. Les débuts ont été difficiles. Le processus de la généralisation de l'éducation a souvent été inefficace et toujours coûteux. Mais, plus ou moins bien, nous avons fini par dominer le problème. Cependant, tandis que nous continuons à faire face aux problèmes du passé, qui ne sont pas tous résolus, et de loin, dans notre propre pays, l'avenir nous impose déjà de nouvelles conditions auxquelles il faut nous adapter.

L'un des facteurs les plus importants aux Etats-Unis, pour le dernier tiers de ce siècle, sera la diminution progressive de la durée du travail. L'automation industrielle va réduire de plus en plus le nombre d'heures que chaque travailleur de l'industrie effctuera. [1]

Pendant les cinquante dernières années, nous avons diminué *de moitié* la moyenne de la semaine de travail, par les progrès de la mécanisation. Aujourd'hui le travailleur de l'industrie, quand il entre dans le secteur de production est un peu plus âgé, et un peu mieux

1. Ce ne sera pas le cas, en général, pour les cadres.

équipé. Une fois qu'il y est, il travaille un moins grand nombre d'heures, il a davantage de congés. Et il prend sa retraite plus jeune. Les conséquences de ces nouveautés avant, pendant, et après la vie professionnelle, pèsent directement sur nos structures d'éducation.

Les hommes ont déjà un peu plus de temps pour faire les choses qu'ils ont envie de faire. Comme leur envie reflète, dans une large mesure, la forme initiale de leur éducation, les loisirs plus nombreux vont imposer des responsabilités encore plus grandes à notre système d'éducation. Par ailleurs, le progrès technologique va accroître les possibilités de chacun de mieux utiliser son temps de loisirs. Les progrès dans les communications électroniques peuvent permettre de stimuler, plus que concurrencer, les formes classiques de distraction et de culture. La technologie et le raffinement de la production ne devraient pas cesser d'élargir nos possibilités de choix.

Une plus grande urbanisation de la population, les conséquences accrues de l'automation industrielle, et les changements de notre système d'éducation, sont les trois facteurs liés qui nous amènent à l'instrument nouveau dont nous commençons seulement à concevoir les usages : l'ordinateur.

La technologie de l'ordinateur, et des « *systèmes d'information* » qui en découlent, sera le facteur dominant de l'environnement de 1980. Actuellement nous en découvrons presque chaque jour de nouvelles dimensions, de nouvelles potentialités.

L'imagination, l'inspiration, l'intuition, la création d'idées, qui sont le propre de l'esprit, auront désormais comme partenaires la mémoire et la capacité de calculs qui sont le propre de l'ordinateur. Cette nouvelle association créera une dimension intellectuelle inconnue qui forgera un univers différent.

Il y aura, bien avant 1980, un nombre croissant d'années de notre vie consacrées à une amélioration permanente de notre équipement intellectuel — progrès qui, à son tour, entraînera un rythme plus rapide d'innovation technologique et de transformation sociale.

Mais tout ne sera ni simple ni facile. L'un des grands problèmes qui nous est posé par cette nouvelle percée technologique, est le fossé qui se creuse, de plus en plus, entre l'industrie américaine d'une part, le reste du monde de l'autre. Ceci ne posera pas seulement des problèmes mais pourrait mener à des catastrophes.

Ce qui arrive c'est que nous sommes en train de *comprimer l'espace et le temps* dans des proportions qui n'étaient guère concevables il y a encore dix ans. Et plus encore que l'espace et le temps, nous sommes en train de découvrir la capacité de *densifier l'expérience humaine,* à travers la centralisation de l'information et la communication instantanée. C'est un monde nouveau qui s'ouvre, avec tous les aléas de l'aventure.

Chapitre 10

L'univers des ordinateurs

Il y a un conseiller spécial, à la Maison Blanche, pour étudier les possibilités nouvelles que vont offrir les ordinateurs en matière d'information et de communication. Ce conseiller a été, jusqu'en 1967, M. William Knox, qui pendant vingt ans dirigea les laboratoires de recherche de la Standard Oil of New Jersey. Comme conseiller présidentiel, M. Knox a fait un exposé sur l'avenir de l'ordinateur, dont nous donnerons ici l'essentiel.

⁂

Pour la première fois depuis l'invention de l'écriture, l'homme va avoir bientôt la possibilité de communiquer — de transférer de l'information — en utilisant simultanément les deux moyens qui sont à sa disposition : l'écriture et la parole. Il va pouvoir se servir de la quantité considérable de documentation (imprimée) qui existe aujourd'hui dans le monde, et qui est théoriquement à sa disposition, d'une manière aussi souple, aussi directe et aussi simple que lorsqu'il converse avec son voisin. C'est ce que la technologie moderne des nouveaux ordinateurs doit nous apporter.

Jusqu'à il y a cinq cents ans, les informations se transféraient de personne à personne, soit par la parole, soit par l'écriture à la main. Il y avait évidemment très peu de gens qui pouvaient disposer de suffisamment de temps pour acquérir ces connaissances et ces informations. La première révolution s'est accomplie alors, avec l'invention par Gutenberg de l'imprimerie. Le peu de documentation qui avait été accumulée sur plusieurs millénaires a pu ainsi être mise à la disposition d'un plus grand nombre de personnes. Et, en conséquence, davantage d'auteurs se sont mis à transcrire leurs travaux et leur pensée par écrit. Ce n'est pas une coïncidence si le siècle qui suivit cette invention, et par conséquent la création des livres, fut en Europe celui de la Renaissance.

Deux et trois siècles plus tard, la recherche constante de meilleurs moyens de communication, et de transfert de l'information, a conduit coup sur coup à l'invention du télégraphe, du téléphone, du phonographe, et de la photographie. Quelques dizaines d'années après, fut inventée la radio. Ainsi, en un demi-siècle, la technologie avait multiplié les possibilités de transfert de l'information. Plusieurs moyens étaient désormais à la disposition de l'homme. Mais à une exception : il pouvait communiquer soit oralement, soit par écrit, mais pas les deux à la fois. Jusqu'à l'électronique.

C'est depuis qu'une révolution technologique est en cours. Son impact sur la société moderne devrait être radical. Et le « gap » supplémentaire, que cette révolution va entraîner entre les pays de technologie avancée et les autres, pose des problèmes impressionnants. *Il est d'ores et déjà concevable que nous ne soyons plus en état de communiquer, tout simplement de communiquer, avec ceux qui n'auront pas suivi, dans leurs moyens techniques, ces progrès décisifs que nous sommes en train de disséminer dans notre structure industrielle, et qui vont en changer la nature même.*

Cette révolution dans les méthodes d'information est intervenue à la suite d'une véritable explosion dans le rythme de recherche et de développement de l'industrie américaine sous l'impulsion du gouvernement fédéral. Ce rythme a entraîné une croissance parallèle du nombre de documents publiés. Les méthodes traditionnelles de transfert de nouvelles informations scientifiques et techniques, par exemple les journaux spécialisés, n'ont pas pu suivre ; et un nouveau moyen de communication — le rapport technique — a fait son apparition et s'est multiplié. Il y a aujourd'hui environ 100 000 rapports techniques et scientifiques publiés chaque année aux Etats-Unis. En plus des 900 000 articles que comportent les revues scientifiques et techniques. Et en plus des 7 000 livres d'études qui sont publiés chaque année (deux fois plus qu'il y a seulement dix ans). Nous sommes donc bien obligés de *repenser complètement nos méthodes de transfert d'informations.*

Actuellement, nous formons chaque année 10 % de plus d'ingénieurs et de savants que l'année précédente. Or, non seulement le volume de l'information s'accroît d'une manière presque dramatique, mais la rapidité avec laquelle cette information nouvelle est mise en application par l'industrie suit un rythme parallèle. Il était presque imprévisible, par exemple, que les avions à réaction remplaceraient complètement les avions à hélices en moins de dix ans. Ce rythme a une conséquence essentielle. Jusque-là il y avait le temps de la réflexion. Ceux qui prenaient les décisions de stratégie industrielle, ou politique, disposaient du temps voulu, en général, pour obtenir et ordonner la somme d'informations nécessaires. Aujourd'hui, les méthodes classiques de transfert d'informations sont complètement dépassées, elles ne répondent plus à la demande. Si l'on continuait de s'en remettre à elles, les décisions à prendre seraient, de plus en plus, prises au hasard.

La révolution qui commence dans les méthodes de transfert d'informations sera justement de permettre que les idées puissent être utilisées d'une manière raisonnable et en temps utile.

L'ordinateur, à ses débuts, il y a quelques années, a été utilisé surtout pour procéder à des opérations de comptabilité et de calculs. Désormais, son apport essentiel sera d'être un instrument de transfert et de traitement de l'information dans tous les sens du terme. Il sera en mesure d'emmagasiner, de digérer, de traiter tous les problèmes que nous rencontrons dans la vie industrielle. La décision à prendre le sera donc sur la base d'options élaborées.

Il y avait, en 1955, environ 1 000 ordinateurs aux Etats-Unis. Nous savons qu'il y en aura 80 000 avant 1975. Aujourd'hui, le gouvernement fédéral américain, à lui seul, en utilise 2 000.

La taille des ordinateurs, qui était un vrai problème, diminue actuellement dans de grandes proportions. Nous savons qu'en 1980, l'appareil qui pourra faire les mêmes opérations que celui que nous connaissons aujourd'hui sera mille fois plus petit. La rapidité des opérations auxquelles il procédera en sera arrivée à la vitesse d'un milliard d'opérations par seconde. Et le coût de chaque opération aura diminué deux cents fois.

Les ordinateurs de 1980 seront petits, puissants, et bon marché. De sorte qu'ils pourront être à la disposition individuelle de tous ceux qui en auront besoin et qui voudront les utiliser.

Dans la plupart des cas, l'utilisateur de l'ordinateur aura une petite console, à domicile ou au bureau, directement branchée, quelle que soit la distance, sur les grands ordinateurs les plus puissants où seront emmagasinés, dans d'énormes mémoires électroniques, les facteurs de la connaissance. Et les développements que nous voyons actuellement dans la relation orale-écrite avec l'ordinateur feront qu'il sera aussi simple d'utiliser un ordinateur, dans l'ensemble de ses opérations, qu'il l'est aujourd'hui de conduire une voiture [1].

1. Le spécialiste français, M. Robert Lattès, directeur de la Société d'Information Appliquée (filiale de la SEMA), dit : « On demandera aux utilisateurs individuels un léger effort, mais pas beaucoup plus important que celui qu'ils consentent tous pour apprendre à conduire. Et l'échec ne sera pas plus fréquent que pour le permis. »

Les progrès les plus passionnants dans la méthode d'information par ordinateur sont fondés sur ce qu'on appelle les ordinateurs en « temps réel ». C'est-à-dire que l'ordinateur, et sa mémoire, deviennent assez puissants pour opérer en quelques fractions de seconde sur une série de questions sans avoir besoin de procéder à des opérations de rappel. Ce qui fait que l'homme qui se sert de l'ordinateur, en « temps réel », peut dialoguer avec lui à la vitesse de la conversation ordinaire.

Nous évaluons aujourd'hui que l'ensemble des informations rassemblées *dans toutes les bibliothèques du monde* représentent 10^{15} signes (1 million de milliards de signes). Cette documentation est entièrement rassemblée sous forme de livres et autres documents imprimés. Et elle double, au rythme actuel, environ tous les 15 à 20 ans. L'une des industries américaines d'ordinateurs vient d'annoncer la commercialisation prochaine d'un ordinateur géant, avec mémoire à accès direct, qui pourra recueillir et retenir 10^{12} signes (mille milliards de signes sur une même machine). D'ici 1980, il est raisonnable de penser qu'un très petit nombre d'ordinateurs pourront donc remplacer *toute la documentation écrite* qui existera dans le monde. Et ces ordinateurs travailleront en « temps réel » : ils livreront l'ensemble de leurs informations, en réponse aux questions, sur le rythme du dialogue normal.

Des changements de même envergure interviennent en ce moment dans la technologie des communications par satellites. Bientôt la communication intercontinentale, et même à l'intérieur d'un même continent, par l'intermédiaire de satellites, sera la méthode la plus rapide et surtout, de loin, *la moins chère*. Le développement ultérieur sera le transfert d'images au même rythme que le transfert de messages. Ce développement, qui est encore assez coûteux, devrait être banal en 1980.

Ce que nous cherchons à mettre au point maintenant, c'est une utilisation plus ordonnée, plus efficace, moins coûteuse, et plus rapide encore des grands ordinateurs par ce que nous appelons le « time sharing » (temps partagé). Le même ordinateur répondra à plusieurs dizaines, puis plusieurs centaines d'interlocuteurs *à la fois* sur des questions différentes et avec des opérations séparées.

Pour y parvenir, la méthode est la suivante : dans les quelques secondes, ou fractions de seconde, qui séparent la réponse donnée par l'ordinateur à celui qui le questionne de la nouvelle question posée par le même interlocuteur, après un moment de réflexion, même court, pendant ce temps l'ordinateur passe à un autre interlocuteur, et même à plusieurs autres, en utilisant sa capacité de travail au milliardième de seconde pour répondre aux autres pendant ce temps-là, sur d'autres lignes — comme un grand central téléphonique qui serait branché sur un seul cerveau (la mémoire centrale de l'ordinateur où les données sont emmagasinées). Nous préparons, en ce moment, la possibilité d'avoir 250 interlocuteurs à la fois s'adressant au même ordinateur sur des questions différentes.

La commercialisation industrielle du grand ordinateur, employé en « temps réel », par la méthode du « time sharing », et avec des consoles individuelles à distance, utilisées comme de simples téléphones ou téléscripteurs — c'est *le* développement révolutionnaire qui commande l'avenir.

L'utilisateur n'aura pas besoin d'écrire, ni d'imprimer, ni même de taper sur un clavier, il s'adressera oralement à l'ordinateur qui lui répondra oralement au rythme d'une conversation de travail.

Ce dialogue entre l'utilisateur et l'ordinateur peut être aussi bien un dialogue par transmission immédiate de messages imprimés qu'un dialogue oral, l'ordinateur répondant comme au téléphone. Un système de cette nature est d'ailleurs actuellement utilisé aux Etats-Unis sur le Stock Exchange. On parle à l'ordinateur sur un téléphone pour lui demander le cours immédiat de telle ou telle action et il répond à l'autre bout de la ligne.

Les caractéristiques que nous venons de décrire sont importantes sur un point : l'utilisateur a à sa disposition, et d'une manière instantanée, toutes les informations enregistrées dans la mémoire de l'ordinateur. Cette mémoire peut avoir les dimensions que nous avons indiquées, c'est-à-dire, à la limite, une portion importante de l'ensemble de toute la documentation imprimée de toutes les bibliothèques du monde. Il est bien difficile d'imaginer déjà les développements que vont permettre ces techniques nouvelles qui changent vraiment tout dans les modes d'information, donc dans la capacité de travail. Il est certain, en tout cas, que les transformations de la société industrielle, à la suite de cette invention, seront considérables [1].

Dès maintenant, le gouvernement fédéral des Etats-Unis s'est engagé dans une série de programmes, en relation avec les grandes entreprises, pour l'exploitation rationnelle de ces nouveaux modes d'information et d'échange. Un premier rapport a été fait au Président. Ce rapport recommande en particulier que le gouvernement prenne la responsabilité de faire en sorte qu'il existe le plus vite possible aux Etats-Unis, enregistré sur ordinateur, un exemplaire de tous les documents scientifiques et techniques qui existent dans le monde. Le rapport recommande également que le gouvernement organise un système national, et intégré, pour l'utilisation de l'information scientifique et technologique dans les usines et les universités.

En dehors de la Présidence, plusieurs autres administrations fédérales, dans les trois dernières années, ont généralisé l'emploi des ordinateurs géants pour emma-

1. « La société, au sens industriel ou économique, va devoir s'organiser autour du phénomène informatique car il apporte à l'homme l'amplification de ses facultés cérébrales et nerveuses là où la première révolution industrielle ne lui avait apporté que celle de ses capacités musculaires ». (M. Robert Lattès).

gasiner les informations et participer aux travaux d'élaboration. Entre autres, la Commission de l'Energie Atomique, la N.A.S.A. pour l'exploration de l'espace (National Aeronautics and Space Administration), la Bibliothèque Nationale de Médecine, le Ministère de la Défense, le Ministère du Commerce. *Ils ont chacun des ordinateurs géants travaillant en « temps réel », avec des consoles terminales individuelles, réparties sur le territoire national.*

Il y a déjà plusieurs années que la pression croissante de l'information, qui se multiplie, dans plusieurs branches professionnelles, empêche même la communication suffisamment rapide sous la forme de rapports imprimés. C'est l'ordinateur qui servira de moyen essentiel de documentation, d'information et d'échange, y compris dans les problèmes quotidiens.

Ce que nous envisageons, d'ici à 1980, ce sont plusieurs circuits nationaux d'information électronique qui, reliant les grands ordinateurs aux centres individuels, deviendront l'équivalent de ce que sont aujourd'hui les services publics de l'électricité, de l'eau et du gaz, et à des tarifs qui seront du même ordre.

L'application de ces nouvelles méthodes à l'Education, qui n'est pas encore au point, s'annonce comme le développement le plus spectaculaire des douze prochaines années. Il y a, au départ, un problème de coût. Les écoles et les universités sont traditionnellement assez pauvres, et ne sont pas toutes en mesure de s'engager dans les nouveaux programmes nécessaires pour la pleine utilisation des ordinateurs en matière d'éducation. Mais d'ici à 1980, deux facteurs auront modifié cette difficulté : l'intervention massive du gouvernement fédéral, et la diminution rapide du prix de programmation des ordinateurs.

En 1980, et probablement avant, l'ensemble des écoles et universités américaines seront reliées avec des consoles aux ordinateurs géants dans les différentes branches des connaissances. Et les programmes d'éducation par classe, peut-être même par élève, seront adaptés et coordonnés directement par les ordinateurs. C'est, en tout cas, notre plan.

La principale difficulté que nous allons rencontrer, pour l'utilisation des nouvelles technologies d'information, c'est l'appréhension des cadres devant les transformations radicales qu'elles vont entraîner. La génération actuelle des « managers est trop installée dans des méthodes différentes pour se sentir à l'aise. Mais dans les prochaines années, par la force des choses, et en raison même des exigences de cette nouvelle technologie, une autre génération de managers prendra les leviers de commande.

Le besoin fondamental est celui de l'adaptation aux techniques modernes, donc le besoin d'Education. Au rythme du changement que nous devons envisager, l'éducation au sens classique sera, de loin, insuffisante. Il faudra une réadaptation constante, et la possibilité à chaque instant d'offrir des « recyclages », à base de programmes éducatifs organisés, pour ceux, en tout cas, qui ne voudront pas cesser d'avoir une vie active.

Il y faudra des dizaines de milliers de spécialistes en ordinateurs, de ceux qu'on appelle les « programmeurs ». Ensuite, les ordinateurs eux-mêmes serviront d'enseignants et de programmeurs pour leur propre technologie. Avant que cette période n'arrive, *c'est-à-dire avant 1980,* il faudra que les responsables politiques en aient maîtrisé les implications.

⁂

TROISIÈME PARTIE

L'EUROPE SANS STRATÉGIE

Chapitre 11

L'état de l'union

Après avoir assisté au débarquement des industries américaines en Europe, nous avons tenté de reconnaître les bases arrière de cette opération. Retenons deux éléments.

1. — Le défi américain n'est pas essentiellement d'ordre industriel ou financier. Il met en cause, avant tout, *notre fécondité intellectuelle, notre aptitude à transformer les idées en réalités.* Ce qui cède devant la poussée extérieure, ayons le courage de le reconnaître, ce sont nos structures politiques et mentales — c'est notre culture.

2. — L'Amérique d'aujourd'hui ressemble encore, avec une quinzaine d'années d'avance, à l'Europe. Elle appartient au même système, le même concept de « société industrielle » les englobe l'une et l'autre. En 1980, les Etats-Unis seront dans un autre monde. Si nous n'y sommes pas parvenus de notre côté, *ils détiendront un monopole de la technique, de la science, de la puissance moderne.*

Selon les prévisions actuelles, deux ou trois pays (le Japon, la Suède, selon des modèles différents), en concentrant leurs moyens sur quelques secteurs choisis, arriveront à se maintenir au niveau américain. Mais ils n'auront ni le poids nécessaire pour négocier de puissance à puissance, ni la taille autorisant une véritable concurrence. Que l'Europe Occidentale soit, comme déjà l'U.R.S.S., distancée et disqualifiée, les Etats-Unis se trouveront alors isolés dans un univers d'avant-garde.

Situation inacceptable pour l'Europe, redoutable pour l'Amérique elle-même, désastreuse pour le monde.

A l'intérieur d'une collectivité la variété des options possibles, l'équilibre des poids et des contrepoids, l'émulation des initiatives, sont les facteurs irremplaçables de progrès et de liberté. Ils le sont plus encore à l'échelle internationale. Disposant d'un monopole de la civilisation avancée, du fait de leur prééminence technologique, les Etats-Unis perdraient, ils commencent à en montrer les symptômes, le stimulant et le correctif de la concurrence.

C'est à eux seuls que reviendrait le soin de définir, sans le secours du dialogue et de la comparaison, les modes futurs d'organisation sociale. L'aventure humaine — qui comporte autant de dangers que de promesses — se poursuivant chez eux sans le contrôle que procure par sa présence, son expérience et sa rivalité, une puissance égale, les risques d'erreur et de perversion ne pouraient que se multiplier.

Le détenteur du monopole ferait inévitablement de l'impérialisme une sorte de devoir, son propre succès indiquant le sens unique et obligatoire où le reste du monde serait tenu de s'engager derrière lui. Il n'est pas exagéré de dire que l'Europe tient dans ses mains plus que sa propre destinée.

En créant diverses communautés (Pool Charbon-Acier, Euratom, Marché Commun), l'Europe a montré qu'elle ressentait, il y a dix ans, le défi de la puissance américaine, elle a commencé de lui donner une réponse. En 1967, on peut établir un bilan : *l'Europe a créé un marché, elle n'a pas créé une puissance.* Et ce marché, nous l'avons vu, ne tourne pas à son avantage, mais à celui de l'organisation industrielle américaine.

En étudiant le bilan de dix ans de Marché Commun, la Compagnie Lambert conclut : « Un des résultats que l'on devait attendre du Marché Commun était la constitution de grandes entreprises européennes mieux armées pour affronter la concurrence internationale et particulièrement la concurrence américaine. L'écart technologique et financier qui sépare les firmes des deux continents aurait été réduit ; l'Europe aurait retrouvé une position de force dans les domaines du progrès scientifique, de l'innovation technique et, par là, de la puissance économique et financière. Jusqu'à présent, ce résultat n'a pas été atteint. *L'écart entre les deux continents s'accroît.* »

M. Raymond Aron arrivait, dès 1966, à une constatation semblable sur ce qu'il n'hésite pas à appeler l'échec du Marché Commun :

« L'échec du Marché Commun, écrit-il, ne se situe ni sur le plan monétaire, ni sur le plan commercial mais sur le plan proprement industriel. Il se résume par une proposition simple : quand une entreprise française ou italienne est en difficulté, elle traite le plus souvent non pas avec une entreprise du même secteur appartenant à un autre pays européen, mais avec une corporation américaine... Tout s'est passé comme si la constitution du Marché Commun avait non pas provoqué l'afflux en Europe de capitaux américains au profit de l'industrie européenne, mais accru le volume des capitaux directement investis par les corporations d'outre-Atlantique. »

Depuis la fin de la crise du Marché Commun, ouverte le 30 juin 1965, l'opinion publique pense que la construction européenne a redémarré. C'est vrai sur certains points secondaires, mais pour ce qui concerne les facteurs déterminants, et la question de savoir si nous forgeons, oui ou non, des chances d'échapper à la colonisation américaine, la réponse est négative. On peut même constater que, dans ces domaines, l'Europe se défait.

Après la longue interruption de l'activité communautaire consécutive à la crise de juin 1965, une série d'accords non négligeables furent, en quelques semaines, conclus. Les premiers concernent la politique agricole commune, qui avait été à l'origine de la crise. C'est essentiellement un règlement financier. D'autre part les Six ont décidé, ce qui est important, de supprimer totalement le 1er juillet 1968 leurs droits de douane entre eux. De grands efforts demeurent nécessaires pour compléter ces deux décisions sur le plan technique. Pour le financement agricole, comme pour l'union douanière, des centaines de règlements, de longues études et de difficiles négociations sont encore devant nous. Mais cette œuvre a des chances d'être menée à bien.

Ce qui a été discuté à Bruxelles ces dernières années s'inscrit, pour l'essentiel, sous l'une ou l'autre de ces deux rubriques : union douanière et convention agricole. L'accord réalisé entre dans une sorte d'enveloppe globale (« package deal ») où la France a obtenu certains avantages importants en matière agricole en contrepartie de son adhésion à la politique *libre-échangiste,* pour les produits industriels, que réclamaient nos partenaires et en particulier l'Allemagne. Ainsi se réalise une vaste zone d'échanges et s'ouvre un grand marché aux entreprises industrielles de taille mondiale ; c'est-à-dire à l'ensemble de l'industrie américaine et une dizaine, peut-être, de firmes européennes. Mais où est *la puissance* de l'Europe ?

Les inspirateurs du Traité de Rome, et ses négociateurs, avaient vu juste en prévoyant qu'avant l'ouverture complète du Marché, et la suppression des barrières douanières, il serait nécessaire que certaines décisions essentielles, notamment en matière de *politique économique commune,* puissent être prises non plus à l'unanimité, mais à la majorité. C'est cette règle qui a été, en fait, écartée, à la demande de la France, à la suite de la crise de juin 1965 ; ce qui amollit la construction européenne et en limite les ambitions.

Il y a, dans ces conditions, peu de chances qu'au moment de la libération des échanges communautaires, on ait mis au point une politique de l'énergie, par exemple, ou une politique scientifique. En matière d'énergie, plusieurs nations, et non les moindres, s'en tiennent aux coûteux contresens d'une politique dite « patriotique » suivant la formule lancée par un ministre français de l'Industrie. Quant aux problèmes de la politique scientifique, la Commission Européenne écrivait récemment, dans son premier essai de programmation, cette phrase singulièrement forte sous la plume de technocrates au style prudent : « Si les six pays de la Communauté devaient rester, comme ils l'ont été depuis une génération, le principal importateur de découvertes et le principal exportateur d'intelligences, dans le monde, ils se condamneraient à un sous-développement cumulatif qui rendrait bientôt leur déclin irrémédiable. »

La solution du problème scientifique, qui sans doute commande les autres, consisterait pour l'Europe dans cette Communauté technologique sur laquelle insistent les Anglais qui, dans ce domaine au moins, ont saisi le danger. Le « Manchester Guardian » écrit : « Une communauté technologique européenne est la véritable Europe du futur. Le point de savoir si elle peut être réalisée sera le test du nationalisme contre le rationalisme... Cela exigerait des changements psychologiques de très grande envergure. Mais la seule alternative est le déclin économique, et sans doute une domination complète des Etats-Unis. »

En matière scientifique, la position française a consisté à donner son accord pour que la commission européenne engage des « études », mais à ne pas accepter que des « décisions » puissent être prises sans un accord unanime entre les Etats.

C'est pour cette même raison que l'Europe, en ce qui concerne les institutions qu'elle avait déjà mises en place à Bruxelles et à Luxembourg, n'est pas en train de se consolider mais de s'affaiblir.

La plus ancienne des institutions communautaires est celle du Charbon et de l'Acier (1949). A son sujet, M. Paul Fabra écrit : « Il n'y a déjà plus de Marché Commun pour le charbon parce qu'en fait sinon en droit, il n'y a pas d'état-major européen à Luxembourg pour organiser la retraite du charbon et que chaque gouvernement a repris, pour son compte, la direction des opérations. »

Les choses ont pris le même tournant en ce qui concerne l'acier. « Rien ne se passe à Luxembourg sinon des crises », a déclaré M. Couve de Murville. A quoi le bureau de liaison des syndicats des travailleurs mineurs et sidérurgistes de la Communauté Européenne lui a répondu que « les faiblesses de la C.E.C.A. viennent de ce qu'on lui a dénié les pouvoirs qu'on lui reproche maintenant de ne pas exercer ».

La Communauté du Charbon et de l'Acier a été créée dans une période de pénurie. L'heure de vérité viendrait au moment où cette période cesserait. C'est ce qui est arrivé. Face aux surcapacités de production, qu'il faudrait organiser et aménager par des décisions communes, les différents pays membres se détournent des solutions communautaires, chacun joue pour soi. L'Allemagne a répliqué au « Plan sidérurgie » français, traité directement entre les industriels français et le ministère des Finances, en recartellisant ses entreprises ; la Belgique et le Luxembourg se sont engagés dans la même voie. C'est le repli sur soi-même de chaque sidérurgie nationale.

Quant à l'Euratom, la grande entreprise commune de recherche qui devait permettre aux Européens de conjuguer leurs efforts nucléaires pour rattraper leur retard, il est enterré. Deux éminents Français, MM. Louis Armand et Etienne Hirsch, successivement président de l'Euratom, ont dû l'un après l'autre démissionner après avoir constaté qu'il était impossible de concilier cette entreprise avec les politiques nationales vers lesquelles, à l'exemple de la France, les autres pays se sont engagés.

L'un des succès des techniciens de l'Euratom fut la mise au point, en laboratoire, d'une filière originale de production d'électricité, la filière « Orgel ». Mais les délais nécessaires pour réaliser l'unanimité des Six sur les moyens d'exploitation se sont révélés tels que les Américains, qui avaient sur ce point quelques années de retard, vont mettre en œuvre cette filière avant les Européens.

Ce qui a condamné l'entreprise de l'Euratom, c'est la théorie dite « *du juste retour* ». Cette expression doit être connue de ceux qui s'intéressent à la politique économique de l'Europe, à son destin.

On entend par « juste retour » le fait, pour chacun des Etats-membres, de retrouver, *chez lui,* grâce aux commandes et subventions de l'institution internationale, en l'espèce l'Euratom, des sommes correspondant aux montants de sa participation. Dès lors, chaque Etat, dans ses rapports avec les autres, considère que dans toute entreprise commune il doit retrouver sa mise. L'activité principale de ses représentants consiste à veiller au « juste retour » des sommes qu'il consent à y mettre. La logique d'un pareil système est, évidemment, à l'opposé de l'efficacité industrielle ; elle supprime l'unité de commandement et le dynamisme interne de l'entreprise, donc sa raison d'être. Telle fut la cause principale de l'échec d'Euratom.

Au total, à Luxembourg comme à Bruxelles, nous sommes entrés dans une phase dite de « polycentrisme communautaire ». Le centre de gravité de l'Europe s'éloigne des institutions communes par un renforcement constant des centres de décisions nationaux. Il est bien exact de dire que *la communauté se défait.*

Mais, après tout, ces différentes institutions communautaires sont des administrations. L'essentiel, c'est l'industrie. Comment évolue *l'industrie européenne,* face à sa rivale américaine ?

Beaucoup est suspendu à la création du statut de la

« société commerciale européenne » sur lequel les propositions de la Commission Européenne sont restées sans réponse.

La France a proposé que l'on introduise, à la suite d'un accord qui serait passé entre les Etats, et seulement entre eux, une loi uniforme pour toutes les sociétés. La Commission Européenne a fait remarquer que l'introduction d'une loi uniforme dans les droits nationaux laisserait sans solution la question clé qui est la possibilité de transférer sans formalités le siège d'une entreprise d'un Etat dans un autre. La Commission a proposé la solution raisonnable : la création d'une société de droit européen. Ce droit communautaire rendrait possible une égalité de situation pour les entreprises, et pour les actionnaires. Ainsi les fusions, grâce au droit européen, n'entraîneraient plus un changement de nationalité mais une européanisation. « Cette solution, écrit M. Pierre Drouin, est la plus logique, mais elle n'a pas de chance d'être actuellement acceptée par la France, car elle suppose la reconnaissance d'un ordre supra-national. »

L'évolution comparée des grandes entreprises européennes et américaines dans les dernières années montre [1] qu'il ne reste plus aujourd'hui qu'un très petit nombre d'entreprises dans la Communauté qui présentent une dimension *et des structures* comparables à celles des firmes américaines. Cette étude appelle maintenant une conclusion.

Dans une économie protégée, comme celle que nous avons connue depuis un siècle, ni la croissance, ni la structure financière des entreprises ne présentaient une importance vitale. L'essentiel était que l'économie nationale fût capable de fournir une production correspondant aux besoins. C'était avant tout une affaire d'équi-

1. Voir chapitre 6 : « La spirale de la croissance ».

pement technique. La plus large part des investissements consistait en de simples renouvellements de matériel, et il était assez indifférent que l'entrepreneur doive ou non recourir à des sources extérieures de financement, notamment à l'emprunt. Etant habitués à une telle économie nous sommes loin d'accorder une importance suffisante à la structure financière de nos entreprises.

Au contraire, dans une économie mouvante, caractérisée par la rapidité du progrès technique et l'acuité de la concurrence, la valeur d'une entreprise, sa capacité de riposte, *dépendent moins de ses usines et de ses machines que des éléments immatériels tels que son bilan, sa créativité, son organisation commerciale.* C'est si vrai qu'aujourd'hui, en Europe, de nombreuses entreprises se trouvent comme étranglées pour avoir trop largement investi.

Un grand nombre d'entreprises européennes, dont la situation présente semble encore relativement favorable, sont ainsi des entreprises qui ont implicitement renoncé à s'assurer un avenir digne de leur passé. Ces entreprises, parmi lesquelles beaucoup de très importantes, ont une structure financière trop faible pour réaliser, sur leurs fonds propres, les investissements qui seraient nécessaires à une croissance comparable à celle de leurs concurrents américains. Ces défauts de structure financière n'ont à court terme que de faibles incidences sur l'évolution de leur chiffre d'affaires, mais ils compromettent leur croissance, voire leurs chances de survie.

En définitive, il y a aujourd'hui pour l'industrie européenne trois stratégies possibles entre lesquelles nous n'avons pas encore consciemment choisi.

Première stratégie. Continuer sur la lancée actuelle, c'est-à-dire une double dégradation, et de la dimension commerciale, et de la structure financière. Dans cette voie, l'industrie continue encore pendant quelque temps à lutter contre la concurrence américaine. Elle ne fait que repousser les échéances. Le processus d'érosion financière continue jusqu'au jour où les dirigeants industriels se rendent compte que le moindre mal consiste pour eux à vendre leurs entreprises à un concurrent américain pour un prix qui représente environ deux à trois fois sa valeur de capitalisation (c'est la norme actuelle). C'est une stratégie de retraite, qui mène à *l'annexion industrielle.*

Deuxième stratégie. Plus habile du point de vue de l'entreprise, elle consiste à s'efforcer de jouer un rôle *complémentaire* par rapport à l'économie américaine en se spécialisant dans des domaines où l'Europe garde l'avantage, notamment en raison du coût relativement faible de sa main-d'œuvre, et en exploitant des licences étrangères.

Stratégie valable pour une entreprise donnée elle impliquerait, si elle était généralisée à l'Europe, que l'économie mondiale tende vers une division en trois zones : la première comprenant les espaces économiques à haut niveau de développement technologique, qui fourniront les découvertes et les innovations ; une zone médiane, dont l'Europe, qui aura pour fonction d'assurer l'application industrielle des découvertes faites à l'extérieur ; enfin le tiers-monde qui demeurera essentiellement un producteur de matières premières et de produits industriels ne mettant en œuvre que des techniques traditionnelles. C'est cette division du travail qui est en train de se produire. Dans cette perspective, celle de *la satellisation industrielle,* les nations d'Europe ne sauraient prétendre à un rôle déterminant sur la scène mondiale. Et les possibilités de croissance économique se trouveront d'autant plus limitées que l'effet de domination exercé par la puissance majeure, siège de l'innovation, sera plus rigoureux.

La troisième stratégie, par opposition à celle de l'annexion et à celle de la satellisation, consiste à choisir *la compétitivité.*

Il s'agirait pour nos entreprises de devenir, dans de

larges secteurs, en particulier ceux de la « Big Science », pleinement concurrentielles dans la compétition mondiale. Les chiffres analysés montrent qu'elles sont très loin de posséder les ressources propres indispensables. Le problème relève donc des pouvoirs publics. Pour entrer dans la compétition mondiale il faut apporter aux entreprises industrielles, au moins dans les secteurs déterminants pour l'avenir, une aide massive. Ces secteurs sont, en particulier, l'Electronique et l'Informatique, la Recherche spatiale et l'Energie atomique.

Comment peut-on imaginer cet appui massif des pouvoirs publics à la construction de grandes unités industrielles en Europe ?

Sur le plan national, étant donné la faiblesse relative des moyens de chacun des Etats, une telle solution exigerait absolument que les nations intéressées s'engagent dans la voie d'une étroite spécialisation, c'est-à-dire qu'elles optent en quelque sorte pour un modèle suisse ou suédois : spécialiser le pays dans deux ou trois branches industrielles, et y concentrer ses ressources [1].

Seul le modèle européen peut permettre d'affronter l'ensemble du défi américain sur les fronts essentiels. Pas n'importe quel type de groupement européen. Nous allons voir, d'abord, pourquoi ce qu'on appelle la « coopération » internationale en matière industrielle n'est qu'une formule creuse qui ne peut aboutir à des résultats efficaces. Obtenir la fermeté nécessaire du dessein, décider des choix douloureux, éviter les doubles emplois et les gaspillages, se hisser, enfin, au niveau de compétitivité — implique de donner à la Communauté Européenne une puissance financière propre.

En dehors de toute considération idéologique, il n'existe désormais d'autre solution à nos problèmes industriels qu'une certaine organisation de type fédéral

1. Le modèle suédois est riche de possibilités sociales, mais il n'a pas l'ambition de jouer un rôle mondial.

dont nous chercherons, ensuite, à dessiner les contours précis, et limités, loin des polémiques et des passions qu'entretiennent les conceptions abstraites.

Pour le moment, l'Europe tourne le dos à ce choix. Elle s'attache encore à des formules de coopération entre gouvernements. Les limites de ce type d'entreprise méritent d'être étudiées de plus près.

Chapitre 12

L'effort du Concorde

La plus réussie des entreprises de *coopération* est la construction du prochain avion supersonique « Concorde » entre la France et l'Angleterre. Elle nous permet de discerner certains caractères de la coopération internationale, en opposition avec une véritable entreprise communautaire qui suppose la programmation scientifique à long terme et l'unité de commandement industriel.

Pour le Concorde, les conditions de succès d'une entreprise de coopération sont les meilleures possibles. Il n'y a que deux partenaires : chacun d'eux a des raisons politiques d'attacher un grand intérêt au projet ; des problèmes sociaux délicats sont en cause dans les deux industries aéronautiques ; ces partenaires ont à peu près la même puissance démographique, financière et, en l'occurrence, technologique. Or, nous avons vu, en dix-huit mois, les faiblesses, à la base, d'une pareille entreprise.

Fin 1964, le gouvernement anglais de M. Wilson, dans le cadre de son redressement financier, décida d'abandonner le projet Concorde. Ce qui provoqua, à juste titre, une réaction très violente à Paris. Au point que les Anglais durent revenir sur leur intention et reprendre le travail en commun. Ce n'était pourtant, de la part du gouvernement Wilson, que l'application de la simple règle de « l'Europe des patries ».

Plus tard, le chef d'entreprise désigné par le gouvernement français pour mener jusqu'au bout l'affaire de

Concorde, et qui en était l'un des promoteurs, le général Puget, président de Sud-Aviation, était licencié, sans préavis, ni à lui-même ni à nos partenaires britanniques, pour être remplacé, dans un mouvement administratif délicat, par un préfet de police qui refusait une ambassade. Le projet subit alors en Angleterre une « crise de confiance », comme en France quelque temps auparavant devant les décisions anglaises.

Chaque fois, on a mesuré la fragilité de l'entreprise. Aucune grande firme industrielle ne peut se permettre, des à-coups de cette nature. Mais enfin la nécessité a prévalu, et le projet continue. Il y a maintenant toutes les chances pour qu'il aboutisse. C'est un projet important, et très cher. L'aviation supersonique est évidemment celle de l'avenir. En laisser le monopole à l'Amérique serait lui abandonner définitivement le ciel. Concorde va donc, en principe, réussir. Réussir exactement à quoi ?

L'Europe, prise de vitesse par l'Amérique, avait manqué le passage de l'hélice au réacteur, et s'était laissé dominer. Elle va gagner la seconde manche en faisant voler le premier avion commercial intercontinental plus rapide que le son. Ce vol du prototype de Concorde est prévu pour 1968.

En 1968, il doit voler pour la première fois une vingtaine de minutes au-dessus du terrain de Toulouse, piloté par M. André Turcat, chef pilote de Sud-Aviation. On prévoit ensuite la livraison des premiers appareils de série en 1971. Le rival américain du Concorde, le Boeing 2707, ne sera prêt, en principe, que 2 ou 3 ans plus tard, sans doute en 1974.

Les performances ne seront pas les mêmes. En vitesse d'abord : Concorde volera à Mach 2,2 (c'est-à-dire 2,2 fois la vitesse du son), le Boeing 2707 volera à Mach 2,7. En capacité ensuite : le Concorde transportera 136 passagers ; et le Boeing plus du double : 300 passagers.

Le Boeing 2707 a donc une supériorité technique évidente. Mais le projet franco-britannique, se réalisant avec 3 ans d'avance, a des chances non négligeables d'être commercialement rentable pendant ces années-là [1].

D'autre part, pour la supériorité technique, on répond à Paris et à Londres qu'elle s'explique sans peine puisque la décision de construire le Concorde remonte à 1962 et que les Américains n'ayant pris leur décision qu'en 1967, il est normal qu'ils aient une avance technique. Voilà ce qui doit être examiné. Car il s'agit d'une analyse, et d'une prévision, qui vont au fond des choses.

L'avion américain ne marquera pas sur son rival européen un simple progrès, reflétant un décalage de quelques années. Il marquera un saut radical dans la technologie de l'aviation. Et ce n'est ni en 1967, ni en 1962 que les Américains ont commencé à le préparer, techniquement, mais dès 1950. Le résumé de la situation c'est que le Concorde, très bel avion d'ailleurs et très audacieux dans son profil, est le *dernier des avions classiques*. Alors que le Boeing sera le premier d'une *nouvelle génération* conçue entièrement pour le vol supersonique. Le Concorde aura une carrière de quelques années. Le Boeing, avec les conceptions de base auxquelles il répond, et qui seront révolutionnaires par rapport à l'aviation que nous connaissons aujourd'hui, aura comme ses prédécesseurs de la génération des réacteurs, une carrière de quinze à vingt ans.

C'est la comparaison des vitesses qui est d'abord significative. Entre Mach 2,2, et Mach 2,7, il y a un mur, comme autrefois le mur du son et que les techniciens appellent le « mur de la chaleur ». Le frottement de l'air à la première vitesse, celle du Concorde, porte les parois de l'appareil à une chaleur de 150 degrés. La seconde vitesse, celle du Boeing, portera les parois à une

1. Ce point est encore incertain. A l'été 1967, le nombre de commandes du Concorde par des compagnies aériennes était de 74 (il en faudra 250 pour rentabiliser le projet). Le nombre de Boeing 2707 sous option est de 112, y compris par Air-France.

chaleur de 270 degrés. Or, à 150 degrés, on peut utiliser les alliages métalliques classiques. Au-delà on ne peut pas. A 270 degrés, il faut des matériaux nouveaux, encore jamais utilisés.

Le problème est aigu parce qu'il s'agit d'un avion commercial. Des températures de cette nature, et même plus élevées, sont connues pour les fusées mais c'est pendant des temps courts, et chaque fusée ne sert qu'une fois : on peut utiliser des matériaux classiques. L'avion supersonique, au contraire, subira un échauffement continu pendant au moins deux heures ; et les compagnies commerciales, qui doivent les exploiter, exigent de pouvoir compter sur eux pendant 30 000 heures de vol. Pendant 30 000 heures, le métal ne doit subir aucune fatigue, aucune déformation.

Le Concorde, à Mach 2,2, sera fabriqué dans un alliage d'aluminium classique, utilisé depuis longtemps et qui peut satisfaire aux spécifications des compagnies commerciales. A Mach 2,7, il n'y a plus que deux métaux utilisables : l'acier inoxydable et le titane. Ce qui n'en laisse qu'un, l'acier inoxydable étant trop lourd, environ deux fois plus lourd que le titane. Seul le titane a un avenir commercial dans l'aviation supersonique.

Le Boeing sera donc en titane. Ce qui lui permettra d'améliorer ultérieurement ses performances, de dépasser sa vitesse initiale prévue, d'aller au-delà de Mach 3, et de continuer sa carrière. Le Concorde, barré par le mur de la chaleur, n'a pas cet avenir.

La deuxième différence fondamentale, qui a été l'initiative décisive de la société Boeing, est le choix d'une aile dite à « géométrie variable ». Le pilote pourra sortir et rentrer ses ailes comme une voiture change de vitesse. La société américaine Lockheed, que le gouvernement fédéral avait mise en concurrence avec Boeing pour la construction de l'avion supersonique, avait choisi la voilure fixe, comme le Concorde — et fut écartée.

Les avantages de l'aile à géométrie variable sont déterminants. Ils permettent à l'avion qui vole, ailes rentrées, à une vitesse qui est trois fois celle du son, de passer à une vitesse très inférieure à celle du son, en sortant ses ailes. Grâce à la géométrie variable, le Boeing, malgré son poids, pourra donc se contenter, même lorsque sa vitesse de vol aura dépassé Mach 3, des pistes actuelles utilisées par les avions ordinaires. L'aviation supersonique conçue par l'industrie américaine est partie de cette donnée commerciale de base : ne pas exiger, même à l'avenir, une refonte complète de l'infrastructure au sol, continuer à pouvoir utiliser les aérodromes existant. On voit la différence.

Autre avantage : étant donné la surcharge croissante des aérodromes internationaux, un avion est souvent obligé d'attendre au-dessus du terrain la permission d'atterrir, selon la régulation du trafic. Ces procédures seront délicates pour les supersoniques à voilure fixe et ils devront, en fait, bénéficier de facilités particulières a l'atterrissage. Le Boeing pourra, en élargissant sa voilure, se conformer plus aisément au trafic ordinaire.

Problème, enfin, et très grave, du « bang » sonore, désormais à l'étude dans toutes les villes du monde et que l'on envisage d'interdire au-dessus des territoires habités. Si cette interdiction, qui menacera évidemment tous les supersoniques, doit survenir, le Boeing pourra, au moins dans une certaine mesure, s'y adapter : allure supersonique au-dessus des mers et des zones inhabitées, vitesse subsonique au-dessus des zones habitées.

Sur les deux points essentiels — utilisation d'un métal entièrement nouveau pour dépasser le mur de la chaleur, aile à géométrie variable susceptible de changer de vitesse — la supériorité technique et commerciale, la supériorité *de conception,* de l'avion américain est si éclatante qu'il faut se demander pourquoi les Européens ne s'y sont pas attaqués.

Nous pouvions dominer l'un et l'autre de ces deux facteurs. C'était une question de vision, de planification, de prise de risques, et de décision. Bref, d'organisation [1]. En voici la preuve.

Le titane a été découvert simultanément par un pasteur anglais et par un savant autrichien au début du siècle dernier. Ce n'est pas un métal rare, comme le cuivre ou l'étain ; il se classe au contraire au neuvième rang dans la liste des éléments les plus répandus à la surface de la terre. Les gisements sont spécialement abondants au Canada et en Australie, c'est-à-dire à la disposition des Britanniques.

L'aile à géométrie variable avait été conçue dès avant la guerre et le premier prototype de cette formule révolutionnaire a été celui de la firme allemande Messerschmitt vers la fin de la guerre. Il s'agit essentiellement de construire un pivot et des vérins hydrauliques au centre de la voilure. L'Europe avait, la première, les plans.

Les Européens avaient à leur disposition le titane, et ils avaient la théorie de la géométrie variable. Alors, pourquoi ?

Ce qui est en cause, *c'est le processus même,* au cœur de l'industrie moderne, de la recherche et du développement. C'est-à-dire ce qui sépare la théorie de sa mise en œuvre industrielle. C'est-à-dire encore *l'organisation* du potentiel intellectuel et scientifique, pour une convergence.

C'est un organisme fédéral américain, celui qui devait devenir la fameuse NASA (National Aeronautics and Space Administration), qui reçut l'ordre, sur la base des plans allemands, de se lancer dans la construction d'un

1. Les avocats du « Concorde », qui ne sont pas sans arguments, répondent que c'était uniquement une question de prix : le Boeing coûtant 2 à 3 fois plus cher, on ne pouvait pas en faire les frais. Argumentation faible. Le prix n'est jamais un argument *en soi,* mais par rapport au produit. Le siège-passager sur le Boeing sera moins cher que sur le Concorde.

prototype supersonique, le Bell X 5, dont le premier vol eut lieu vers 1951.

Le premier avion opérationnel à géométrie variable fut le F 111, construit par le General Dynamics, dont les deux premiers prototypes ont volé en 1964 et 1965.

Deux appareils se sont écrasés, l'un parce que le pivot s'était bloqué, l'autre parce que la géométrie variable n'avait pas encore surmonté les difficultés aérodynamiques du vol à basse altitude. On mit en fabrication 23 autres appareils. Les dépenses engagées jusque-là, pour l'étude des prototypes de la géométrie variable, ont été, aux Etats-Unis de 10 milliards de francs, à base de contrats fédéraux.

La firme Boeing prit la suite. Elle consacra alors un million d'heures d'études supplémentaires et dix mille heures de soufflerie pour améliorer les performances. Tout cela demande du temps, de la suite dans les idées, un commandement ferme et continu.

Les ingénieurs de Boeing ont calculé que les températures auxquelles l'avion supersonique commercial devrait pouvoir répondre iraient de — 50 degrés à + 270 degrés. Pour y parvenir, ils ont dû allier des métaux entre eux en les assemblant à « moins 200 degrés » de façon que l'ensemble ne puisse se déboîter à aucune température. Un banc d'essai a été constitué pour reproduire toutes les conditions de température des vols réels et soumettre le pivot de l'aile variable à des forces de 2 000 tonnes (on prévoit qu'en vol il doit pouvoir répondre à des poussées de près de 1 500 tonnes).

Une pareille entreprise demande, au-delà des moyens financiers, une telle coordination des travaux, et surtout une si longue durée, que les techniciens européens de Concorde ne sont pas jugés, dans la limite de l'organisation coopérative, capables de la tenter. Les ingénieurs français de Sud-Aviation le disent franchement : « Si l'on nous avait donné l'ordre de réaliser l'aile à géométrie variable pour notre supersonique, nous aurions pu le faire. Mais le cœur serré et rempli d'angoisse sur les aléas de la préparation : soyons francs, nous avons tout fait pour éviter une pareille entreprise [1]. »

Attitude raisonnable quand on connaît les restrictions, et que l'on voit les à-coups, qu'a dû subir la coopération. Attitude raisonnable lorsqu'on constate qu'au mois de juillet 1967 un autre projet de coopération dans lequel les gouvernements français et anglais s'étaient lancés, et qui était un avion militaire commun — plus facile — à géométrie variable, a été abandonné du jour au lendemain sur ordre donné à Paris au ministre de la Défense Nationale M. Messmer, et transmis à son collègue britannique M. Denis Healey qui put seulement en prendre acte dans son discours du 5 juillet à la Chambre des Communes. Abandon politique : on force l'aviation anglaise à se tourner vers l'achat de l'avion américain F 111, apportant ainsi, au moment de la demande d'adhésion britannique au Marché Commun, une « preuve » supplémentaire du caractère atlantique de l'Angleterre.

L'affaire du titane n'est pas moins intéressante. Le titane resta longtemps une pure curiosité de chimistes, Car il se combine à peu près avec tous les corps connus, ce qui paraissait lui retirer tout intérêt pratique. Lorsqu'il atteint une certaine température, qui est nécessaire pour le fondre et le travailler, il témoigne d'une désastreuse affinité pour l'oxygène, l'azote, l'hydrogène, autrement dit pour l'air et pour l'eau. Or, lorsqu'il est contaminé par ces corps, le titane perd ses qualités mécaniques. C'était un problème considérable. Et pratiquement sans précédent.

On a entamé sérieusement la métallurgie du titane pour le rendre utilisable, après la dernière guerre mondiale. La décision de le faire fut, là aussi, une décision

1. Une preuve supplémentaire que c'était possible : M. Marcel Dassault a réalisé depuis, et seul, un prototype militaire à géométrie variable.

fédérale des Etats-Unis, prise par le Bureau des Mines qui dépend directement du Ministère du Commerce.

On commença par le transformer, à une température de 800 degrés, en un gaz, le tétrachlorure de titane. A l'état de gaz, on le réduit, à peu près, de 900 degrés, en présence de magnésium fondu. Il se présente alors sous la forme d'une « éponge » qui est ensuite broyée et lavée de ses impuretés par un acide. Enfin, toujours sous vide absolu, le métal est formé en lingots à l'arc électrique. Les réservoirs qui sont employés pour ces opérations ne peuvent être dans aucun autre matériau que du titane pur pour présenter la résistance voulue. Et la qualité finale du titane obtenu dépend du degré de pureté de chacun des corps utilisés au cours de ces différentes opérations. En vérité, il s'agissait donc, avec la métallurgie du titane, comme ce fut le cas avec les divers métaux « atomiques », d'un saut *qualitatif* de l'industrie et d'une technologie entièrement nouvelle.

Il a fallu de longs efforts, en Amérique, pour disposer d'une métallurgie complète du nouveau métal. Encore la tâche n'est-elle pas achevée. La soudure des tôles épaisses de titane pose encore des problèmes difficiles, ce qui a empêché jusqu'à présent de construire les sous-marins nucléaires en titane pur comme ce sera le cas dans l'avenir. Si elle n'avait pas été soutenue constamment par l'Etat fédéral, sous forme de contrats de recherche, de remises d'impôts, de contrats d'achat de la production, et même de prêts d'investissements, cette aventure aurait eu dix fois l'occasion d'être interrompue.

La consommation du titane, d'ailleurs, qui était de 11 000 tonnes en 1956, tomba trois ans plus tard à 4 000 tonnes devant les difficultés rencontrées par les expériences. Et à un moment donné, les Etats-Unis durent même renoncer à construire les nouveaux bombardiers prévus. A ce moment-là, le titane avait pratiquement fait faillite.

Mais l'entreprise continua, sur décision fédérale, et

ce fut, en 1965, la victoire industrielle. Non seulement, les procédés furent enfin mis au point mais, phénomène classique dans l'industrie, le prix du matériel spécialisé commença à baisser. On économisa sur les déchets, sur les contrôles, sur les circuits de production, une fois les filières trouvées. Ainsi l'éponge de titane qui coûtait 50 francs le kilo en 1953 vaut aujourd'hui, pour l'industrie américaine, 12,50 francs. Résultat : le projet du Boeing 2707, qui paraissait hors de prix à partir de la construction en titane, coûtera à peine plus cher qu'avec les matériaux classiques.

Un nouveau stade de la technologie a été atteint. Il a fallu des années de travail dans les laboratoires, des années de volonté permanente à la tête de l'entreprise, de soutien fédéral, de planification et de collaboration entre l'université, le gouvernement et les industries aéronautiques.

Et maintenant, non seulement pour le Boeing, mais pour l'ensemble des autres projets industriels lourds de technique avancée, les firmes métallurgiques, comme US Steel, investissent massivement dans le titane, comme autrefois dans l'acier. Une nouvelle voie est ouverte.

La géométrie variable et la métallurgie du titane situent, en somme, bien le problème. La supériorité des Américains, contrairement à ce qu'en disent les dirigeants anglais et français du projet « Concorde », n'a pas été essentiellement une affaire de dollars, mais une affaire de structure industrielle, de vision à long terme, et d'unité de commandement.

Les techniciens de Sud-Aviation expliquent, et c'est vrai : « Si les Etats-Unis ont pris une telle avance, c'est qu'au lendemain de la guerre, ils disposaient d'un surcroît de moyens qui leur permettait de prendre des risques dans différentes directions. » En effet. Avec peu de moyens, on peut seulement parer aux besoins à court terme alors que *seules les options lointaines assurent les profits futurs.* L'étroitesse des moyens disponibles, et l'incapacité structurelle de prendre de grands risques, contraignent à hypothéquer l'avenir.

Il est intéressant à cet égard de savoir que les Russes, qui sont encore loin d'avoir le même niveau de vie que les citoyens de l'Europe Occidentale, mais qui savent, dans certains domaines, ce qu'est la planification à long terme, viennent de construire une usine de métallurgie du titane destinée à couvrir la gamme des futurs besoins. Ils mobilisent, comme les Américains, l'opinion publique autour de leurs grandes options scientifiques et industrielles : au dernier Salon Aéronautique, la faucille et le marteau, qui marquaient le pavillon soviétique, étaient en titane...

Telle est l'histoire du Concorde, diligence du Supersonique. Nous n'insisterons pas sur ses enseignements. Nous examinerons une tout autre expérience de coopération industrielle entre les pays d'Europe : celle de l'Espace.

Chapitre 13

L'aventure de l'Espace

Trois cents sociétés industrielles européennes se sont regroupées dans une association professionnelle pour presser les gouvernements européens de s'engager dans la grande aventure spatiale. Elles représentent plus de deux millions de salariés. La conquête de l'Espace, pour toute nation ou groupe de nations qui s'y engagent, a en effet des conséquences industrielles considérables. Elle exige des spécifications techniques sensiblement supérieures au niveau actuel et par conséquent crée des contraintes de progrès. C'est grâce aux « retombées » des recherches spatiales que l'industrie américaine a pu accomplir des percées techniques importantes dans les domaines, en particulier, des métaux réfractaires, des calculatrices, de l'industrie du vide. Et c'est par l'Espace que tous les nouveaux types de communications passeront d'ici à quelques années. D'ores et déjà les « bandes » de télécommunications entre les continents, par satellites spécialisés, commencent à être distribuées. La seule compagnie existante est américaine.

Le manifeste des industriels groupés au sein d'EUROSPACE déclare : « La somme de tous les budgets spatiaux des pays d'Europe occidentale, qu'il s'agisse des budgets nationaux ou des contributions aux organisations communes actuelles, *atteint moins du trentième du budget de la NASA américaine.*

« A moins d'un effort de redressement vigoureux des nations européennes, le domaine des satellites d'utilisation qui entrent dans leur phase opérationnelle — télécommunications, télévision, météorologie, navigation — risque de passer pour de longues années *sous le contrôle des Etats-Unis.*

« S'il peut arriver que les nations d'Europe consentent exceptionnellement à ne pas être présentes dans une branche de l'économie, que penser d'un renoncement qui toucherait un secteur tout entier ? Secteur dans lequel les Etats-Unis ont réalisé en cinq ans des progrès dépassant toutes les prévisions initiales, secteur dont la capacité de développement apparaît considérable. Un renoncement global de l'Europe dans un domaine d'une telle importance *serait non seulement un fait économique mais un fait historique,* qu'on pourrait difficilement interpréter autrement que comme un début de consentement à son déclin.

« Les crédits de la NASA, qui se chiffrent en milliards de dollars, ont commencé à atteindre l'industrie de pointe américaine, il y a deux ans déjà. C'est donc à partir de 1970 que la vague des fournitures de « qualité spatiale », partie des Etats-Unis, atteindra avec toute son ampleur le reste du monde.

« Il convient d'abord de reconnaître, ou plutôt de confirmer, qu'hormis certaines expériences scientifiques, aucune réalisation spatiale importante n'est à l'échelle d'une seule nation européenne. Une action commune des nations européennes s'impose. Les télécommunications par satellites font maintenant l'objet d'une organisation mondiale. La navigation et la météorologie le deviendront également. La compétition planétaire est la règle. A moins que les nations d'Europe cèdent à un bilatéralisme, chacune en association avec l'Amérique, où elles perdront une bonne part de leur personnalité, la nécessité de leur union dans le domaine spatial est éclatante.

« Cette action commune doit embrasser tous les domaines de l'activité spatiale. L'effort financier qui est nécessaire pour atteindre de grandes réalisations ne peut être consenti que *si une coordination complète élimine les lacunes et les doubles emplois.* La NASA assure cette fonction, pour une très large part, aux Etats-Unis. »

On peut résumer les vues des industries groupées au sein d'EUROSPACE, en disant qu'EUROSPACE réclame une NASA européenne.

Pourtant l'Europe n'est pas restée inactive devant la spectaculaire course à l'Espace des Américains et des Russes. Comme c'est la grande aventure industrielle moderne, celle qui parle le plus à l'imagination des nouvelles générations, il est important d'examiner ce qui a été positif dans l'expérience entreprise, et ce qui l'a été moins.

Les pays européens ont commencé par hésiter longtemps. Bien après le lancement du premier satellite artificiel (le Spoutnik, 4 octobre 1957), les nations d'Europe continuaient à se demander comment elles pourraient se lancer dans la course à l'Espace. Isolément aucune d'entre elles ne pouvait assurer les efforts d'une importance suffisante, mais elles ne se décidaient pas pour autant à chercher la solution commune — pour des raisons complexes qui étaient à la fois diplomatiques et de secret militaire.

Ce fut presque par accident que les choses commencèrent en 1961. Sur une initiative britannique. Initiative d'ailleurs fort peu visionnaire, puisqu'il s'agissait essentiellement de trouver un débouché commercial pour une fusée militaire anglaise qui n'était plus utilisable à des fins stratégiques, la « Blue Streak ». Ce vecteur déclassé pouvait éventuellement servir de premier étage à un lanceur de satellites civils. Après divers sondages diplomatiques, auprès des pays du continent, les autorités britanniques vinrent proposer à la France de présenter ensemble aux autres pays du Marché Commun un programme de construction de fusées capable de mettre des satellites sur orbites.

Ces conversations franco-britanniques s'achevèrent sur un accord de principe et une proposition commune fut faite en février 1961, à Strasbourg, aux représentants des divers pays européens intéressés. Un an plus tard, en avril 1962, sept pays signèrent une convention instituant l'Organisation Européenne pour la mise au point et la construction de lanceurs d'engins spatiaux : l'ELDO [1].

Il arriva d'abord que les pays intéressés par la réalisation en commun d'un lanceur de satellites n'accordèrent pas à la préparation du programme un temps et une attention suffisants. Chaque pays travailla *de son côté* en faisant étudier par ses services le dossier scientifique et technique concernant l'opération. Très peu de contacts furent pris à l'échelon international au niveau des experts.

Lorsque s'engagèrent, dans ces conditions, les négociations politiques, les pays s'opposèrent en bloc les uns aux autres, ce qui empêcha des discussions suffisamment précises et concrètes sur le projet. Cette situation entraîna l'adoption de compromis, essentiellement diplomatiques. Et si séduisants que purent paraître les objectifs, ils se révélèrent, vite, fictifs sur bien des points. Il y eut d'abord de nouveaux retards, et la convention n'entra en vigueur que deux ans après sa signature, en mars 1964.

Elle précisait : « L'organisation de l'ELDO a pour objet la mise au point et la construction de lanceurs d'engins spatiaux, et des équipements appropriés à leur utilisation pratique ». Le programme couvert par cette convention prévoyait la construction d'une fusée intitulée ELDO-A composée ainsi.

— Premier étage : la fusée anglaise « Blue Streak » (fabriquée par Hawker Siddeley et Rolls-Royce).

— Deuxième étage : la fusée française Coralie (conçue

1. Les sept pays faisant partie de l'ELDO sont : L'Allemagne, la France, l'Angleterre, l'Italie, la Belgique, les Pays-Bas et l'Australie.

par le laboratoire de Recherches balistiques et aérodynamiques).

— Troisième étage : une fusée allemande (conçue et réalisée par le groupe Entwicklungsring — Nord).

— La première série de satellites expérimentaux devait être réalisée par l'Italie.

— Les stations terrestres de guidage devaient être réalisées par la Belgique.

— Enfin les liaisons de télémesures à longue portée, et l'équipement annexe au sol, par les Pays-Bas.

La fusée ELDO-A devait être capable de mettre sur une orbite circulaire proche de la Terre (550 kilomètres) une charge utile de 800 kilogs.

Dès le départ, on constata un certain nombre de faiblesses.

1). Aucune étude du système complet n'avait été réalisée par les pays intéressés, *ensemble.* En particulier, ce qui paraît presque incroyable, le lanceur, c'est-à-dire la fusée, était défini, sans que les participants sachent ce qu'elle devait lancer. Aucune discussion n'avait été engagée avec l'ESRO [1] qui, de son côté, étudie les satellites, à mettre en orbite.

2). Le Secrétariat international n'était dépositaire d'aucune responsabilité réelle, n'avait pas d'état-major technique compétent, et fut sans influence directe sur le déroulement du programme. Il ne put donc pas corriger par une étude sérieuse, *et centralisée,* les insuffisances de la convention initiale ni faire apparaître la grave sous-évaluation des budgets prévus.

3). Enfin et surtout la répartition financière des « fractions » de programme ayant été prévue entre les pays avant la signature des accords de fabrications, les Etats membres assimilèrent d'emblée les tâches qui leur étaient confiées à des programmes nationaux indépen-

1. L'ESRO : Organisation Européenne de Recherche Spatiale, pour fabriquer les satellites, et dont font partie les sept Etats déjà mentionnés plus l'Espagne, le Danemark, la Suède et la Suisse.

dants. Le caractère international de l'entreprise s'estompa rapidement, chaque Etat utilisant ses contributions pour réaliser sa propre fraction et même éventuellement d'autres opérations nationales non programmées.

Par exemple, les participants britanniques, ayant rapidement achevé la mise au point de leur fusée « Blue Streak », utilisèrent le complément de leur budget à la réalisation d'équipements de contrôle qui n'étaient pas prévus au programme ELDO.

De même les autorités allemandes mirent à profit leur contribution financière à l'ELDO pour développer des moyens d'essais au sol permettant d'engager et de soutenir un programme allemand ultérieur.

Les exemples de cette nature pourraient être cités pour tous les pays participant à l'ELDO. Chacun y vit surtout l'occasion financière de débuter un programme national, sans instruction plus précise des promoteurs, et sans contrôle du Secrétariat international. Il n'est pas étonnant qu'un organisme aussi mal conçu ait connu, en trois ans, deux crises graves.

Les nouvelles estimations faites par le secrétariat de l'ELDO mirent en évidence, dès 1964, que le programme ne pourrait pas être réalisé dans les délais prévus : le lancement de l'engin, prévu pour 1965, devrait être remis à 1968. De même, il apparut que le coût du programme devait déjà être doublé. Le budget international de 196 millions de dollars passa à 404 millions de dollars. Ces constatations, ces résultats, et ces erreurs, furent à l'origine de ce qu'on appela la « crise française » de 1965.

Cette année-là, devant les révisions financières et devant les nouveaux retards, les autorités françaises remirent en question leur participation à la fusée ELDO-A. Elles firent valoir un argument de poids : cette fusée européenne, tout en coûtant fort cher, ne pouvait intéresser qu'un seul client — qui était l'ESRO — avec qui, d'ailleurs, on n'avait pris aucun contact. Opération peu rentable et peu raisonnable [1].

Cette attitude hostile était compréhensible, mais elle n'était pas fondée seulement sur des éléments de rationalité industrielle. La France connaissait à l'époque des difficultés financières, et d'autre part, elle préférait consacrer ses ressources au développement de son programme militaire, plus limité mais indépendant, et déjà fort onéreux.

Après de longues et difficiles discussions, la France dut changer d'avis. Elle proposa alors une autre option intéressante : abandonner le projet ELDO-A au profit d'une réalisation plus coûteuse mais plus ambitieuse, qui aurait sans doute de meilleures possibilités d'utilisation : une fusée ELDO-B. Cette nouvelle fusée comprendrait, en plus de la « Blue Streak » comme premier étage, un ou deux étages à hydrogène et oxygène liquides pouvant placer sur orbite basse environ le double de la charge de l'ELDO-A, ce qui permettait d'envoyer des satellites météorologiques et de télécommunications. Ce programme, avec des budgets supérieurs et des délais plus longs, n'est pas impossible à réaliser à l'échelle européenne. Etait-ce, de la part du gouvernement français, une proposition sincère ou une proposition tactique ? On ne le saura pas, tous les partenaires la refusèrent.

En fin de compte, et après de nouveaux délais diplomatiques, les Etats participants se mirent d'accord, à la fin du printemps 1965, pour poursuivre le programme initial (ELDO-A) tout en doublant son budget. Et aucune réforme de structure du Secrétariat ne put recevoir l'accord unanime.

1. Précisons qu'à l'été 1967, la question de l'utilisation de la fusée ELDO par l'Organisation européenne ESRO n'est toujours pas tranchée : l'ESRO ne sait pas encore si les types de satellites européens dont elle assure la réalisation pourront être lancés par le vecteur ELDO-A ou non. L'ESRO se réserve la possibilité de choisir, si les caractéristiques et les prix lui conviennent mieux, les fusées américaines, pour lancer ses satellites.

Aussi, moins d'un an après, en 1966, éclatait une deuxième crise qu'on appela la « crise anglaise ».

Les Anglais, à leur tour, connaissant des difficultés financières, et préférant concentrer leurs moyens sur des pogrammes nationaux, remirent en question leur participation aux différentes actions technologiques internationales. Au printemps 1966, le gouvernement anglais fit parvenir aux Etats membres de l'ELDO, une note contestant tout le programme de cet organisme et la participation britannique. Cette note reprenait, à peu de choses près, les arguments que les Français avaient développés un an avant — et que les Britanniques avaient alors réfutés.

L'attitude très ferme adoptée par les autres Etats-membres de l'ELDO, devant la menace de retrait britannique, permit d'éviter la rupture. Les Britanniques exigèrent, en compensation, de nouvelles études plus approfondies et une révision profonde des méthodes de gestion, ainsi qu'une autre répartition des contribution. Après ces difficiles débats, la mission de l'ELDO fut à nouveau confirmée avec une nouvelle organisation, et les objectifs suivants :

— Le programme initial sera ré-orienté. La fusée ELDO-A aura des étages supplémentaires permettant de satelliser une charge de 150 kilogs en orbite géostationnaire (valable pour des satellites de télécommunications) vers 1970-1971, et elle s'appellera ELDO-ASP.

— D'autres améliorations porteront sur les techniques de guidage, sur les possibilités d'utilisation de la base équatoriale de Guyane, et sur la mise au point de propulseurs de longue durée pour la stabilisation des satellites.

— Le plafond financier est fixé, jusqu'en 1971, à 626 millions de dollars.

— Le secrétariat sera enfin habilité à passer directement des contrats avec les centres nationaux, ayant ainsi un début de pouvoir international effectif. Il aura une équipe industrielle pouvant l'assister, à titre de conseil technique central.

Ces dernières décisions indiquent une prise de conscience, par les gouvernements européens, de l'importance de l'enjeu, et de la nécessité d'une profonde transformation des méthodes.

Ce n'est encore qu'un début timide. Et les solutions intéressant l'ELDO ont été adoptées sans que soient tranchés les autres problèmes relatifs à la recherche spatiale européenne, en particulier les rapports avec l'ESRO. Cela, dix ans après le lancement du Spoutnik, six ans après la première initiative franco-britannique, cinq ans après la signature de la convention de « coopération » entre les nations européennes. Résultat : si la fusée ELDO-ASP voit le jour en 1971, elle permettra de satelliser 150 kilogs sur orbite géostationnaire. Alors que les Etats-Unis disposent aujourd'hui, en 1967, d'une demi-douzaine de lanceurs opérationnels qui satellisent sur orbite géostationnaire des charges de 2 tonnes.

On doit supposer qu'après de pareilles difficultés, de pareilles crises, le réalisme européen qui commence de naître dans les milieux les plus attentifs à ces problèmes l'emportera sur les nostalgies nationales. Il s'agit de savoir si les responsables politiques entendront les avertissements des techniciens et des industriels.

Ce ne sera pas simple, et les Américains, en dépit des apparences, ne nous faciliteront pas la tâche. Ils viennent de décider de mettre leur fusée « Scout » à la disposition *gratuite* de tous les pays qui désireraient lancer des satellites scientifiques. C'est cette fusée que la France a utilisée pour le lancement de son premier satellite FR 1.

Les Soviétiques en font autant. Le professeur Sedov est venu à Paris avec une importante délégation pour offrir aux Français, sur une base bilatérale, une coopération spatiale dans tous les domaines. La France s'est alors engagée à confier en principe aux Soviétique, pour faire des économies, le lancement d'un satellite français en 1971.

Pendant ce temps, et devant la complexité du jeu français, les Britanniques ont décidé de construire de leur côté leur propre lance-satellites. Ce sera la fusée « Black Arrow » qui sera sans doute disponible en 1969 et mettra en orbite des satellites britanniques à partir de la base australienne de Woomera — qui dépend de l'infrastructure américaine.

Les Allemands ne restent pas inactifs dans cette compétition souterraine, qui rivalise de toutes parts avec l'ELDO. Ils semblent désireux de se ménager, à toutes fins utiles, la carte de la coopération américaine. Les Etats-Unis viennent de leur proposer de leur confier la construction de sondes destinées spécialement à explorer le monde de Jupiter, les incorporant ainsi dans un programme spatial américain intégré.

Là comme ailleurs, plus qu'ailleurs, car l'industrie de l'Espace en commande beaucoup d'autres, le jeu des puissances s'abat dans toute sa rigueur. Ni l'Amérique ni la Russie n'ont intérêt à ce que l'Europe devienne une véritable puissance spatiale. Elles ont pour alliés les nationalismes européens qui, selon la pente de la facilité, préfèrent la « coopération », bien qu'elle soit synonyme d'impuissance, à des abandons de souveraineté dans une intégration européenne.

La construction de véhicules spatiaux, de satellites, exige la métallurgie du titane, du béryllium, du zirconium et du tantale : autant de métaux que l'Europe connaît encore à peine et dont elle devra abandonner la maîtrise — si elle abandonne l'Espace. Quant à la fabrication de lanceurs, de fusées, elle réclame des techniques nouvelles telles que le martelage magnétique, la métallurgie des poudres, l'usinage des nids d'abeilles, et bien entendu la puissance de calcul d'une série intégrée d'ordinateurs — domaines dans lesquels l'Europe n'en est encore qu'aux premiers essais, et dans lesquels le progrès dépend, pour une forte part, des contraintes de l'Espace.

C'est donner une idée de l'intérêt que présenterait, pour l'industrie et pour la recherche, la création d'une « NASA » fédérale européenne. Une idée des bénéfices qu'on peut attendre, comme de la gravité d'une éventuelle abdication.

L'astronautique actuelle est une astronautique « chimique ». Les Européens ont encore le temps, sur la base de leurs connaissances et de leurs laboratoires actuels, de la maîtriser. Mais ils en ont juste le temps ; car la deuxième décennie spatiale va voir l'avènement d'une astronautique « atomique ».

Des moteurs nucléaires seront utilisés aussi bien pour mettre en orbite des satellites géants que pour alimenter les émetteurs de forte puissance. Ces futurs satellites et ces futurs émetteurs permettront en particulier la retransmission en direct des images de télévision par l'Espace, et la consultation « en temps réel », à distance, en n'importe quel point du globe, des ordinateurs centraux que nous avons évoqués au chapitre 10.

Une fois dominée l'organisation nécessaire à la conquête de l'astronautique chimique, l'Europe devrait donc sans attendre mettre en priorité les études et les investissements de l'astronautique atomique qui couvrira le système des planètes vers 1980.

A Rome, les 10 et 11 juillet 1967, les ministres européens de la Recherche Scientifique se sont réunis pour tenir une « conférence spatiale ». Cette conférence a vu s'affronter le ministre italien, M. Leopoldo, et le représentant de la France sur deux thèses différentes. Le représentant italien considère que « l'Europe ne doit pas doubler » les travaux des Etats-Unis et de l'U.R.S.S. — formule dangereusement ambiguë. Et le représentant de la France considère que « l'absence d'un programme européen à long terme rend pour le moment impossible la définition de programme à court terme, aussi bien pour la recherche que pour la technologie » — remarque de bon sens mais qui, évidemment, a pu être interprétée surtout comme un prétexte à la poursuite, par la France, de son programme militaire national. Encore quelques « conférences spatiales » de cette nature et les différents pays d'Europe n'auront plus qu'à accepter purement et simplement les offres américaines de sous-traitance.

Chapitre 14

La bataille du Calcul

Dans la guerre industrielle, la bataille centrale est celle des calculateurs électroniques, dits ordinateurs. C'est aussi la plus compromise. Mais elle n'est pas perdue.

« L'industrie des ordinateurs, sera, entre 1970 et 1980, la troisième grande industrie mondiale, en volume, après le pétrole et l'automobile », annonce M. Jacques Maisonrouge [1]. Ce qui correspond aussi aux prévisions de M. John Diebold, qui dirige la compagnie internationale des Conseils de Direction et qui constate : « Les ordinateurs formeront, dès 1970, le plus lourd poste d'investissement des entreprises. Au moins 10 % du total des investissements. »

L'O.C.D.E. (Organisation de Coopération et de Développement Economiques) vient d'achever une longue étude comparative de l'Europe et des Etats-Unis, qui sera publiée en 1968, dans le cadre de ses recherches sur le « gap » technologique. Ses conclusions sont déjà connues du groupe des experts européens qui les attendaient. Entre autres, celle-ci : « C'est sur le problème des ordinateurs que le retard technologique de l'Europe est le plus évident, et le plus grave. Au point que les autres retards peuvent être tenus pour négligeables. En fait, sur les ordinateurs, le point de non-retour risque d'un moment à l'autre d'être atteint. »

1. M. Maisonrouge, 43 ans, Centralien, Columbia, est le Président français, de IBM-Europe. Nous le retrouvons plus loin.

Les résultats de cette enquête ne constitueront pas une surprise. Depuis deux ans environ, tous les gouvernements européens se sont rendu compte qu'ils pouvaient peut-être négliger encore quelque temps l'Espace, ou faire de l'Aéronautique de transition, mais qu'ils ne pouvaient pas se permettre d'abandonner aux Américains le monde des ordinateurs. Ils n'auraient d'ailleurs aucune excuse à abandonner la lutte. L'ordinateur, arme de l'avenir, est né en Europe. Et sa conquête est moins un problème financier qu'un problème de concentration de ressources intellectuelles, d'organisation et d'imagination. C'est aux ordinateurs qu'on verra si l'Europe est encore vivante.

Le premier ordinateur fut mis en état de fonctionner par un Allemand à Berlin, en 1941, M. Friedrich Zuse. Ce fut le Z.3, puis le Z.4. C'étaient des machines électro-mécaniques, tout à fait comparables à celles qui furent mises au point ensuite, aux Etats-Unis, par I.B.M. et l'Université de Harvard en 1944. Le Z.3 était même plus rapide que l'appareil I.B.M. puisque son opération de base demandait 0,43 seconde, alors que la machine I.B.M. demandait 5 secondes.

Le premier engin américain entièrement électronique, achevé en 1946, comptait 18 000 lampes, tandis que l'appareil de Zuse arrivait à n'en utiliser que 1 500. Après l'Allemagne, le pays le plus en avance était l'Angleterre, et non pas les Etats-Unis. D'autre part, l'industrie des ordinateurs a été jusqu'à présent, — c'est même son originalité — surtout une industrie de matière grise et de main-d'œuvre ; c'est l'un des secteurs industriels dans lequel le capital investi est le plus faible par tête d'employé. Ici la puissance financière des U.S.A. n'est donc pas un avantage décisif.

Enfin, les Américains qui, dans d'autres domaines, ont fait preuve d'une bonne science de l'avenir, ont mis beaucoup de temps à déceler le rôle que jouerait l'ordinateur dans le développement industriel. En 1950, le père de l'industrie américaine des ordinateurs, le Docteur John Makchly estimait que « seulement quatre ou cinq firmes géantes pourraient utilement exploiter ces machines ». Et en 1960, les experts du gouvernement fédéral prévoyaient que l'ensemble des industries des Etats-Unis utiliseraient, cinq ans plus tard, 15 000 ordinateurs. A la date annoncée, il y en avait déjà 25 000 en service. Il y en a 40 000 aujourd'hui.

Les Américains sont partis tard, ils se sont trompés dans leurs prévisions, ils ont été pris de vitesse, et aujourd'hui encore, nous le verrons, ils ne sont pas au bout de leurs difficultés. Mais maintenant ils vont vite, et il nous reste peu de temps. Car chaque nouvelle génération d'ordinateurs — l'Amérique aborde la troisième — représente un progrès technique décisif, une mutation, par rapport à la précédente.

La première génération, il y a une dizaine d'années, était fondée sur l'équipement électronique ordinaire (*lampes*) et les appareils étaient relativement lents. La deuxième, il y a environ cinq ans, fit un pas de géant en substituant les petits *transistors* aux lampes. Et la troisième vient de commencer avec un gigantesque pari de la firme industrielle I.B.M. : il est fondé sur les *circuits intégrés* qui représentent une merveille d'ingéniosité technique.

Un circuit intégré est un circuit électronique qui remplace, à lui seul, toute une série de pièces détachées jusqu'à présent séparées et reliées entre elles : lampes ou transistors, condensateurs, résistances, etc. Ainsi les microcircuits, mis au point par les Américains réunissent sur une surface d'un centimètre carré pris dans une masse plastique, par un simple dessin, la valeur de onze pièces détachées, interconnectées. Les avantages sont précieux : d'abord, la simplicité, ensuite la robustesse, enfin la taille, et le poids. Sans les circuits intégrés, il n'y aurait pas les fusées géantes de l'espace qui transportent plusieurs tonnes à la distance des planètes. Ces circuits intégrés changent tellement les choses qu'ils sont appelés *à supplanter dans les prochaines années tout le matériel électronique courant.*

D'ores et déjà les appareils embarqués à bord des fusées Polaris sur les sous-marins nucléaires, et à bord de l'avion F 111 à géométrie variable, sont à circuits-intégrés. L'ensemble de l'appareillage électronique du Boeing 2707, comme du Concorde d'ailleurs, sera formé de circuits-intégrés produits par des firmes américaines.

Dans l'état actuel des choses, trois firmes américaines fabriquent industriellement ces circuits intégrés : Fairchild, Texas Instruments et Motorola.

Le progrès tout à fait exceptionnel qu'a constitué la mise au point du circuit-intégré se paye par une grande complication technique et des investissements élevés. Les experts de l'O.C.D.E. estiment qu'une industrie fabriquant des circuits-intégrés ne peut rembourser son effort de recherche et devenir rentable que si elle vend, chaque année, environ un million de composants.

Actuellement, le marché des pays européens, *pris dans son ensemble,* ne peut absorber que 250 000 composants. C'est donc seulement une industrie européenne communautaire, et branchée sur un marché européen en expansion qui peut viser, pour les années 1970 à 1980, une rentabilité industrielle. Cependant les efforts actuels sont tous *nationaux*. Chaque pays développe, de son côté, sa technologie des circuits-intégrés et veut sa propre usine, condamnée avant d'avoir commencé. La notion de seuil minimal, dans cet investissement industriel, est déterminante : les techniciens européens commencent à s'en rendre compte.

C'est si vrai que chaque industriel européen, de l'électronique, examine et analyse l'aventure financière récente de la firme I.B.M., la première à s'être lancée dans le pari de la troisième génération des ordinateurs, la fameuse série des 360. Pour y parvenir, I.B.M. a investi 5 milliards de dollars sur quatre ans. Ordre de grandeur : c'est l'investissement total annuel des Etats-Unis, gouvernement fédéral compris, pour la conquête de l'espace. En même temps que ce fantastique pari l'I.B.M. a bouleversé, pour la fabrication des 360, toute sa structure de direction et de gestion. La direction qui a été écartée avait perdu deux ans avant de s'intéresser aux circuits-intégrés et à leurs possibilités industrielles. Ayant changé de direction, la firme I.B.M. a dû débaucher les meilleurs spécialistes chez ses concurrents à prix d'or. Et encore n'a-t-elle gagné la bataille que grâce à l'excellence de son réseau commercial mondial. C'est pour pouvoir rivaliser avec ce réseau que la General Electric, en lutte avec I.B.M., a acheté Olivetti en Italie et Bull en France, beaucoup moins pour leur potentiel technique assez faible, que pour leurs réseaux de vente et d'après-vente.

A côté de cette bataille de la fabrication qui exige d'urgence une concentration des moyens européens sous commandement unique, se livre une autre lutte, plus sophistiquée, qui est celle de *l'appareillage intellectuel* permettant d'aménager l'utilisation des ordinateurs et d'améliorer leurs performances. C'est ce qu'on appelle *le « software »* (le hardware étant, en traduction exacte, la quincaillerie, c'est-à-dire la machine elle-même).

Le « software » est un problème d'études et de recherches. La machine ne fonctionne qu'en impulsions électroniques binaires, schématiquement sous forme d'additions instantanées. Il s'agit donc de mettre au point les langages conventionnels qui vont de l'homme à la machine, et dont chaque mot constitue un fragment coordonné de programme. Ensuite on cherche à construire des machines qui, au lieu d'avoir besoin d'un clavier et d'un langage mathématique, peuvent lire directement des textes imprimés ou même manuscrits, puis, nous l'avons vu, être branchées plus tard directement sur la voix humaine. C'est le *software.*

I.B.M. réalise maintenant une machine qui, au lieu de répondre sous forme de langage chiffré, à décoder, projette directement sur un écran de télévision l'épure qui correspond aux chiffres. L'ingénieur peut alors, avec un simple crayon lumineux, corriger le dessin qui lui est présenté et la machine le retraduit elle-même sous forme de chiffres. Encore le software.

« Le développement de l'Informatique est fondamentalement affaire de software, *c'est-à-dire d'intelligence,* car il s'agit de créations purement cérébrales qui projettent dans l'ordinateur l'ingéniosité et l'intelligence de l'homme », écrit M. Robert Lattès.

Un programmeur spécialiste, M. Rigal, donne cet exemple. Supposons que l'on doive traiter un système d'équation aux dérivées partielles. L'ordinateur, qui ne dispose que d'opérations arithmétiques, et non pas de géométrie analytique, ne peut pas résoudre exactement le problème. L'on doit donc adapter la manière dont le problème est posé : c'est-à-dire qu'un mathématicien doit substituer au système infini, et non linéaire, des dérivées partielles, un système qui soit à la fois linéaire et fini. Plusieurs solutions sont possibles. Le choix de la meilleure solution changera tout du point de vue du temps et de la perfection de l'opération à laquelle se livrera la machine. Encore le *software.*

A partir du moment où l'ordinateur n'est plus seulement un organe de calcul mais devient *un organe de gestion et d'information,* tout dépend, plus encore que de la perfection technique de la machine, de l'intelligence de la « programmation ». L'avenir des ordinateurs appartient aux maîtres du software, c'est-à-dire aux meilleurs cerveaux, plus qu'aux maîtres du hardware, c'est-à-dire aux techniciens industriels. Le problème est donc affaire de recherche et de coordination d'équipes.

Ceux qui n'auront pas mis dans cette lutte les moyens suffisants pour l'emporter passeront sous la coupe des pays qui auront maîtrisé la technologie de l'ordinateur. Et dans ce secteur industriel le rachat des procédés, à l'occasion des brevets et licences, ne se fait pas au taux habituel mais, couramment déjà, selon des droits financiers supérieurs à 15 %. Il n'y a pas d'industrie où la colonisation extérieure soit plus onéreuse. Or, prévoit M. John Diebold, « le véritable règne des ordinateurs ne fait que commencer. Comme instrument d'analyse, de gestion, et de décision, *c'est à partir de 1970 que les ordinateurs domineront l'industrie* ».

Les sociétés américaines, pour ne pas se laisser distancer les unes par les autres, investissent à la limite même de leurs moyens. Sur une douzaine d'années de production, seules une ou deux firmes, parmi huit ou dix, ont pu réaliser quelques bénéfices et jamais sur des périodes excédant un ou deux ans — si intense est le rythme d'innovation.

A cet égard, la comparaison avec la firme européenne Philips est instructive. Philips était probablement la mieux placée des sociétés européennes pour lutter avec les Américains. Mais ayant établi ses prévisions d'investissement, elle n'a pas osé, jusqu'en 1967, se donner les moyens de partir dans cette lutte qu'elle a jugée pendant trois ans « n'être qu'une simple lutte de prestige ». Aujourd'hui Philips, se rendant compte de l'erreur, mais pouvant difficilement prendre seule le risque d'un redressement massif dans ce secteur, doit se contenter de régner dans les produits plus classiques, et risque de perdre son rang mondial pour les fabrications de pointe.

En France, le gouvernement, en 1966, sur la base des rapports qui lui ont été présentés, en particulier par le « groupe de travail sur la recherche industrielle » créé en 1965, a mis en priorité le développement d'une industrie nationale sous la forme d'un « plan-calcul » où seront regroupées et coordonnées les trois plus grandes entreprises françaises d'électronique. Les inquiétudes françaises sont justifiées.

En Allemagne, une prise de conscience apparaît également, mais là aussi les dispositions prises ou envisagées se limitent au plan national. La plus grande firme électronique, Siemens, vient de se fixer un budget de 125 millions de dollars pour tenter de se mettre à niveau (rappelons qu'I.B.M. à elle seule, et sur sa dernière série, a investi 5 milliards de dollars).

Ni les efforts français, ni les efforts allemands, excellents sur le plan psychologique, et comme mesures provisoires, n'ont la moindre chance d'aboutir à la compétitivité internationale. D'ailleurs, leurs promoteurs le savent. Le « plan-calcul » en particulier ne vise pas si loin ; il cherche seulement à mettre au point des calculateurs de puissance moyenne qui permettent de former des techniciens de l'Informatique, qui nous manquent tragiquement à l'heure actuelle, et de créer un Institut d'Etudes Supérieures d'Informatique pour lancer des ingénieurs français dans les recherches de base sur le « software ». Objectif intéressant mais qui n'est évidemment pas aux dimensions du problème et laisse donc de côté, pour le moment, tout projet d'indépendance d'une industrie européenne des ordinateurs devant I.B.M. ou General Electric.

Le gouvernement anglais a affirmé solennellement dans un débat aux Communes par la voix de son ministre de la Technologie : « Nous voulons que l'Angleterre possède *à tout prix* une industrie de calculateurs électroniques indépendante et viable. » C'était en 1966. L'Angleterre depuis s'est rendu compte qu'elle ne pourrait pas, seule, gagner cette partie.

Au Japon l'effort a été plus rapide et plus puissant. D'autre part, l'Etat japonais exige de contrôler toutes les entrées d'ordinateurs afin de maintenir une proportion de 50 % d'ordinateurs nationaux. Et le Japon a commencé par développer, en toute priorité, une industrie des composants électroniques qui le place immédiatement derrière les Etats-Unis pour les circuits-intégrés. Selon les spécialistes, la semi-dépendance dans laquelle se trouve encore le Japon envers l'industrie américaine des ordinateurs n'est plus que l'affaire de quelques années.

Vers 1980, le Japon aura, dans ce domaine, conquis son indépendance. Donc c'est possible.

Une politique européenne logique consisterait à réunir toutes les ressources possibles, sans doute à partir du noyau britannique, avec un appui immédiat de l'industrie allemande, française et hollandaise, dans un effort unitaire, et en conservant une certaine part des débouchés ; seul un marché de cette dimension permettrait à une industrie des ordinateurs de lutter, d'ici 1980, contre les sociétés américaines. A condition que les décisions soient prises dans les toutes prochaines années.

L'état d'incohérence, de myopie, dans lequel se trouvent encore aujourd'hui les tentatives nationales en Europe, condamnées d'avance, n'a guère d'excuse. Il est non seulement possible de réussir, mais indispensable. Aucun secteur industriel ne pourra plus jamais être indépendant si l'on ne commence pas par les ordinateurs. S'il y a une bataille de l'avenir, c'est la bataille du Calcul.

Chapitre 15

La tentative française

Dans le désarroi européen c'est probablement la France qui, pour quelques raisons excellentes, et d'autres plus ambiguës, a montré ces dernières années la volonté de principe la plus soutenue, mais dans un cadre national, de ne pas s'abandonner à la satellisation.

Où en est cette tentative de riposte nationale dont la France veut donner l'exemple, pour des raisons politiques que nous ne discuterons pas ici ? La réponse à cette question a fait l'objet d'une étude sérieuse menée conjointement par l'industrie privée et l'administration, étude qui n'a pas encore été publiée et dont nous indiquerons ici quelques éléments.

Les techniciens qui ont procédé à cette analyse posent d'abord le problème : « Dans un milieu international dominé par l'économie des Etats-Unis, les progrès de notre industrie dépendent avant tout de notre capacité d'invention, d'innovation, et d'amélioration technologique. »

Première constatation : A l'abri des barrières douanières, la France a continué *à tout produire,* à chercher à exporter dans *tous les secteurs,* à partir d'unités industrielles d'une taille le plus souvent insuffisante et selon des méthodes le plus souvent dépassées. On constate aujourd'hui que les progrès de la concurrence extérieure, et le rythme des prises d'intérêts étrangers sur notre territoire, sont plus rapides que le mouvement de restructuration des industries françaises. Nos entreprises n'offrent plus « qu'une faible résistance à la poussée des capitaux américains ».

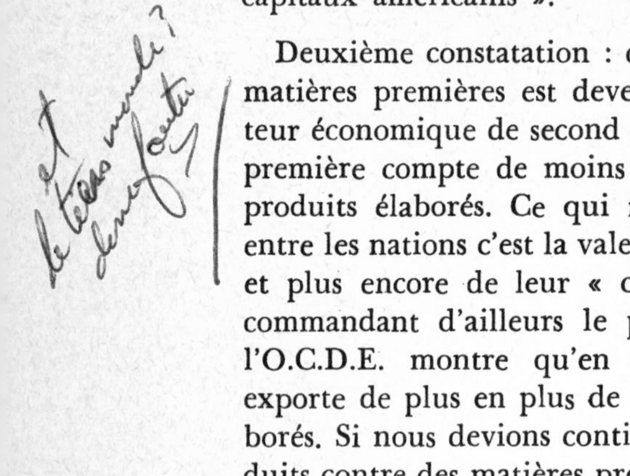

Deuxième constatation : de nos jours la possession de matières premières est devenue, pour un pays, un facteur économique de second ordre. Le coût de la matière première compte de moins en moins dans le coût des produits élaborés. Ce qui fera la différence désormais entre les nations c'est la valeur de leur capital technique, et plus encore de leur « capital humain », le second commandant d'ailleurs le premier. Or, une étude de l'O.C.D.E. montre qu'en valeur relative, la France exporte de plus en plus de produits primaires, non élaborés. Si nous devions continuer à vendre des demi-produits contre des matières premières, nous dévaloriserions notre capital humain et nous serions rapidement envahis par les produits élaborés étrangers. L'économie française se verrait cantonnée dans la production de biens relativement primaires, peu chargés de « matière grise » : autant fermer, écrivent les experts, « la moitié de nos universités, et orienter nos étudiants vers les ateliers des apprentis ».

Troisième constatation : l'effort qu'il s'agit d'entreprendre pour hausser la France au niveau d'un pays industriel moderne n'est pas hors de portée ; mais il met en cause des structures traditionnelles fortement durcies par les habitudes et par les avantages acquis. Ainsi, de nombreux secteurs, qui sont condamnés par l'évolution technique, mais que nous continuons à soutenir et à développer, pèsent sur le progrès national. L'Etat français, pour s'en tenir aux seules subventions, a distribué en 1964, 8 milliards et demi de francs à des secteurs de cette nature : S.N.C.F., Charbonnages, Chantiers Navals, R.A.T.P., Agriculture, etc. En affectant à la recherche industrielle d'avenir une fraction seulement de « ces subventions au passé », on pourrait améliorer de manière décisive les conditions de compétitivité des branches industrielles qui dépendent des facultés d'innovation.

Actuellement, le coût global de la recherche industrielle en France, secteur public et secteur privé réunis, est estimé à 5 milliards de francs par an. Les crédits utilisés par le secteur public exclusivement représentent environ le tiers de cette somme et sont, à 90 %, affectés au secteur militaire (dont le Commissariat à l'Energie Atomique).

En dehors des recherches sous-traitées par l'Etat à l'industrie, l'aide publique à la recherche industrielle prend deux formes : l'aide au « développement », et des actions concertées entre gouvernement et industrie. Les sommes qui sont affectées à ces deux formes d'aide sont presque dérisoires : 10 millions de francs pour la première, et moins de 50 millions de francs pour la seconde (en 1965). Même augmentées comme elles vont l'être dans le cadre du Vᵉ Plan, elles sont tout à fait insuffisantes pour tenter un effort cohérent de recherche.

A cette faiblesse en volume, s'ajoute une très grande dispersion : à part l'Aéronautique et l'Electronique, il reste en tout 100 millions de crédits publics à répartir sur tous les secteurs du domaine concurrentiel.

On a mesuré, par exemple en 1964, que 104 marchés d'actions concertées avaient été conclus par l'Etat avec 48 sociétés pour une somme totale de 32 millions de francs. C'est dire que ces actions restent largement en dessous du seuil d'efficacité.

Aux Etats-Unis pratiquement tous les industriels bénéficient d'une aide relativement importante. Si nous laissons de côté les secteurs nucléaires, spatiaux et aéronautiques, déjà étudiés, on peut établir, sur les autres secteurs industriels importants, la comparaison suivante :

PART DU FINANCEMENT DE L'ÉTAT DANS QUELQUES SECTEURS INDUSTRIELS

Secteurs	Etats-Unis	France
— Construction électrique et électronique	65 %	34,5 %
— Automobile	24 %	0,5 %
— Chimie	20 %	2,5 %

Les techniciens français qui ont établi ces comparaisons relèvent non seulement notre retard par rapport aux Etats-Unis, même en valeur relative, mais soulignent aussi que, si la part du produit national consacrée à la recherche industrielle est comparable en France et en Allemagne, c'est à cause de la faiblesse de la recherche militaire en Allemagne, ce qui aggrave l'infériorité de la recherche industrielle française dans les secteurs civils. Ils en concluent que, le marché des produits avancés étant appelé dans les prochaines années à une très forte expansion, l'industrie française sera spécialement vulnérable à la concurrence si une accélération de grande ampleur n'est pas donnée à son effort de recherche et de développement.

Le montant total des dépenses de recherche devrait être, en valeur relative, largement supérieur à celui qui est atteint aux Etats-Unis puisqu'il s'agit de rattraper un retard. Compte tenu des handicaps à combler, les dépenses de recherche de l'industrie française devraient progresser *à un rythme plus élevé,* et dépasser, en proportion du produit national, celles de l'industrie américaine. Mais, dans l'hypothèse la plus favorable, un tel objectif ne pourrait être atteint qu'au prix de profondes réformes. Nous allons voir pourquoi.

Sur ces réformes de structure il n'appartenait pas aux

experts de se prononcer : c'est la politique nationale, la gestion de la société française, ses décisions de politique intérieure, y compris les choix idéologiques ou moraux, qui sont en cause (*Voir chap. 21 à 24*). Mais même en supposant, comme il faudra bien le faire, que nous parvenions à surmonter ces difficultés, à faire sur nous-mêmes l'effort indispensable pour nous mettre en état de compétitivité, même dans ce cas, à l'échelle nationale, les experts industriels français considèrent que l'écart est tel actuellement que le niveau optimal de dépenses à effectuer, en matière de recherche et de développement, « est hors d'atteinte ». Ils ne voient de salut que dans ce qu'ils appellent encore prudemment « l'intégration poussée dans un espace économique plus étendu ». Ce qui tend à devenir, du strict point de vue du développement, une simple évidence.

Mais pour viser cette intégration européenne, il faut bien que chaque Etat s'y prépare, et surtout y prépare ses hommes.

En ce qui concerne la France, l'objectif que proposent les techniciens serait l'affectation, d'ici à 1970, aux recherches dans l'industrie d'un pourcentage de produit national analogue — alors qu'il devrait être supérieur, mais il ne faut pas chercher l'impossible — à celui constaté à l'heure actuelle aux Etats-Unis, c'est-à-dire 2,3 % (en plus du secteur public).

Si cet objectif paraît encore trop ambitieux, par rapport à nos ressources et en fonction des difficultés politiques qu'il peut soulever, les techniciens suggèrent comme objectif minimal que l'industrie française, d'ici à 1970, s'aligne sur le pourcentage de l'industrie britannique ; c'est-à-dire 1,6 %.

Ceci posé, le problème est d'évaluer, dans l'un et l'autre cas, le nombre de chercheurs scientifiques et techniques qu'il faut, en conséquence, former, dans les trois ans.

Les calculs montrent que, si nous nous alignons sur *l'objectif ambitieux,* nous aurons besoin en 1970, par rapport à 1965, de 45 000 chercheurs supplémentaires. Si nous nous alignons sur *l'objectif modeste* nous aurons besoin, sur la même période, de 27 000 chercheurs supplémentaires.

Nos possibilités dépendent de plusieurs facteurs : moyens financiers de l'industrie française, aide directe et indirecte de l'Etat, objectifs du Vᵉ Plan, disponibilités en main-d'œuvre qualifiée ; bref, gestion au sens le plus large, du capital intellectuel. Les besoins en chercheurs, indiqués ci-dessus, pourront-ils être satisfaits ?

Selon le Vᵉ Plan, et les prévisions actuelles sur le nombre de diplômés des Facultés et des Grandes Ecoles, 75 000 personnes seront formées en France pendant la durée de ce Plan. Dans la mesure où l'on peut faire une prévision suffisamment précise sur leur répartition, on peut considérer que le nombre de chercheurs nouveaux disponibles pour l'industrie sera, dans ces conditions, compris entre 12 500 et 17 500.

Ce deuxième chiffre, de 17 500 chercheurs nouveaux sur la période du Vᵉ Plan, correspondrait à un effort de la part de l'industrie et de la part du gouvernement. Le dépasser supposerait de remettre en cause l'ensemble des équilibres prévus dans les plans français actuels.

Conclusion. Dans le cadre de notre organisation actuelle de développement, et au rythme prévu, même l'objectif minimal réclamé (c'est-à-dire le niveau britannique, très inférieur au niveau américain) ne sera pas réalisé.

On voit tout l'intérêt de ce calcul : la France, bien qu'elle ait, dans les dernières années, accompli un effort *de crédits* important ne cesse de s'éloigner, en matière de développement industriel avancé, du seuil minimal.

En nous plaçant dans l'hypothèse de la meilleure réalisation possible du Vᵉ Plan, le nombre total de chercheurs employés dans l'industrie française en 1970 sera compris entre 27 000 et 35 000. L'effort de recherche correspondant sera alors un peu supérieur seulement à 1 % du produit intérieur brut (pour l'industrie, en dehors du secteur public). C'est très insuffisant pour être présent, comme on veut l'être, sur tout le front scientifique. Mais pour faire mieux il faudrait envisager des dispositions nouvelles, une transformation des méthodes de formation et de gestion, une répartition différente de nos efforts, l'abandon de la multiplicité des tentatives dans le cadre national qui n'aboutissent qu'à un « saupoudrage » coûteux et inefficace — au total, il faudrait changer et d'orientation et de cadre.

Des six pays du Marché Commun la France est celui qui, pour des raisons politiques connues, a exprimé le plus nettement la volonté de principe d'échapper à la domination américaine. Faute de perspective communautaire leur offrant un choix différent, les autres paraissent se résigner à la situation d'économie complémentaire et subordonnée. Le cas de la France est donc exemplaire et permet de toucher du doigt quelques-unes des limites de l'effort national.

Elles sont si évidentes, que les derniers gouvernements n'ont pu se dispenser de faire des concessions à l'idée européenne, d'une part en demeurant à bord du vaisseau communautaire, et d'autre part en réalisant avec des partenaires étrangers quelques opérations conjointes du type « Concorde » ou « Eldo ». Ces échappées n'ont pas apporté de réponse au défi américain. La dynamique qui devait entraîner les Six au-delà du simple Marché Commun ayant cessé de jouer, les institutions de Bruxelles ont commencé de dépérir. Elles ne peuvent vivre qu'à la condition de se dépasser et de conduire les associés *jusqu'à une politique unifiée de la science et de l'industrie.*

On a voulu croire que les entreprises de « coopération », conciliant le respect des souverainetés avec les avantages de la grande dimension, offraient un substitut. En fait, viciées par le principe du « juste retour », handicapées par les méthodes conventionnelles de la diplomatie, elles ne présentent qu'une caricature de la riposte attendue.

Ainsi la France et, avec elle, les autres pays de l'Europe Occidentale, se trouvent engagés simultanément dans trois directions dans lesquelles ils ne progressent pas. La voie nationale étroite, qui n'est plus carrossable : la voie indistincte de la coopération, qui ne mène nulle part ; la voie communautaire, qui a été bloquée. Par où passer ?

QUATRIÈME PARTIE.

LES VOIES
DE LA CONTRE-OFFENSIVE

Chapitre 16

Dos au mur

Retrouver, face au défi américain, la maîtrise de notre destin, exige, c'est ce que nous avons montré jusqu'ici, une prise de conscience, puis demandera de patients efforts, que nous allons maintenant essayer de décrire ; mais les conditions en sont simples dans leur énoncé. Les voies de la contre-offensive sont clairement tracées :

1°. — Formation de grandes unités industrielles capables, non seulement par leur taille, mais *par leur gestion,* de rivaliser avec les géants américains.

2°. — Choix des « grandes opérations » de techniques de pointe qui préserveront, *sur l'essentiel,* un avenir autonome pour l'Europe.

3°. — Un minimum de pouvoir fédéral qui puisse être *le promoteur et le garant* des entreprises communautaires.

4°. — Transformation des *méthodes d'association,* de convergence, entre les unités industrielles, l'Université, et le pouvoir politique.

5°. — Education approfondie et généralisée pour les jeunes, *renouvelée et permanente* pour les adultes.

6°. — Enfin, le reste en dépend, libération des énergies captives de structures vieillies, par une révolution dans les techniques d'organisation. Révolution que doit entraîner le *renouvellement des élites et des rapports sociaux.*

Projet ambitieux, mais projet réalisable. Il nous reste à esquisser sous quelles formes et à quelles conditions. C'est le but de ce livre.

Si les Européens veulent devenir maîtres de leur croissance, c'est-à-dire de leur destin, la route de l'autarcie nationale ne peut plus être empruntée. Un livre important, qui a provoqué de salutaires réflexions [1], a démontré combien ce qu'il appelle le socialisme n'avait plus aucune chance de trouver les moyens de sa propre action à l'intérieur du cadre trop étriqué, pour l'ambition d'une économie moderne, d'une nation moyenne d'Europe. L'étiquette de socialisme n'est pas indispensable. La démonstration faite vaut pour toute politique « volontariste », dont le socialisme est un des aspects possibles.

Un effort volontaire, pour nous donner à nous-mêmes les moyens de concevoir et de réaliser un modèle européen, ne peut plus être que communautaire. L'échelle nationale est insuffisante pour les unités productives dans presque tous les secteurs économiques avancés. Le cadre de la nation est trop exigu pour assurer l'ensemble des besoins en produits industriels. Et la diversification croissante de ceux-ci impose les spécialisations qui interdisent toute idée d'autarcie.

L'échelle nationale devient également insuffisante pour assurer l'efficacité d'un nombre croissant d'interventions de l'Etat. Des domaines comme la recherche scientifique, la construction aéronautique, l'aventure de l'espace, l'industrie des calculateurs, exigent une dimension économique qui dépasse le cadre national des moyennes puissances. Si l'effort veut rester national il est alors contraint à une dispersion suscitant des gaspillages et aboutissant à très peu de résultats (exemples français et anglais), ou bien à une concentration des moyens sur quelques points seulement en restant absents d'autres secteurs de pointe indispensables pourtant à la civilisation de l'avenir (exemples allemand, italien, ou belge). Pour ces raisons, un repli autarcique de chacune des nations européennes sur elle-même se traduirait par

1. « Le Socialisme et l'Europe », Club Jean Moulin, 1965.

une absence dans le progrès technologique, une stagnation qui, à la longue, deviendrait insupportable.

La France comme les autres est donc aujourd'hui forcée à une intégration infiniment plus prononcée, plus profonde aussi, que celles qui ont été imaginées. Cette intégration sera subie sous la contrainte d'une pure stratégie des grandes entreprises américaines si l'Europe ne la maîtrise pas elle-même.

Si les Européens veulent bien se contenter de participer, de loin, à l'amélioration régulière du niveau de vie de l'univers américain, ils peuvent laisser la dynamique propre du Marché Commun, entraînée par la grande industrie américaine, répondre à la question. Le niveau de vie du Maroc ou de Madagascar s'élevait peu à peu, traîné par celui de la France et de son industrie, au temps de l'ère coloniale.

La plus commode, dans l'immédiat, est cette solution libérale, dite « atlantique ». L'ouverture directe aux courants internationaux permettrait, au moins pendant un temps, de surmonter les contraintes économiques et de participer au mouvement général de progrès. Elle empêcherait évidemment toute maîtrise politique de l'évolution, et aboutirait, à terme, au freinage qui est lié à la dépendance (Voir chapitre 4).

Si les Européens veulent rester maîtres de la croissance, c'est-à-dire de leur destin, par une politique volontaire il leur faut aménager en premier lieu une aire géographique et humaine suffisamment large pour que l'expansion économique y déploie sa force, et pour qu'il soit possible de mener de front le progrès des consommations individuelles, celui des investissements collectifs, et celui des ressources consacrées au développement scientifique et technique.

Il faut ensuite que les affectations du revenu national soient orientées suivant les mêmes principes dans les pays qui forment une communauté : nous ne pouvons pas nous contenter d'un marché, nous devons forger une politique économique. Dès maintenant, sauf à se retirer du Marché Commun, ce qui équivaudrait à une régression rapide du niveau de vie, il n'y a plus de planification nationale possible. Les Etats nationaux du Marché Commun ont d'ores et déjà perdu la possibilité de garder en main certains instruments essentiels au contrôle de l'économie, notamment ceux qui commandent l'ensemble du commerce extérieur : tarifs douaniers, mesures quantitatives, parité monétaire.

Nous sommes donc le dos au mur : le retour à un ordre national n'est plus possible *dans la croissance ;* ou bien nous forgeons une politique industrielle européenne ou bien l'industrie américaine continuera d'organiser l'avenir du Marché Commun. Ce premier point n'est plus contestable. Il entraîne quelques conséquences pour l'action.

Chapitre 17

Les grandes unités

Ce qui compte avant tout, c'est l'industrie. Or les conditions politiques dans lesquelles l'expérience du Marché Commun s'est déroulée jusqu'à présent font qu'en dehors de la libération des échanges commerciaux, et de la politique agricole, l'action des institutions communautaires s'est polarisée soit vers des problèmes urgents et des crises diplomatiques, soit vers des questions mineures.

Les problèmes fondamentaux, qui requièrent des choix délicats et des décisions audacieuses, ont été, d'année en année, éludés. Le premier d'entre eux est celui d'une *politique industrielle* pour l'Europe. Le libre-échange est un cadre, ce n'est pas une politique, ce n'est pas une organisation.

M. Pierre Uri écrit : « La bonne réponse aux investissements américains consiste pour l'Europe à rassembler ses forces pour arriver à une concentration de ses entreprises, à l'encouragement de l'activité de recherche, à la révision du droit des sociétés. Il est trop simple d'accuser l'impérialisme des autres lorsqu'on néglige d'agir. »

Quelles sont les actions précises qu'il s'agit d'engager ? Essentiellement : achever l'union économique ; et accélérer la constitution de grands groupes industriels capables d'une stratégie mondiale.

L'achèvement de l'union économique est en théorie assez simple. Sur l'harmonisation fiscale, sur la création d'un droit européen des sociétés, tout a été dit. Sauf peut-être l'essentiel : la lenteur diplomatique avec laquelle ces travaux progressent va directement à l'encontre de l'objectif majeur de la Communauté Européenne en abandonnant l'initiative aux entreprises américaines. Il y a, profondément, au-delà des difficultés techniques, l'absence d'une volonté politique claire. Cela se ressent très concrètement : l'industriel italien et l'industriel belge doivent-ils tout mettre en œuvre pour associer leurs entreprises et passer à la dimension internationale ? *Ils ne le savent pas.* Ils ne savent pas même s'ils en auront le droit. Alors, ils attendent.

Comment les industriels pourraient-ils croire réellement qu'ils doivent jouer tout leur avenir, miser leurs programmes et leurs investissements, dans une intégration réelle alors que les Etats qui forment ce Marché Commun expriment encore leur politique par la préparation et la gestion de budgets nationaux, dont les efforts s'inscrivent dans un cadre séparé pour chaque nation — y compris pour toutes les recherches de pointe qui exigent, à l'évidence, l'unité européenne ?

Aux Etats-Unis un mécanisme puissant suscite, par des marchés d'Etat, l'innovation technologique. Sans un mécanisme analogue il n'y aura pas de riposte sérieuse à l'investissement américain.

Le Marché Commun *industriel* n'est encore qu'une simple union tarifiaire. Achever l'union économique ce n'est pas seulement changer de dimension, c'est rectifier le sens de l'effort, et changer d'état d'esprit.

Actuellement l'Europe est gravement surclassée dans les quatre ou cinq grands domaines de l'avenir. Dans ces domaines, elle doit évidemment unir et concentrer ses moyens de recherche et de développement. Mais, à long terme, la politique industrielle ne présente de chances de succès que dans la mesure où elle s'appuie sur une infrastructure efficiente et dynamique, des entreprises puissantes et bien gérées. L'effort de recherche de la Grande-Bretagne, depuis vingt ans, a été très important, le plus intense de toute l'Europe. S'il ne s'est pas traduit par des succès durables dans le domaine des réalisations, c'est que la Grande-Bretagne ne disposait pas d'unités industrielles comparables aux grandes entreprises américaines. Certaines avaient la dimension, mais pas le dynamisme.

Le premier problème d'une politique industrielle pour l'Europe consiste donc aujourd'hui à faciliter la sélection des cinquante ou cent entreprises qui, après avoir atteint une dimension suffisante, seraient les plus aptes à accéder au premier rang de la technologie mondiale dans leurs secteurs.

Le mouvement actuel consiste à laisser détruire, peu à peu, l'industrie européenne par la force supérieure de celle des Etats-Unis. La contre-offensive exige donc une stratégie fondée sur le renforcement systématique des entreprises les plus aptes à riposter au défi. *Aucune autre politique que celle qui consiste à renforcer les points forts* — que la démagogie condamne sous le terme global et vague de « monopoles » — *ne nous permettra d'échapper au sous-développement relatif*[1]. Il nous faut des groupes industriels européens. Il faut donc instituer une préférence.

Les actions à entreprendre dans ce but sont, d'abord au niveau des entreprises elles-mêmes, ensuite au niveau des Etats, enfin au niveau de la Communauté.

C'est au niveau des entreprises que doivent se situer les impulsions fondamentales. Elles résulteront d'une volonté de croissance, mettant en œuvre une stratégie d'innovation et de progrès. A cet égard, il convient de noter avec M. Cambien que « la dimension n'est qu'un moyen. Le problème n'est pas de changer un brontosaure en un dinosaure par un doublement de taille, mais

1. Cette stratégie paraîtra discutable (et elle l'est) aux hommes qui redoutent le pouvoir de pression, le pouvoir politique, des très grandes entreprises. Cette crainte est justifiée. Mais le remède se trouve dans l'autorité de l'Etat, non dans l'affaiblissement de l'industrie. Nous essayerons d'être moins sommaire sur ce point dans les derniers chapitres.

de constituer des unités biologiques adaptées aux nouvelles conditions de la concurrence, pour l'avenir ».

L'action au niveau des Etats, en vue d'augmenter la capacité concurrentielle, doit manifester une volonté claire et systématique : par l'aide aux investissements, par la politique fiscale, par une politique de recherche et de contrats de développement. Or, dans l'état actuel des législations des divers pays d'Europe, la concentration des entreprises se heurte, au contraire, à des difficultés presque insurmontables. Que ce soit pour des fusions proprement dites, pour des prises de participation, ou pour des créations de filiales communes, la diversité des régimes juridiques et fiscaux entre les différents pays membres crée des obstacles souvent dirimants.

Une étude spécialisée, faite à Bruxelles, recense toutes les difficultés que rencontrent les entreprises européennes qui désirent associer leurs efforts. Les tableaux qu'elle présente, détaillés et impressionnants, forment un excellent dossier [1] pour les dirigeants syndicaux ou les dirigeants politiques qui veulent vraiment prendre conscience de l'état de paralysie dans lequel se trouve actuellement l'industrie européenne pour se regrouper, le voudrait-elle, face à l'offensive américaine.

Le problème est analogue pour le marché des capitaux. Sur ce point, le docteur Rolfe [2] a présenté un rapport convaincant, et il indique en particulier : « La plupart des obstacles qui *fragmentent* le marché européen proviennent du fait que les autorités financières veulent maintenir « la stabilité » conçue en fonction de la balance des paiements. De nombreuses industries ont besoin de marchés beaucoup plus importants pour s'approvisionner en capitaux. Du Pont de Nemours, par exemple, n'aurait pas pu exister si son pouvoir d'em-

1. « Etude de base sur les marchés financiers », Bruxelles, janvier 1967.

2. Capital Markets in Atlantic Economic Relationships.

prunt avait dû se limiter au marché financier de l'Etat du Delaware où cette société est installée. Commerce, industrie et finance sont étroitement imbriqués. Il y a nécessairement incohérence, et conflit, entre un commerce de taille internationale et un financement de taille nationale. Si l'industrie européenne veut être placée sur un pied d'égalité avec l'industrie américaine, cela ne peut s'effectuer que par l'intégration des marchés financiers. »

Dans ce domaine un pas a été fait en 1966-1967, important pour la marge de liberté qu'il laisse aux mouvements de capitaux ; il faut maintenant vaincre l'inertie des habitudes.

L'action communautaire, enfin, devrait s'exercer dans le domaine du droit fiscal. Actuellement, les concentrations concernant des entreprises établies dans des pays différents entraîneraient, pour les actionnaires, de telles déperditions fiscales provenant soit d'impôts frappant les non-résidents, soit de cumuls d'impositions des divers pays, soit des disparités des régimes fiscaux, que ce n'est pas une force d'incitation qui s'exerce vers la concentration, mais une formidable force de dissuasion. D'ailleurs les résultats sont là.

Avant d'en terminer avec ce problème, qui est le plus évident, des grandes unités industrielles, il faut ici dire un mot de la question anglaise [1].

Parmi les pays d'Europe, l'Angleterre est celui qui compte encore le plus d'entreprises de dimension mondiale, et celui qui fait actuellement le plus gros effort de recherche.

Dans le groupe des cinq cents plus grandes entreprises industrielles du monde, l'Angleterre se situe après les Etats-Unis, avant tous les autres pays. Dans ce groupe,

1. Il sera clair pour le lecteur que ces quelques paragraphes ne prétendent pas traiter la question de l'entrée de l'Angleterre dans le Marché Commun. Si nous n'y consacrons pas, comme il le faudrait, un ou plusieurs chapitres c'est qu'elle n'est plus que politique.

elle possède 55 entreprises. L'Allemagne n'en possède que 30, la France 23, et l'Italie 8.

Dans les entreprises mondiales dont le chiffre d'affaires est supérieur à 250 millions de dollars, l'Angleterre représente 8,4 % du total. L'Allemagne en représente 6,3 % ; la France 3,3 % ; l'Italie 1,6 % ; le Bénélux 1,4 %.

Si l'on compare, par ailleurs, l'effort actuel de recherche de la Grande-Bretagne par rapport à celui des pays de la Communauté, on constate que l'Angleterre fait *à elle seule* près de 60 % de l'effort global de ces pays.

Il est intéressant de voir que l'Angleterre concentre ses efforts sur l'électronique, la construction électrique, l'énergie nucléaire, et l'aéronautique ; c'est-à-dire, en somme, ce que devra être la structure de dépenses de la Communauté Européenne pour rivaliser vraiment avec l'économie dominante. L'Angleterre serait le *meilleur allié* possible de la France, à l'intérieur du Marché Commun, pour entraîner l'Europe à une vocation mondiale, de préférence au destin d'une grande Suisse.

Chapitre 18

Les grandes opérations

Il ne suffira pas d'affecter à l'effort une fraction raisonnable du Produit National ; il faudra encore opérer des choix. Car la recherche et le développement européens ne pourront pas connaître dans tous les secteurs une efficacité, avant longtemps, égale à celle des Etats-Unis.

Il faudra donc s'appliquer à certains grands axes de percée dans les techniques les plus avancées. C'est ce que les experts français et européens appellent, dans leurs études de prospective, « les grandes opérations ». Celles qui par leur dynamique, leur envergure, leur intérêt scientifique, exerceront *sur l'ensemble de l'économie* l'effet d'entraînement le plus marqué.

Une grande opération doit arracher à leur relative routine mille techniques différentes, rappocher des équipes dont les chemins, sans elle, ne se seraient jamais croisés, créer autour d'une idée stimulante un puissant tourbillon d'études, de découvertes, de fabrications. Prises dans cet élan, les meilleures entreprises pourront former des groupes de recherches de haute qualité, accumuler des connaissances et des moyens nouveaux, accroître leur potentiel de création, inventer d'autres produits, ouvrir d'autres marchés.

Le champ des grandes opérations possibles est vaste. Chaque année, de nouvelles se présentent qui apparaissaient jusque-là comme du domaine de la science-fiction. Mais elles sont d'un coût considérable et croissant. L'Europe, même rationnellement organisée, d'ici

1980, ne pourra pas livrer bataille sur tous les fronts. D'ailleurs, il n'y a plus au monde, Etats-Unis compris, aucun pays qui puisse être entièrement *indépendant*. Une division internationale du travail s'établit : il s'agit d'être *compétitif*. Le but n'est pas d'être autoproducteur de tous ses besoins, mais d'être suffisamment fort dans certains secteurs avancés pour pouvoir s'y imposer.

Le succès d'une grande opération dépendra, bien sûr, de l'existence d'entreprises ayant la surface requise. Mais ce n'est pas suffisant. La conduite d'une grande opération postule les interventions massives et continues de l'Etat. Cet Etat, en Europe comme aux U.S.A., ne peut être que fédéral [1].

Les techniciens qui ont étudié les modalités de la contre-attaque ont élaboré en deuxième ligne, derrière les « grandes opérations », deux autres plans d'action : celui qui groupe « les thèmes moyens » (sur des industries à échelle plus réduite) ; et celui qui concerne « la recherche diffuse » (crédits répartis sur un grand nombre de projets mineurs à ne pas négliger).

Faisant le tableau de ces trois niveaux d'action, ils déterminent que l'ensemble de l'effort devrait se répartir à peu près dans les proportions suivantes : *75 % pour les grandes opérations* ; 15 % pour les thèmes moyens ; 10 % pour la recherche diffuse. C'est dire l'importance déterminante des grandes opérations — sur lesquelles, en vérité, se jouera l'avenir de notre génération.

Il existe déjà en Europe, et plus spécialement en France, trois embryons de « grandes opérations » qui peuvent être développés, et qui concernent la recherche spatiale, l'énergie atomique, l'avion supersonique.

Dans ces trois domaines, l'avance des Etats-Unis est telle que tout effort national — français, anglais ou allemand — revient à une coûteuse et dérisoire tentative

1. Nous verrons, au chapitre suivant, les limites nécessaires du fédéralisme à cet égard.

d'imitation, sans débouché. Mais chacune de ces trois opérations est réalisable à l'échelle de l'Europe. D'ici à 1980, l'Europe, en concentrant et rationalisant ses efforts, peut être présente dans l'espace sans passer par les satellites américains ; doit fournir des centrales nucléaires à des prix compétitifs avec les prix américains[1] : et pourrait concurrencer les supersoniques de l'aviation civile américaine, au moins sur certaines distances.

A moins d'abandonner toute ambition d'autonomie, on voit mal comment l'Europe pourrait continuer à négliger l'un de ces trois secteurs — sauf, à l'extrême rigueur, l'aéronautique. En matière d'espace et d'énergie nucléaire, il n'est pas concevable d'être absent ; il faut devenir compétitif. Dans ces secteurs les grandes opéra-

1. Si nous n'avons pas consacré un développement particulier au problème de l'énergie nucléaire ce n'est pas seulement pour ne pas allonger à l'excès un dossier technique déjà long mais parce que ce problème est le mieux connu.

En matière d'énergie atomique civile l'Europe est — ou plutôt, était — la plus compétitive avec les Etats-Unis. Ayant moins de sources d'énergie naturelle à leur disposition que les Etats-Unis, les pays d'Europe se sont lancés très vite dans la construction de centrales nucléaires. Et, en 1960, l'ensemble de l'Europe comptait deux fois plus de centrales nucléaires que les Etats-Unis. Depuis, la situation s'est inversée. Pourquoi ? Encore les mêmes raisons : les études de développement, les études de marché, la concentration des moyens, les choix technologiques.

L'énergie atomique n'a d'avenir que si elle revient moins cher que les combustibles classiques. C'était l'une des missions de l'Euratom de rationaliser le développement atomique en Europe pour éviter les doubles emplois et parvenir à un prix de revient compétitif. L'échec complet de l'Euratom a laissé la France, l'Allemagne et l'Angleterre poursuivre des programmes séparés, coûteux et peu efficaces, en face de l'effort coordonné de l'Amérique.

Aujourd'hui, les centrales américaines sont à des prix valables pour l'industrie et les centrales européennes ne le sont pas. En 1967, la proportion s'est donc inversée, l'Europe a en construction 43 centrales nucléaires, et les Etats-Unis 74.

Quant à l'avenir de l'énergie nucléaire il passe par les « surgénérateurs », qui arriveront à extraire d'une tonne d'uranium 50 fois plus d'énergie que les piles atomiques actuelles. Le problème pour l'Europe consiste à unifier et rationaliser ses programmes de « recherche et de développement » en matière de surgénérateurs, programmes qui pour le moment sont en concurrence les uns avec les autres, et laissent le champ libre à la technologie américaine...

tions, à elles seules, nécessitent et justifient la mise en commun des efforts, ce que nous appellerons le minimum vital fédéral, et la mobilisation des ressources et des hommes, contre le monopole américain.

Mais elles sont, bien que déterminantes, moins vitales que la quatrième qui est l'Electronique.

Les techniciens européens qui ont réfléchi aux grandes opérations prioritaires font le diagnostic suivant. « Le développement de l'industrie électronique commande le développement de la productivité, et la rénovation de l'ensemble de l'industrie et des services. En raison de cette *qualité fondamentale de l'électronique de conditionner le progrès de toutes les activités humaines* d'une part, et d'autre part, en raison du fait que le support industriel européen, s'il n'est pas comparable à celui des Etats-Unis, existe néanmoins et peut se situer à un niveau de concurrence, il est nécessaire de prévoir une grande opération motrice dans ce domaine. Et c'est autour du développement des systèmes à traiter l'information (ordinateurs et organes annexes, télé-transmission des données) que va s'articuler l'expansion de l'électronique au cours des prochaines années. »

Ils considèrent que la présence sur le sol européen de très grands concurrents internationaux comme I.B.M. et la General Electric est loin d'être seulement un danger. Ces sociétés entretiennent une pression favorable aux réalisations concrètes, et à la formation de spécialistes dans l'enseignement supérieur. Elles suscitent la création de toute une industrie de sous-traitance qui sera fort utile à l'Informatique européenne. Elles peuvent ainsi favoriser la mobilisation des moyens nécessaires à la réussite d'une grande opération.

Mais la différence de taille entre les industries nationales actuelles de l'électronique, en Europe, et les maîtres américains du marché, va imposer un effort intense de la part des pouvoirs publics. La rentabilité d'une industrie d'ordinateurs ne peut pas apparaître en Europe avant plusieurs années. Nous avons vu d'ailleurs qu'aux Etats-Unis, sur les douze dernières années, les plus grandes sociétés électroniques n'ont pas pu réaliser constamment de bénéfices. C'est donc vraiment l'un des secteurs où la nouvelle forme d'association étroite entre les grandes unités industrielles et le pouvoir politique sera le plus indispensable, et pour une longue période.

Si, comme on l'a vu, le « Plan-Calcul » français a été conçu dans un cadre trop étroit, la stratégie qu'il définit est valable pour un Plan-Calcul européen. Le gouvernement et les industriels anglais, ainsi que le gouvernement et les industriels allemands ont d'ailleurs pris contact avec les Français pour tenter de bâtir un plan commun.

Les difficultés à surmonter ne sont ni financières ni techniques ; elles sont politiques. Faire un plan-calcul européen, vraiment intégré, sans secrets nationaux, sans le principe désastreux du « juste retour », et avec l'indispensable unité de commandement — c'est faire du fédéralisme dans le secteur clé de l'industrie. C'est bien là qu'il faut choisir. Ou le plan-calcul *européen,* avec les reconversions qu'évidemment il suppose, ou la domination d'I.B.M. Il reste peu de temps pour faire le choix, si l'on vise une certaine indépendance vers 1980.

Une fois les axes d'action définis, les grandes opérations choisies, une fois les liens établis entre l'effort industriel et l'aide de l'Etat, il faudra encore organiser des relations nouvelles, adaptées au progrès technologique, dans l'ensemble « Industrie-Université-Etat ».

Les experts français, pour leur part, disent : « Il faut traduire concrètement la nécessité de contacts entre, d'une part, l'Université et le C.N.R.S., principaux fournisseurs d'idées et de chercheurs, et, d'autre part, les industriels qui donnent une finalité économique à la recherche fondamentale et en concrétisent les résultats. C'est là le principal problème. Sa solution commande le succès de toutes les mesures qui pourront être prises pour encourager une recherche industrielle efficace. *Or, en l'état actuel des choses, il s'agit presque de deux mondes qui s'ignorent.* » La mise en œuvre de cette association suppose une profonde modification des comportements.

D'abord, le développement systématique des relations « client-fournisseur » : les laboratoires, ceux des ministères comme ceux de l'Université, doivent trouver naturel de travailler sous contrats et dans des directions déterminées par les industriels.

Ensuite une meilleure compréhension de la dialectique moderne qui pourrait s'intituler « comité-patron ». Le choix d'un objectif industriel important peut fort bien relever d'un comité où sont associés des fonctionnaires, des chercheurs, et des entrepreneurs. Mais, une fois l'objectif choisi, il faut qu'il y ait un seul responsable. Ce « patron », responsable de la poursuite de l'opération, grande ou petite, mais surtout pour les grandes, doit bénéficier d'une large liberté d'action, et d'une autonomie de décision. Cette dialectique est spécialement mal comprise en France, et d'une manière générale dans les pays de tradition latine. Dans le type moderne d'association « Industrie-Université-Etat », elle n'a encore été mise au point ni réussie dans aucun pays d'Europe.

Or elle est le principal secret des développements américains. Son adoption en Europe se heurtera à de plus grandes difficultés que les problèmes financiers et techniques. Elle suppose une transformation des mœurs. Elle pourrait être des plus fécondes.

La formation de grandes unités, la réalisation de grands projets vont exiger l'unification des règles juridiques et fiscales intéressant les sociétés, le tri lucide de ce qui doit mourir et de ce qui doit grandir, des initiatives vigoureuses pour développer les secteurs d'avenir, pour combiner enfin les efforts de l'Industrie, de l'Université et de l'Administration. Qui pensera cette stratégie ?

Qui sera l'arbitre des choix ? Le promoteur des opérations ? Qui se portera garant auprès des chefs d'entreprises, des fonctionnaires, des universitaires, du sérieux de toute cette affaire ?

Il serait imprudent de compter sur une convergence naturelle des intérêts, sur les prouesses conciliatrices des diplomates, ou sur une harmonie spontanée des services. Pour résoudre efficacement des problèmes collectifs de cette envergure, les groupes humains ont inventé il y a très longtemps quelque chose qui s'appelle le Pouvoir politique. Seule la société communiste rêvée par Marx parvient à s'en passer. Aussi n'existe-t-elle pas. Une logique élémentaire, ne procédant d'aucun a priori dogmatique, suggère ici que, pour survivre en tant que tels, les Européens devront accepter un minimum de pouvoir fédéral. C'est d'ailleurs sans mystère, et ne justifie ni passion ni appréhension excessives, comme nous allons essayer de le montrer.

Chapitre 19

Le minimum fédéral

Pour mieux discerner ce que la contre-offensive industrielle de l'Europe implique *au niveau des Etats,* le mieux est de regarder ce qui se passe à côté de nous.

Aux frontières du Marché Commun, il y a sept pays membres de l'A.E.L.E. [1]. Ces sept pays ont, en définitive, une conception de leur politique économique extérieure assez semblable à celle de la France.

La France s'est déclarée franchement libre-échangiste, en acceptant l'ouverture du Marché Commun et du Kennedy Round. Eux aussi. La France, qui est hostile à la supranationalité, refuse la mise en œuvre de politiques économiques communes (industrielle, scientifique, etc.). Eux aussi. Cette conception n'est-elle pas la plus raisonnable ?

Ces pays ont raison, étant donné ce qu'ils sont ; et nous avons tort, étant ce que nous sommes. Les pays de l'A.E.L.E. — sauf un, nous allons le voir — ont raison dans leur attitude actuelle, car elle s'inscrit dans une longue tradition de *spécialisation économique étroite* (comme l'illustrent excellemment la Suède et la Suisse). Aucun d'eux n'entend jouer un rôle de puissance mondiale. Les objectifs de leur politique économique sont donc cohérents avec leurs dimensions nationales et avec leurs ambitions limitées.

Seule, au sein de l'A.E.L.E., la Grande-Bretagne a,

1. L'Association Européenne de Libre-Echange groupe avec l'Angleterre : l'Autriche, le Danemark, la Norvège, la Suède, la Suisse, et le Portugal.

jusqu'à ces derniers temps, chevauché des chimères semblables à celles des derniers gouvernements français. Elle entendait soutenir une organisation économique et technologique, à la taille mondiale, digne de son passé ; mais elle n'entendait pas s'intégrer à une communauté. Elle se retrouve aujourd'hui avec une économie stagnante, et une politique qui ne peut éviter le chômage.

La voici qui doit donc entrer dans le Marché Commun, car les principes de la zone de libre-échange, strictement libéraux, interdisent la mise en œuvre d'une politique économique commune qui répondrait aux ambitions de l'Angleterre. Elle est bien placée pour le savoir, et la première suggestion qu'elle a faite, en demandant son entrée dans le Marché Commun, est la création d'une *communauté technologique européenne,* qui ne se conçoit pas sans un minimum de supranationalité.

La Suède, la Suisse ou l'Autriche ont donc raison ; et nous avons tort. Car nous prétendons, à juste titre, « tenir un rang mondial » ; et nous n'avons donc rien fait pour nous engager dans la voie d'une spécialisation. Nous y engager maintenant d'ailleurs serait presque impraticable. Cela supposerait que la totalité des entreprises dans des secteurs entiers de notre industrie actuelle ferment leurs portes pour faire place à des entreprises plus compétitives dans des branches prioritaires. Processus politiquement douloureux, et socialement intolérable. La voie de la Suède ou de la Suisse n'est pas ouverte pour la France.

Cette voie étant fermée, si nous voulons échapper à la domination américaine, il reste seulement, comme les Anglais ont fini par le comprendre (et ils en étaient encore plus éloignés que nous), le chemin du fédéralisme.

Les conditions de cette organisation seront difficiles. D'abord, elles ne peuvent être que rigoureuses. Nous ne devons pas oublier l'objectif : il s'agit de devenir compétitifs avec les Etats-Unis. Or, si l'Europe des Six est à peu près aussi nombreuse que les Etats-Unis, sa puissance technique et financière, actuelle, est bien moindre. Si la situation était inverse, nous pourrions sans doute nous contenter d'une organisation un peu molle qui permettrait de ménager les transitions. Mais la volonté d'assurer à l'Europe une autonomie de destin, à partir de cette infériorité de départ, nous oblige à tenir pour nécessaire une organisation européenne qui soit à la fois efficace et puissante.

Un homme qui fait autorité en France, à gauche, et qui ne peut pas être soupçonné d'un préjugé doctrinal en faveur de la supra-nationalité, affirme : « Il faut donner aux institutions de la Communauté européenne des attributions, des moyens, et des ressources qui prépareront la mise en place d'une véritable communauté chargée de régler les intérêts collectifs des Etats-membres. Cette politique est la condition même d'indépendance de l'Europe face aux Etats-Unis. » (M. Pierre Mendès France).

Et l'éditorialiste politique de l' « Observer » à Londres précise : « Le seul espoir de surmonter le décalage technologique croissant entre l'Europe et l'Amérique consiste à établir une forte autorité centrale capable, après avoir fait l'inventaire des marchés et des ressources, de décider sur quels points l'effort européen doit se concentrer. Cela exige un pouvoir capable de résister aux lobbies nationaux et internationaux, et des fonds pour mener à bien les projets. »

Les deux conditions nécessaires à l'efficience d'une organisation européenne sont en effet, d'une part qu'elle bénéficie d'une certaine autonomie de *pouvoir* par rapport aux Etats nationaux, sur les secteurs choisis, et d'autre part qu'elle soit dotée de *ressources propres*, pour les grandes actions déterminées en commun. Ces deux questions, souvent compliquées par les polémiques, doivent être éclaircies.

La première, qui est celle du pouvoir, revient à examiner la règle de la majorité. Il y a en fait deux grandes techniques de coopération internationale : celle de type confédéral, et celle de type fédéral.

Nous avons vu, dans le cas de l'ELDO par exemple, ce qu'est la coopération de *type confédéral*. Le critère de ce type d'organisation consiste en ce que les décisions ne peuvent être prises qu'à l'unanimité des membres. De sorte que les institutions communes se limitent à un secrétariat qui n'a de pouvoir que sur certaines méthodes d'application, mais aucun sur les décisions majeures. De telles institutions décident peu, lentement, et mal. Car elles ne peuvent le faire que sur la base de compromis entre des intérêts nationaux divergents et non sur la base d'un intérêt commun. Ce n'est pas ainsi que de grands projets industriels peuvent être efficacement conçus et réalisés.

L'autre type d'organisation est *fédéral*. Son critère est simple : il consiste en ce que la majorité (pondérée ou qualifiée, selon les cas) peut décider sur certains points. Toute fédération possède ainsi certains pouvoirs propres, et ses services sont animés par des hommes qui sont responsables devant l'autorité fédérale.

La différence, entre une organisation confédérale et une organisation fédérale, n'est pas de degré, mais de nature. On peut même considérer que la seconde est le contraire de la première. Dans une organisation de type confédéral, aucune décision ne peut être prise sans l'accord unanime. Ce qui veut dire que le nombre et le contenu des décisions ne seront jamais que des minima. La solution confédérale, avec sa règle de l'unanimité, favorise l'abstention par rapport à l'action. En termes économiques : le libre-échange par rapport aux politiques communes, le laisser-faire par rapport à l'action consciente.

Si, au contraire, les membres d'une communauté acceptent de se rallier à certaines décisions qui peuvent être prises à la majorité, l'action devient beaucoup plus facile. L'expérience d'ailleurs la plus élémentaire, dans la vie de tous les jours, montre qu'aucune société commerciale, aucun syndicat, aucune association, aucune famille même, ne peuvent fonctionner sans accepter d'une manière ou d'une autre la loi de la majorité.

La règle de l'unanimité, c'est la technique du refus. La règle de la majorité est une technique d'action. Accepter le Marché Commun sans admettre une règle de majorité c'est accepter l'incroyable utopie d'une société sans Pouvoir et, en pratique, remplacer par le vide, les pouvoirs auxquels les Etats ont renoncé, de fait, en acceptant la libération des échanges. Cela au moment même où nous nous trouvons en face du redoutable défi américain.

Même la libération des échanges d'ailleurs ne pourra pas vraiment se réaliser jusqu'au bout si l'on ne parvient pas à définir un minimum de politique commune. Par exemple, il n'y aura pas de Marché Commun pour les combustibles si les six pays ne parviennent pas à définir une politique commune de l'énergie. On a déjà vu les dispositions du traité sur le Charbon et l'Acier se vider de leur substance en ce qui concerne ces deux produits. Si, par ailleurs, la libération des échanges entraîne des difficultés graves dans telle région, tel secteur d'activité, d'un pays membre, comme c'est inévitable, ce pays se trouvera acculé, en l'absence de politique commune, à prendre des dispositions restrictives, contraires au traité de Rome. Ce qui entraînera les autres Etats à des mesures de rétorsion et remettra forcément en cause l'acquit essentiel de l'entreprise communautaire depuis dix ans : la libération des échanges, condition de la croissance.

Examinons maintenant le problème *des ressources*. Pourquoi les Etats-Unis ont-ils, dans les dix dernières années opéré la plus vaste percée technologique de leur histoire, et de l'histoire du monde ?

Essentiellement parce que leur Etat fédéral s'est lancé

dans le financement de grands projets, visant à transposer de l'invention au plan industriel les dernières découvertes de ce qu'ils appellent la « Big Science ». A la source de la plupart de leurs innovations récentes il y a une énorme dépense budgétaire qui constitue indirectement l'investissement le plus rentable qu'une collectivité ait jamais fait pour elle-même.

Si nous voulons être compétitifs, nous n'échapperons pas à la nécessité de doter l'institution fédérale européenne d'une capacité financière qui lui permettra de jouer un rôle analogue à celui du budget fédéral américain, pour forger une technologie comparable.

Ce résultat ne pourra jamais être obtenu par des dotations budgétaires des Etats-membres ; un tel système enlisera toujours l'Europe dans les pernicieuses querelles du « juste retour », des contrats de complaisance et des marathons diplomatiques.

Accepter une règle de la majorité, sur des cas précis et limités, c'est admettre la légitimité d'un pouvoir extérieur à la souveraineté étatique. Admettre que ce pouvoir dispose de moyens financiers propres, c'est lui reconnaître un certain caractère fédéral.

Il serait illusoire, ou hypocrite, de dire que l'on passera progressivement de l'Europe économique telle qu'elle est aujourd'hui, c'est-à-dire confédérale, gouvernée par la règle de l'unanimité, et pratiquement sans fonds propres de développement, à l'Europe telle qu'elle devrait être pour devenir compétitive avec l'industrie américaine. La preuve en est, d'ailleurs, que l'Europe économique, au lieu de se faire, se défait.

Ni l'Europe, ni la France n'auront accompli l'acte décisif qui leur permettra d'échapper à la « colonisation » américaine tant qu'il n'y aura pas eu, sur certains points précis, un renversement de la légitimité politique en faveur d'une certaine autorité fédérale européenne, qui devra évidemment être fondée, d'une manière ou d'une autre, sur des voies démocratiques c'est-à-dire le suffrage universel.

Si limité que soit au départ le champ de leurs compétences, les premiers gouvernants de l'Europe fédérale auront entre leurs mains le choix décisif de l'essor ou du déclin. Les hommes qui devront donner sa réalité au nouveau pouvoir, faire sentir son poids, faire admettre ses arbitrages, auront besoin de s'appuyer sur la seule légitimité qui compte, celle du suffrage universel. Les technocrates, si qualifiés qu'ils soient, n'auront jamais l'autorité nécessaire pour faire prévaloir un intérêt supérieur aux intérêts particuliers. Pour que s'affirme la volonté de réussite il faudra des dirigeants élus capables de mobiliser l'opinion, de faire appel aux réserves de vitalité des peuples d'Europe par-dessus la tête d'élites conservatrices.

Il importe peu de savoir s'il s'agit d'élire un parlement européen (probablement pas) ou, plus simplement, un directoire fédéral, comme les Suisses. Cette dernière solution serait sans doute la plus raisonnable. L'essentiel est, d'une manière ou d'une autre, l'acte fédéral.

Regardons un exemple concret, tout récent. Il y a un domaine (il n'y en a d'ailleurs qu'un seul) où les Six *ont délégué leur pouvoir,* provisoirement, à un organe communautaire, en chargeant la Commission de Bruxelles de les représenter : c'est le Kennedy Round. Or les intérêts initiaux des Etats étaient ici très divergents. Cependant tout le monde a remarqué l'aisance avec laquelle l'accord des Six s'est fait, au printemps 1967, pour définir la stratégie de l'Europe dans la dure négociation du Kennedy Round, face aux Américains. Le « Financial Times » souligne que le succès des négociateurs européens « est dû à l'attitude agressive de la Commission à l'égard des Etats-Unis ». Démonstration fédérale par excellence.

Un grand patron italien, M. Aurelio Peccei, déclarait ensuite : « Si nous parvenons à nous débarrasser du concept d'Etat-nation, je vois, pour nous tous, un extraordinaire redressement industriel, intellectuel et psychologique. »

Nul ne peut affirmer, bien au contraire, que l'entreprise d'une fédération européenne soit sans risque. Cette histoire-là sera, comme toute histoire, ce que vaudront les hommes qui la feront. Mais refuser ce risque, c'est se priver, d'une manière absolue, de toute possibilité d'action efficace, face au défi américain. Refuser les conditions minimales nécessaires à une politique économique commune, c'est n'avoir aucune politique économique, donc faire le jeu direct de la puissance dominante et se soumettre à sa stratégie.

Et puis il faut regarder en face ce qu'est une fédération politique. Car, au total, le risque est beaucoup plus limité qu'on ne l'imagine.

La France a choisi le libre-échange international. Cela est acquis. Or les contraintes, — les atteintes à notre souveraineté —, qui résultent de cette option en faveur de la libération des échanges, sont infiniment plus grandes que celles qui pourraient résulter d'un choix fédéral à l'échelon européen. Ce point est essentiel. Le reste en découle.

Accepter le libre-échange, indispensable à la croissance économique, c'est s'imposer des contraintes extérieures en matière de monnaie, de budget, de prix, de fiscalité, dont nous n'avons pas encore idée. C'est accepter, si l'on ne compense pas la libération des échanges par des politiques communes, que ces contraintes-là nous soient dictées par les forces aveugles du marché, par des forces sur lesquelles nous n'avons aucune prise. Force des grandes entreprises, force des ententes et des cartels, force de la domination américaine.

A l'inverse, on se trompe beaucoup lorsqu'on pense qu'une fédération politique porterait vraiment atteinte aux personnalités nationales. On imagine aussitôt qu'une fédération européenne aurait pour effet de permettre qu'un préfet de police à Paris soit allemand ou italien. C'est oublier que les fédérations sont, par définition, des pouvoirs toujours limités, mesurés, forcément respectueux des diversités régionales, a fortiori des personnalités nationales.

Près de deux siècles après sa fondation, l'Etat fédéral américain demeure aujourd'hui dans l'incapacité d'appliquer la législation des droits civiques dans tel ou tel Etat du sud des U.S.A. Même les assassins de Kennedy n'ont pas pu être jugés à Washington, mais à Dallas, dans les conditions que l'on connaît. Telles sont les limites vécues d'une fédération politique, puissante et ancienne. Imaginer qu'une fédération politique en Europe impliquerait, pour les Français, par exemple, l'abandon de leur système d'enseignement est d'autant plus irréel — hélas — que dans la République Fédérale allemande, les Lander provinciaux sont seuls compétents en matière d'éducation.

En l'occurence, de quoi s'agit-il ? Exclusivement, et simplement, de transférer, de l'échelle nationale à l'échelle européenne, un *très petit nombre de problèmes* qui ne peuvent pas être résolus avec efficacité au niveau des nations. Et tout d'abord : une politique industrielle et une politique scientifique face à l'Amérique.

L'idée fédérale, comme tout choix d'avenir, contient une grande part de risques et d'incertitudes — c'est vrai. Mais ce risque est limité. Le risque absolu c'est de se refuser tout moyen de décider, lorsque le péril est imminent. Alors ? Comment se fait-il ? Il faut chercher plus loin.

Chapitre 20

Le fond du problème

Les motifs de bonne organisation justifieraient à eux seuls la création d'un pouvoir européen, l'engrenage nécessaire au redressement ne pouvant pas tourner sans un organe fédéral. Mais il y a plus. Au-delà des difficultés techniques qui entravent ce redressement, il faut bien constater qu'une sorte d'inhibition paralyse les pays d'Europe et leurs cercles dirigeants.

Ce sentiment d'impuissance devant la tâche à entreprendre se traduit tantôt par la résignation de ceux qui sont déjà soumis à la domination américaine, tantôt par la révolte de ceux qui la rejettent sans prendre les moyens de leur ambition. Lorsque pareille sclérose menace une vieille civilisation l'ingéniosité des experts est d'un faible secours ; *c'est d'un sursaut politique que doit venir le salut.*

L'action politique, au niveau où elle opère, dispose d'une liberté que les techniciens ne connaissent pas. Elle peut renverser le cours d'un destin en réveillant des forces qui dorment, en organisant des volontés dispersées. En 1940, l'Angleterre de Churchill ayant balayé celle de Chamberlain, le peuple du courage succéda soudain au peuple de l'abandon. Seul, un acte politique pourrait libérer une espérance prisonnière de structures étroites et vieillies. Pour en comprendre la portée, il faut prendre la mesure des résistances qui s'y opposent.

L'un des meilleurs sociologues français de la nouvelle génération, M. Michel Crozier, nous y aide. Voici les conclusions de son rapport général au terme d'un colloque qui s'est tenu à Rome [1].

***

Il s'agit d'analyser l'attitude des différents groupes dirigeants des pays de l'Europe face aux problèmes de son avenir. On a parlé de ce problème en termes de développement soit de l'économie soit des nouvelles données de gestion. On y a réfléchi aussi en enquêtant dans l'opinion. Mais on n'a pas encore réussi à serrer de près le problème du fonctionnement des systèmes politico-sociaux dans les différents pays. *C'est ce fonctionnement, si difficile à transformer, qui doit être la source et l'objectif du développement de l'Europe.* Et c'est à cette difficulté que se heurtent actuellement les entreprises européennes.

Une des bases de ce problème est la façon dont réagissent les groupes dirigeants. Quand nous parlons du problème de la transformation du climat général, de l'évolution de la société, nous insistons beaucoup sur l'évolution des attitudes et de l'opinion. C'est important, mais ce n'est pas suffisant. On ne peut pas prévoir les décisions à partir des attitudes. Au contraire, on peut souvent prévoir les attitudes en partant des décisions, une fois que ces décisions sont prises. Les études de psychologie sociale, et expérimentale, prouvent quel facteur déterminant est la décision. Et celle-ci est fonction d'un processus complexe. Il faut essayer de comprendre.

Nous grouperons ces réflexions en deux thèmes généraux :

1. L'importance du *défi* face auquel se trouvent nos sociétés en raison du développement de l'évolution éco-

1. Séminaire international sur « les groupes dirigeants de l'Europe devant les dimensions nationales et internationales ». Texte traduit de l'italien.

nomique, technique et sociale. L'importance de ce défi a mis en lumière les difficultés que rencontre chaque pays européen, devant des problèmes qui le dépassent.

2. Le second thème concerne la *rigidité* de la société européenne. Nous constatons des points communs : nos systèmes sont, dans l'ensemble, trop « cohérents », et donnent l'impression de participer à un jeu dont ils deviennent les prisonniers.

L'impression d'impuissance, qu'éprouvent les Etats européens, se manifeste de plusieurs façons. Par la perte d'une certaine force d'innovation. Par le sentiment de ne plus être à l'avant-garde, de ne plus participer au premier rang à la lutte pour les développements sociologiques et scientifiques qui conditionnent notre civilisation. Enfin par la conviction d'être distancés, et de n'avoir plus les moyens d'une participation active à ce qui compte dans le progrès de l'humanité.

Beaucoup insistent sur la situation économique. Nos amis belges nous donnent des exemples significatifs sur l'importance des investissements américains dans le développement de l'économie belge. Ils nous apprennent que ces investissements sont l'élément fondamental de l'accroissement industriel en Belgique. Tous sont d'accord pour reconnaître le retard technologique et scientifique de chacun des pays d'Europe. Arrêtons-nous sur ce point.

En Europe, il y a les capitaux européens, mais seules les entreprises américaines semblent en tirer vraiment profit. Pourquoi ? Voilà un problème. Il ne se pose pas seulement en termes économiques. Il met en cause la capacité d'organisation, c'est-à-dire la possibilité de travailler dans des conditions différentes, d'utiliser l'existence d'un grand marché, de savoir en tirer un profit maximal et de s'y adapter. *Le retard essentiel des pays européens semble donc bien être par-dessus tout un retard dans les moyens d'organisation.* Les Américains, aujourd'hui, savent travailler, dans nos propres pays, mieux que nous-mêmes.

Il ne s'agit pas de « matière grise » au sens traditionnel du terme, mais des moyens d'organisation, d'éducation et de formation. Nous avons les hommes capables de faire de la recherche, nous n'avons pas les organismes capables de développer cette recherche à une échelle suffisante pour réussir dans le monde d'aujourd'hui. Nos universités sont dans un état de sclérose et d'infériorité dramatique, et nous avons les plus grandes difficultés à les transformer.

Ainsi le problème qui est devant nous est un problème de transformation de l'ensemble du système : des entreprises, du travail intellectuel, de l'éducation, de la recherche.

Les efforts dans ce sens sont mal dirigés. On s'efforce de créer des centres de production, mais trop souvent ces centres sont de fausses concentrations, ce sont des agrégats de production, centralisés sur le plan financier, mais qui demeurent, pour la gestion, aussi faibles que l'ensemble des entreprises qu'ils ont rassemblées. Ainsi on n'aboutit pas à la création réelle *d'organisations plus agressives* capables de développement.

En ce qui concerne l'instruction, et l'enseignement supérieur en particulier, on assiste à des réformes dans plusieurs secteurs, par exemple en France, mais elles se heutent à de telles traditions qu'on n'aboutit pas à un succès durable. On transforme quelques secteurs, on crée de nouvelles structures, mais en fin de compte la tradition demeure prédominante et l'ensemble ne se renouvelle pas.

Enfin les rapports présentés mettent l'accent sur le divorce profond qui demeure entre la vie sociale (c'est-à-dire chaque individu dans sa vie quotidienne) et la société politique (c'est-à-dire l'Etat et les groupes dirigeants).

Nous remarquons que la vie sociale évolue en fonction des modèles américains. *Les groupes dirigeants européens paraissent n'avoir pas prise sur cette évolution, qui leur échappe, et à laquelle ils échappent.*

Pourquoi un pareil divorce entre la vie sociale et la société politique ? Nous répondrons par une hypothèse : ce qui est frappant ce n'est pas l'évolution apparemment irréversible, vers la société de consommation, sans vision humaniste, mais l'absence d'autorité, et d'influence, de la part des groupes dirigeants.

Il semble que cette absence de pouvoir d'orientation provienne d'une certaine sclérose, d'une sorte de volonté de rester à l'écart du changement, de la part des groupes dirigeants actuels.

Si les rapports entre les groupes dirigeants et la vie sociale sont aussi faibles, c'est que ces groupes conservent leur optique périmée, leur éthique traditionnelle et qu'ils en restent à leurs vieux moyens de pression. *Ces moyens, de caractère bureaucratique et aristocratique, sont ceux par lesquels ils s'efforcent aujourd'hui encore d'agir.* Or ils sont totalement inadaptés à la société nouvelle qui est en train de naître. D'où l'impuissance et le sentiment d'abandon.

Le deuxième thème est celui de la rigidité des systèmes nationaux. Ce qui est intéressant à analyser, c'est une différence de ton entre les rapports présentés par la Belgique et les Pays-Bas d'un côté, par la France, la Grande-Bretagne et l'Allemagne de l'autre. L'Italie se trouvant à mi-chemin entre les deux.

Les rapports français, anglais et allemands montrent le *caractère fermé* des systèmes dont font partie les divers acteurs et les groupes dirigeants.

Ces rapports soulignent les ouvertures, les possibilités de transformation. Mais ils soulignent, aussitôt après, une sorte de « re-nationalisation » presque automatique. François Fontaine le montre pour l'administration française et les groupes politiques français. Il semble d'ailleurs que cette nationalisation n'ait jamais fait défaut. La preuve est donnée par le succès de la politique extérieure de la Ve République. Si elle a eu tant d'influence en France, c'est qu'au moment où les contacts avec l'Europe communautaire commençaient à influencer l'administration française, celle-ci s'est placée en état de résistance. Ce que nous voyons se manifester au plan politique provient de ce type de réaction. Ce n'est pas un hasard. Cette réaction correspond à la stabilité de l'équilibre socio-politique français. Cette stabilité étant différente du style belge, par exemple, parce que l'Etat, en France, a une part plus importante. C'est autour de l'Etat, et de son administration, que se noue le jeu complexe du système français.

Des personnalités politiques, des économistes, des ouvriers et des paysans syndicalistes, ont été interviewés, en France, sur les problèmes régionaux. Nous avons pu constater que les uns et les autres — tous ennemis en théorie de l'Etat dont ils se disent les victimes — sont extrêmement attachés à ce système. Nous avons été surpris par la candeur avec laquelle nos interlocuteurs disent que c'est justement derrière le préfet qu'il faut bien se grouper quand il y a une décision importante.

Nous retrouvons là, sous une forme, le cercle vicieux dont sont prisonniers les Belges et les Hollandais en raison, chez eux, de groupes divisés par les idées religieuses et politiques, division qui constitue une armature puissante à laquelle se sont heurtés les efforts de renouvellement. Cette force de la structure, on la retrouve en France dans la mesure où chaque syndicaliste, ou chaque patron, ou chaque groupe régional croit que la clé de voûte est l'administration publique.

Le rapport sur l'Allemagne nous montre que chaque parti, chaque structure politique, essaie de s'adapter, fait des pas en avant, afin de pouvoir communiquer dans le cadre européen ; mais en réalité, ils restent ce qu'ils sont parce que les contraintes nationales les limitent.

On peut résumer ces observations en constatant que nos sociétés européennes actuelles sont fermées, stratifiées, que l'évolution vers la société de consommation de masse échappe à l'action des élites dirigeantes comme à l'action des pouvoirs publics, incapables pour le moment de mobiliser les ressources nécessaires pour un développement proprement européen.

Ce développement a lieu aujourd'hui d'une manière passive, *il n'y a pas de pouvoir dirigeant qui l'anime pour le transformer en développement de type actif* dans lequel la plus grande partie de la population puisse consciemment s'engager. Nous continuons à subir le progrès.

La solution européenne sera difficile. Ce n'est pas une solution qui coule de source. C'est une solution qui exige, et qui implique, une action.

Tout rejoint le problème socio-culturel. L'adaptation de la part des groupes dirigeants, ou des élites, est en général de style passif, voire « réactionnaire ». Les extraordinaires moyens d'action et de progrès — la télévision et les autres moyens de diffusion, les progrès techniques à la disposition de l'éducation — tous ces moyens sont négligés par les élites alors même qu'elles se plaignent de voir les masses adopter le modèle américain.

Ainsi nos problèmes se ramènent à celui du changement des systèmes profondément sclérosés qui sont ceux des sociétés européennes, qui ont des difficultés à s'ouvrir.

Ceci vaut en particulier pour la situation française. Chaque fois qu'approche le moment où un changement décisif pourrait se faire, pour échapper au vieux système, alors il y a un retour en arrière.

⁂

Telle est l'Europe devant le défi de la croissance, devant le défi de la puissance. Tel est le fond du problème. Il n'est plus dans les chiffres, mais dans les esprits. Quelles forces politiques, quelles idées et quels hommes, les ouvriront au changement ?

CINQUIÈME PARTIE.

LA QUESTION POLITIQUE

Chapitre 21

La génération désignée

La génération d'après-guerre eut à choisir entre l'intégration de l'Europe dans le monde communiste et le maintien de son indépendance. La génération politique d'aujourd'hui va se trouver devant une alternative moins dramatique mais tout aussi claire : faire de l'Europe le foyer d'une civilisation autonome, ou la laisser devenir une annexe des Etats-Unis. Le débordement de la puissance américaine pousse dans la seconde voie nos pays incertains, et le point de non-retour risque d'être atteint avant que les enfants qui ont, aujourd'hui, dix ans soient en âge de voter.

Le redressement est concevable, et il est encore possible ; mais il aura à vaincre de formidables inerties. Ce n'est pas qu'il exige à proprement parler tellement de « sacrifices ». Pour rester maîtresse d'elle-même, l'Europe sera conduite, au contraire, à accroître plus vite sa puissance, sa richesse, et finalement le bien-être de ses habitants. Mais s'adapter à la compétition mondiale, rompre avec les routines de chaque nation, mettre en commun des ressources divisées par quantité de particularismes, se plier à des règles de gestion nouvelles et rigoureuses, cesser de gaspiller les hommes et les capitaux, n'est-ce pas un effort démesuré ? Est-il raisonnable d'attendre du vieux continent la vitalité d'un pays neuf ?

D'autant que la satellisation de l'Europe serait, dans une certaine mesure, et pour un certain temps, conciliable avec l'élévation des niveaux de vie ; et elle ne diminuerait que lentement la liberté de penser. Elle n'empêcherait pas les Français de discuter politique, ni les Allemands d'aller au concert. Au nom de quoi s'y opposer ?

Les habitants de l'Europe de l'Ouest regardent l'autodétermination comme un droit acquis, ils n'arrivent pas à imaginer que ce droit puisse être réellement remis en question. La participation des hommes à l'organisation de leur cadre de vie, de leur avenir, leur paraît toute naturelle. Et pour cause : ébauché au milieu de l'esclavage de la Grèce antique, repris par la théologie avancée du Moyen Age et de la Renaissance, mis en pratique par l'Angleterre « mère des Parlements », proclamé par la Révolution Française, étendu au domaine économique par l'inspiration socialiste, ce principe d'autodétermination est un produit de l'Europe.

Il a reçu un début d'application dans des zones privilégiées de l'hémisphère nord qui groupent moins du cinquième de la population mondiale. L'exception démocratique ferait croire au miracle du hasard si l'Histoire ne prouvait qu'elle est le fruit d'une idée fixe présente dans toutes les doctrines qui ont façonné la pensée européenne, assez vivace — jusqu'à présent tout au moins — pour traverser les catastrophes et survivre aux pires mystifications. Cette volonté de se déterminer soi-même, en se libérant d'abord des oppressions de la nature physique, puis des contraintes de la nature sociale, est la flèche de notre civilisation.

Le jour où elle s'affaiblirait au point que les peuples d'Europe laissent à un « plus grand qu'eux » le soin de frayer leur chemin, l'élan de cette civilisation serait brisé comme l'ont été, voici quelques siècles, celui de la civilisation arabe, ou celui de la civilisation indienne. L'échec deviendrait notre toile de fond. Sans pour autant faire l'expérience de la misère, nous connaîtrions bientôt la fatalité, la dépression collective, que provoquent l'impuissance et le renoncement.

Car il ne sera pas possible d'abandonner aux Américains le « secteur économique » et d'aménager à notre guise les secteurs politique, social, culturel, comme certains pourraient l'espérer. La réalité ignore ces compartiments. Bien sûr, on ne verra pas la « commission américaine » annoncée par Paul Valéry administrer l'Europe en direct. Les électeurs continueront de voter, les syndicats de revendiquer, les parlements de délibérer. Mais dans le vide. Le taux de croissance, les priorités d'investissement, la répartition du revenu national, étant définis par le comportement de la puissance dominante, il n'est même pas besoin d'imaginer des colloques secrets entre les banquiers de Wall Street et les ministres européens pour comprendre que l'essentiel échappera aux procédures de la démocratie.

L'élite dirigeante de l'Europe sera formée à Harvard, Stanford, Berkeley, suivant un processus déjà entamé. Elle parviendra sûrement à se glisser dans une sorte d'oligarchie atlantique et même à y prendre de l'influence sur les orientations. Mais dans ce cas, une barrière supplémentaire se dressera entre les gouvernants et les gouvernés : la disposition du savoir-faire et du savoir-vivre américains constituera un privilège autrement plus séparateur que le titre d'ancien élève de Polytechnique ou d'Oxford.

Quelques firmes dominantes, filiales des grandes entreprises américaines, détermineront la nature des rapports sociaux et les conditions d'existence des salariés : méthodes de travail, relations humaines dans la profession, critères de rémunération et de promotion, modes de sécurité de l'emploi. Leurs patrons, qu'ils soient européens ou américains, seront eux-mêmes des préposés, jouissant d'une certaine marge d'initiative mais dans le cadre des stratégies que les maisons-mères ont pris l'habitude, et ont pour devoir, de dicter à leurs départements dans le monde.

Les capitaux américains, la gestion américaine, ne s'arrêteront pas aux frontières de la culture. Aucun frisson sacré ne retiendra les managers de franchir le seuil de notre sanctuaire. Ils prendront la majorité, et le pouvoir, dans des sociétés qui domineront le marché de la presse, du livre, du film, du disque, et qui contrôleront demain la production des programmes de télévision. Les formules, sinon le détail, des messages seront importés. Les systèmes d'éducation pris au sens large, c'est-à-dire les chenaux de communication par lesquels se transmettent des habitudes, se créent des modes de vie et de pensée, seront dirigés de l'extérieur.

Le Caire ou Venise ont pu conserver leurs caractéristiques socio-culturelles durant des siècles de décadence économique. Le monde était alors moins resserré et le rythme des changements infiniment plus lent. Une civilisation déclinante pouvait vivre longtemps du parfum d'un vase vide. Nous n'aurons pas cette consolation.

Si la France et l'Allemagne avaient une chance d'exercer réellement les mêmes droits que l'Etat de New York ou la Californie, si leurs habitants devenaient « citoyens à part entière » de la Fédération américaine, l'abdication serait moindre. Car ils seraient alors associés à la direction de la puissance mondiale ; le sacrifice de l'identité nationale n'entraînerait pas celui de l'autodétermination. Mais les Etats-Unis sont formés. Le voudraient-ils qu'ils ne pourraient pas redistribuer leurs parts de fondateurs. Il est trop tard pour envisager cette solution. Et d'ailleurs même si cette fusion atlantique préservait le principe essentiel, qui est l'autodétermination, l'Europe trouverait dans ses différences un motif suffisant de demeurer distincte.

Certaines de nos particularités s'expliquent, il est vrai, par un pur et simple retard technologique. Bien des indices d' « américanisation » sont en réalité les signes d'une métamorphose que l'Europe aurait accomplie d'elle-même si les Etats-Unis s'étaient trouvés en arrière et non en avant. Le mépris et la crainte de l'Amérique trahissent chez beaucoup d'Européens la peur d'un avenir que leurs pères ont choisi en ouvrant la première révolution industrielle et qu'eux-mêmes ont voulu en entamant la seconde. Mais l'originalité de l'Europe ne se réduit pas à un simple décalage dans le temps.

Les pays de notre continent ont voulu, et bien souvent su, mettre au pouvoir de l'argent des bornes que les meilleurs esprits d'Amérique cherchent à imposer chez eux : malgré l'enrichissement, l'échelle des prestiges et celle des revenus ne se confondent pas ; les soins les plus coûteux sont à la portée des plus pauvres ; des besoins d'équipement collectif et de sécurité, non représentés sur le marché par une demande solvable, sont, dans l'ensemble, mieux satisfaits. L'un des aspects du problème noir aux Etats-Unis est la méconnaissance de cette trame coûteuse, qui a pourtant une singulière force d'intégration des individus dans la société.

On a souvent remarqué que le prestige de l'intelligence, et la protection des individus contre les pressions sociales, étaient historiquement liés aux structures aristocratiques de l'ancienne Europe. Mais, comme le souligne M. Stanley Hoffman, « ce n'est pas une raison pour abandonner l'un ou l'autre de ces caractères ; c'est une raison au contraire pour essayer d'adapter l'un et l'autre à la période démocratique. Tout le monde, et non pas seulement une élite, devrait apprendre à se libérer de l'aliénation du travail, de l'esclavage de la technique, des exigences inopportunes des « mass media », des pressions des groupes de toutes sortes ».

Les Européens n'ont pas d'excuse à leur passivité, à leur complaisance, car ils sont encore libres d'analyser de manière critique l'expérience américaine. Ils sont encore libres de faire de l'Europe de demain « une société industrielle qui aura son propre visage non pas seulement à cause des traits anciens que la chirurgie esthétique de l'industrialisation n'aura pas effacés, mais aussi à cause d'un effort délibéré pour préserver l'originalité de l'Europe »[1].

L'Europe serait-elle incapable, avec infiniment plus de moyens, de ressources et de facultés, de tenter, comme puissance mondiale, ce que la Suède a réussi, en se spécialisant ? Tout en parvenant au niveau de vie le plus élevé du monde (après celui des Etats-Unis), ce pays de huit millions d'habitants a su se donner une physionomie originale, et profondément différente de la société américaine. En Suède, on démolit des maisons de retraite en bon état, parce que les progrès de la gériatrie permettent à la collectivité d'offrir mieux aux personnes âgées. Cette attention à des biens non mercantiles n'a pas empêché la Suède de porter les secteurs choisis de son industrie au niveau de la compétition.

On tire de l'expérience japonaise, encore bien différente, une conclusion forte et analogue : la croissance économique peut être adaptée à des comportements sociaux, des concepts de civilisation, éloignés du modèle américain. La croissance est compatible avec une large variété d'institutions sociales et de comportements individuels. « Ce n'est pas à imiter ses structures que nous invite d'ailleurs le Japon, mais à admettre un relativisme culturel permettant à chaque pays d'enraciner dans sa propre histoire les contraintes économiques de l'industrialisation et du progrès[2]. » Entre initiative et sécurité, consommations individuelles et équipements collectifs, pouvoir privé et pouvoir public, des équilibres divers peuvent être envisagés. Une nation maîtresse d'elle-même est libre d'imprimer son propre dessin sur la trame commune.

Si l'Europe se décidait à le faire, elle augmenterait notablement les chances de voir s'organiser un monde

1. M. Stanley Hoffmann, professeur à Harvard, dans le « Silence de l'Europe » (Esprit).

2. M. Hubert Brochier, dans « Le Miracle économique japonais ». (1967).

habitable conciliant l'unité de la société industrielle moderne avec la variété des cultures de fond. Une configuration « polycentrique » assurerait à la fois la multiplication des échanges, et le maintien d'une concurrence entre civilisations, qui a toujours été la condition du progrès humain. L'Egypte seule, la Grèce seule, Rome seule, auraient-elles fait mieux que les Mayas isolés dans leur jungle ?

Une structure harmonieuse de progrès mondial a besoin, aujourd'hui, d'une Europe autonome pour se développer. Y a-t-il un groupe aussi avancé que celui des pays du Marché Commun et de l'Angleterre, qui soit en mesure de créer un pôle distinct du pôle américain, comme du pôle soviétique ? La modification qu'une Europe solidaire apporterait à l'équilibre mondial ne résulterait pas seulement du poids de ses propositions. Elle viendrait d'abord de la naissance d'une troisième civilisation industrielle de grande taille, exempte de toute prétention à l'empire universel et n'ayant d'autre stratégie possible que le progrès vers l'organisation internationale.

On peut dire, en un sens, qu'il s'agit là d'une utopie. Le projet est réalisable, mais au prix, c'est vrai, d'un saut d'imagination dans le futur, par-dessus mille obstacles décourageants. Il s'agit d'un choix de principe qui n'est pas justifiable seulement en termes de pure efficacité. Pour s'y risquer, il faut faire violence au scepticisme, penser que la nation n'est pas l'étape ultime de l'organisation sociale, que la politique ne se ramène pas entièrement à des rapports, à court terme, d'intérêts et de forces. Les travaux de l'Américain Herman Kahn, analysés dans le chapitre 3, qui sont fondés sur l'étude du « probable » dans les trente prochaines années, tiennent *cet effort des pays d'Europe sur eux-mêmes, ce sursaut de civilisation, pour improbable.* Il n'entre pas dans les prévisions.

« Il apparaît très incertain à l'auteur de ce rapport,

écrit-il, que la nature des choix et des défis auxquels l'Europe sera confrontée, à cette génération, l'amène à un mouvement d'unification. Dans les circonstances prévisibles, le fait pour les Européens d'avoir un Marché Commun ne les conduira pas spontanément à se donner des institutions politiques qui permettraient de centraliser les décisions. L'Europe aura sans doute un « moral » assez peu élevé en tant qu'acteur sur la scène mondiale.

« Il peut même arriver, en vérité, que l'émergence du Japon, puis de la Chine, au niveau de puissances mondiales, après les U.S.A. et l'U.R.S.S., amène les nations européennes à accepter le statut de cinquième, sixième ou septième puissance dans la hiérarchie du dernier tiers de ce siècle. Mais cette perte de prestige, et de statut, n'entraînera pas nécessairement des conséquences suffisamment aiguës pour provoquer de graves décisions. Cette situation ressemblerait en somme à celle de l'Angleterre aujourd'hui, comparée à celle d'autrefois.

« Alors que l'Angleterre n'est plus vraiment dans la compétition mondiale, la plupart des Anglais considèrent qu'ils vivent très convenablement, et relativement mieux qu'avant. D'ailleurs, par rapport à ses performances économiques d'avant la guerre, l'Angleterre ne subit pas une décadence rapide. Il n'y a donc pas de groupes politiques ou sociaux assez puissants pour y entraîner des décisions radicales qui permettent à leur pays de retrouver sa place. Les Anglais en sont plutôt à douter d'eux-mêmes, à accepter une vision nouvelle et beaucoup plus modeste du rôle de leur pays. Ce sont ces attitudes psychologiques qui se reproduiront vraisemblablement pour l'ensemble des pays d'Europe.

« D'ailleurs, il est maintenant assez prouvé qu'à la base du « technological gap » entre l'Europe et les Etats-Unis, il y a moins des problèmes vraiment techniques que des facteurs culturels *qui paraissent échapper à la volonté politique des Européens.* »

Telle est la « prévision raisonnable » sur laquelle sont

fondées non seulement les projections du Hudson Institute mais de l'ensemble des autres organisations de prospective aux Etats-Unis, comme d'ailleurs au Japon.

Interrogé, à partir des éléments de ce livre, sur l'éventualité d'un sursaut européen qui pourrait modifier ces prévisions, M. Herman Kahn nous a répondu dans une note intéressante [1].

Il dit en particulier : « La Communauté Européenne, que l'on peut envisager, pourrait créer l'image d'une entité nouvelle, multinationale, et multiculturelle, qui fonctionne en dépit de cette multiplicité des caractères différents, et qui soit capable de résoudre ses problèmes vitaux. Elle apparaîtrait alors comme ayant une signification universelle. Une telle communauté provoquerait, à notre avis, un encouragement incomparable pour les aspirations des peuples extérieurs qui y trouveraient un modèle et un appui. Sa diversité interne la rendrait particulièrement apte à entraîner vers le progès les nations du monde sous-développé qui la considéreraient comme un exemple, sans craindre son hégémonie... J'ai indiqué tout au long de mon rapport mon scepticisme réel sur les chances qu'avait l'Europe de se résoudre à créer une communauté politique nouvelle dans les vingt prochaines années. Mais il n'est, en effet, pas tout à fait impossible qu'une telle communauté s'organise.

« Je pense que si elle le faisait, non seulement elle n'entrerait pas en conflit avec les valeurs nationales des différents pays européens mais qu'elle les préserverait en les développant. Une telle communauté serait sans doute, alors, l'entreprise la plus importante à l'horizon de 1980. Non seulement son influence directe serait considérable, mais son rôle de modèle pour d'autres groupements de peuples pourrait apparaître comme une étape décisive vers un ordre mondial plus coordonné. Parce qu'elle pourrait être l'égale des Etats-Unis avant la fin de ce siècle, et supérieure à l'U.R.S.S. ou au Japon, la Com-

1. Publiée en annexe.

munauté Européenne pourrait coopérer avec ces autres puissances sur une tout autre base que ce que l'on peut imaginer aujourd'hui. Sous la pression de cette concurrence, ces puissances elles-mêmes seraient sans doute amenées à de nouveaux projets dans le progrès mondial...

« D'un point de vue strictement européen, l'existence d'une telle communauté retirerait au retard de l'industrie et de la science en Europe les prétextes de la dimension insuffisante et d'une aide publique inconséquente. En débarrassant les Européens de leurs complexes, elle leur permettrait de *concentrer leurs efforts sur les facteurs socio-culturels et politiques,* qui sont beaucoup plus sérieux que les purs problèmes techniques, et *qui sont ceux-là mêmes qui détermineront en fin de compte les chances de l'Europe dans la compétition avec les Etats-Unis.* »

Que le problème soit politique est hors de doute. Les recettes techniques, industrielles, financières qu'il faudra employer pour hisser l'industrie et la science européennes au niveau de la compétition mondiale apparaissent clairement, et d'une manière pour ainsi dire neutre, à tout observateur attentif des phénomènes de la croissance moderne. Ce sont les rigidités politiques, les réflexes de défense et de crispation, qui freinent, souvent de manière dramatique, le changement. Ce n'est pas l'aptitude technique qui fait défaut, c'est d'abord la volonté de modifier les règles du jeu social, à l'intérieur de chacune de nos nations, c'est l'ambition politique. C'est ce qui dépend, en somme, directement de nous.

M. Louis Armand, à l'examen des formes du « gap » technologique entre l'Europe et les Etats-Unis, conclut, lui aussi, en insistant sur les processus mentaux, plus que sur les problèmes techniques.

A partir des éléments apportés dans les quatre premières parties de ce livre, voici les réflexions de Louis Armand :

« Comment l'Europe peut-elle avoir une personnalité économique ? Si l'on ne voyait le problème que sous cette forme, ce serait la mauvaise façon de le voir. Ce serait ne pas tenir compte de tous les éléments qui vont jouer dans les années à venir... Si l'on veut que l'Europe joue un rôle, le fait, indispensable, qu'elle soit présente dans les échanges technologiques mondiaux, n'est pas suffisant. Si l'on veut que l'Europe existe, la première condition, évidemment est qu'elle soit une unité économique. Mais la seconde, et la plus difficile, c'est qu'elle ait une pensée personnelle, qu'elle ait une éthique, qu'elle ait une politique — c'est là que nous sommes le plus en retard... L'absence de pensée originale européenne est encore plus nette que l'absence de personnalité technologique. C'est cela qui domine.

« L'Europe lorgne vers la richesse américaine. Puis, comme elle a besoin d'une espèce de bonne conscience, et pour satisfaire sa jalousie, elle lorgne aussi vers les pays les plus pauvres. Alors elle louche... *L'Europe louche dans l'espace et elle louche dans le temps.* Elle louche dans le temps en ce sens qu'elle ne veut pas oublier le Commonwealth. C'est difficile d'oublier les colonies et le français, langue diplomatique. L'Europe louche à la fois entre l'Ouest et l'Est, et entre le Passé et l'Avenir. Elle n'a aucune chance de jouer un rôle dans la phase planétaire de l'humanité tant qu'elle ne sait pas ce qu'elle veut... Or cette mutation nécessaire de l'Europe ne se fera pas spontanément. *Il y faudra des hommes de volonté, des hommes politiques.*

« Car, finalement, ce ne sont pas tellement les équipements qui sont décisifs, ce sont les structures politico-économiques. L'ordinateur va produire une révolution beaucoup plus grande encore que la construction en série. Il va s'appliquer à tout, depuis le Droit jusqu'à la technique la plus élémentaire. Alors l'Europe a une chance : elle n'a pas besoin de tout fabriquer, il faut surtout qu'elle s'applique à savoir, mieux que les autres, utiliser bien les nouveaux équipements. Cela est beaucoup plus important.

« Pour un homme qui fabrique la machine (l'ordinateur), il en faudra dix qui réfléchissent sur la manière de l'utiliser (« software ») ; et il en faudra probablement cent pour mettre au point la programmation du software dans telle et telle technique précise. La manière d'utiliser les ordinateurs est beaucoup plus difficile que leur fabrication. C'est une question d'intelligence, de travail d'équipe ; et c'est la chance de l'Europe si elle comprend le problème. *Il s'agit pour elle d'être plus intelligente « en structures », puisqu'elle a pris du retard sur les équipements.* Et c'est ainsi, à condition qu'elle en ait la volonté politique, que l'Europe pourrait marquer d'un sceau original toutes les activités d'avenir depuis les sciences humaines jusqu'à la gestion des affaires [1]. »

Une troisième confirmation, enfin, de la nature du problème nous est fournie directement par M. Jacques Maisonrouge.

M. Maisonrouge ne parle pas politique ; mais quand nous lui demandons les raisons qui expliquent le retard de l'Europe, voici ce qu'il répond :

« Quels sont les facteurs du retard européen ? Il faut bien commencer par citer la structure même de l'enseignement... Au-delà de la formation des élèves, et des étudiants, elle-même, il se pose un problème majeur qui est celui de la formation permanente des cadres. Les industriels et les hommes d'affaires européens n'ont pas encore compris que la formation des cadres est une nécessité absolue... Et puis se pose la question de ce qu'on peut appeler l'environnement. Du côté européen existe, chez les chefs d'entreprises, un besoin fondamental de sécurité, se manifestant par de vieilles habitudes de partage du marché, de cartels, d'associations, de discussions entre fournisseurs d'une même administration, de fixation des

1. Voir note en annexes.

prix entre les entreprises d'une même profession. Aux Etats-Unis, nous trouvons une autre atmosphère... D'autre part, il est indiscutable, dans le monde moderne, que les gouvernements sont amenés à contrôler de plus en plus la vie économique du pays, dans le but essentiel d'amortir les fluctuations de la conjoncture, et d'empêcher les crises sociales dans un système protégeant de plus en plus l'individu... Mais étant donné le système d'éducation et les méthodes administratives que l'on trouve en Europe, on est en présence de deux mondes tout à fait séparés. D'une part le monde de l'industrie qui désire « faire des affaires », et d'autre part le monde administratif n'ayant guère de connaissances sur les véritables problèmes de l'industrie... Je ne dis pas que les gens de l'administration aient tort ou que ceux de l'industrie aient raison ; mais il se trouve que les résultats économiques de leur carrière sont tellement différents qu'il y a un hiatus entre ces deux catégories, ce qui a pour résultat de maintenir en Europe un phénomène propre aux pays sous-développés, c'est-à-dire de très grandes différences de classes... Il existe enfin un évident manque de volonté, chez les dirigeants d'entreprises en Europe, de coopérer avec les comités d'entreprises, et les représentants des syndicats dans leurs affaires... *Il est évident que le retard européen n'est pas un retard général des cerveaux. C'est une absence d'organisation*[1]. »

Le défi américain nous pose tous les problèmes à la fois, dont les moindres sont purement techniques. C'est une affaire qui concerne finalement l'organisation des rapports de production et des rapports sociaux, pour permettre à l'homme européen de trouver la plénitude de ses moyens, et à nos sociétés industrielles d'acquérir la capacité de lutter et de conquérir. Problème politique.

L'étude des exemples les plus instructifs, comme ceux

1. Voir note en annexes.

du Japon et de la Suède auxquels nous nous sommes déjà référés, le confirme et l'illustre. Or l'Europe conssitue un tel gisement de talent, et de faculté créatrice, qu'elle peut faire plus et mieux. Mais sur qui, sur quoi, se fonder pour engager un pareil redressement ?

Ici s'arrêtent les apports des experts, les enseignements des chiffres, et les conclusions des dossiers. Ici s'estompe, forcément, la prétention à l'objectivité pure et presque à la neutralité, qui fut la nôtre jusqu'ici. Il faut s'engager plus avant.

L'interprétation des réussites extérieures suggère que *la condition fondamentale* du redressement, pour une société industrielle, est un très haut degré d'intégration sociale. Une sorte de pacification, ou du moins une absence de guerre civile, qui permet une forte adhésion du corps social aux nécessités du changement. Ceci apparaît, en particulier, en ce qui concerne :

— le prix accordé à la sécurité individuelle, et à la sécurité sociale, face aux transformations technologiques ;

— l'importance particulière, admise maintenant par tous, du rôle directeur de l'Etat ;

— la prise de conscience collective s'incarnant en une volonté commune, et même populaire, de créer un modèle original.

L'ensemble de ces éléments, essentiels, doit être pris en compte si l'on veut éviter en Europe l'extension de phénomènes d'aliénation tels que ceux qui ont été à l'origine des partis communistes. Pour éviter tout ce qui pourrait susciter la révolte, légitime, de groupes sociaux victimes du changement, il faut s'appuyer sur des valeurs et des forces politiques qui, à la fois, préservent l'originalité de l'Europe et soient les plus aptes à promouvoir les adaptations à la croissance.

L'interprétation ainsi proposée peut être jugée discutable, notamment en ce qu'elle conduit à souligner la valeur d'avenir des idées traditionnelles appartenant à ce qu'on appelle en Allemagne et en Scandinavie, la social-démocratie ; en Angleterre, le travaillisme ; et dans les pays latins, la gauche. Nous nous bornons à apporter le témoignage d'une interprétation personnelle.

Interprétation d'un homme de cette génération de quarante ans pour qui le défi américain est la question vitale, et qui sera sans appel. Si la génération qui arrive aux postes de responsabilité, et devient ainsi maîtresse des orientations, s'avère incapable de relever le défi, il n'y aura pas de deuxième chance. L'Europe offerte en 1980 aux hommes qui ont aujourd'hui vingt ans serait alors un continent sorti de l'Histoire, menant une vie sans aventure et sans projet, à l'ombre de la dépendance américaine.

Interprétation donc et engagement d'un Français de cet âge simplement persuadé, à l'étude du dossier qui a été présenté ici, sans passion, que la meilleure intégration sociale ainsi que le redressement de l'Europe passent *ensemble* par une nouvelle *exigence de justice* et par la modernisation des vieilles valeurs *de confiance dans l'homme* qui sont dans l'héritage naturel de ce qu'on a appelé, dans l'Histoire, la gauche. Et qui ont, d'ailleurs, été utilement mises en œuvre dans le développement des Etats-Unis eux-mêmes, sous l'influence et l'action des éléments éclairés du Parti Démocrate, depuis 1932.

Le sort de l'Europe et le sort de la gauche paraissent bien être étroitement liés par le défi américain. Si la gauche, *et surtout en France,* restait ce qu'elle a été, les chances d'une intégration sociale, condition et moteur du changement, seraient nulles, comme alors celles de l'Europe de hisser sa puissance technologique au niveau mondial.

Même si les chances de l'intégration sociale sont nulles, il demeure que l'évolution technique et la concurrence internationale imposeront le changement. Mais alors il sera subi d'une manière douloureuse. Il provoquera des frictions, des freinages, des résistances.

Si la gauche, au-delà de ses réflexes actuels de crainte et de crispation devant l'accélération du progrès, redécouvre, au contraire, les valeurs traditionnelles qui ont fait sa vocation, elle peut libérer, en France, et par conséquent en Europe, une énergie neuve si considérable que les facteurs du drame en seraient tout à fait modifiés. C'est d'un tel réveil que peut venir le salut.

Ce n'est pas par sectarisme, goût du passé, ou manie des classifications, que le mot de gauche, avec tout ce qu'il évoque, est repris dans ce livre. Mais parce qu'il serait absurde de passer par profits et pertes l'élément capital, intellectuel, affectif et historique que constitue la gauche française au moment où il semble précisément que ce capital puisse servir la cause du développement européen. La gauche dont il s'agit aurait pour ambition principale de mettre fin aux conflits qui déchirent et aux divisions qui retardent la société française, et dont la solution apporterait une contribution de première importance au redressement de l'Europe.

Il n'est pas question qu'un pays comme le nôtre atteigne le degré d'organisation et d'efficacité nécessaire pour jouer son rôle dans la construction de l'Europe, et la riposte au défi américain, si les différents partenaires du jeu politique, économique et social, persistent comme ils le font aujourd'hui à se nier et s'ignorer mutuellement. Tant que le patronat continuera de récuser les syndicats, que ceux-ci refuseront le dialogue avec le patronat, tant que le gouvernement niera la légitimité de l'opposition et l'opposition celle du gouvernement, aucune des mutations nécessaires ne pourra se produire. Les fractures de la société française continueront d'être la cause d'énormes gaspillages, et de l'affaiblissement européen.

On reproche souvent à la gauche ses chimères : désarmement général, abolition des barrières de classe, gouvernement mondial, etc. Voici, pour une fois, un projet qui peut aboutir. Si elle ne le tentait pas, la gauche perdrait ici sa raison d'être, qui est d'appeler tous les hommes — et pas seulement un patriciat — à prendre en main leur destin. Dans une Europe satellisée, les plans de démocratisation de l'enseignement, de l'information ou de l'entreprise, deviendraient dérisoires, et inopérants les débats sur le contenu de la démocratie. Nous n'avons plus à nous demander s'il convient ou non, pour l'Europe occidentale, d'emprunter la voie de la bureaucratie soviétique. Il ne lui reste à choisir qu'entre un sous-produit du modèle américain et la poursuite de ses propres conquêtes dans la ligne de son propre génie. Or ce que l'Europe a de spécifique — efforts pour dépasser la rationalité du marché, collectiviser les risques, limiter le rôle de l'argent — est en grande partie, l'apport du courant de gauche. Les chances d'une Europe autonome et celles d'une gauche moderne sont, nous allons le voir, enchevêtrées.

En 1932, le réformateur qui venait d'être élu à la Présidence des Etats-Unis, face à la plus grande crise de développement de son pays, et à la plus grave crise de confiance de son peuple, lança son cri célèbre : « Cette génération d'Américains a un rendez-vous avec la destinée. » Ces Américains prirent leurs responsabilités et engagèrent irréversiblement l'Amérique, par un soudain élan populaire appuyant le « New Deal », dans la voie de la puissance au moment même où elle risquait de perdre toute ambition.

Cette génération d'Européens, près d'un demi-siècle plus tard, a elle aussi rendez-vous avec sa destinée.

Chapitre 22

La force d'entraînement

Le jeu, l'opposition, la dialectique, entre un parti modéré et un parti progressiste sont aussi essentiels à la croissance qu'à la démocratie. L'avance prodigieuse de la technologie moderne ne périme pas le moins du monde les notions de droite et de gauche. Ni le progrès social ni la démocratie ne seront jamais des sous-produits de l'invention technique, même quand celle-ci leur ouvre, comme aujourd'hui, des perspectives immenses. *La politique, c'est-à-dire le couple vivant droite-gauche est, toujours davantage, la source irremplaçable de fécondité.*

La gauche française, avec la France elle-même, est au cœur du problème européen. Si elle ne joue plus son rôle, tout en est comme atrophié, et presque stérilisé. Comment la gauche s'est-elle pervertie ? Peut-elle retrouver sa vertu et sa vocation ? Ces questions concernent les Français au-delà des frontières de la gauche, et les Européens au-delà des limites de la France.

La gauche porte en elle une contradiction qui fait toute sa valeur et qui se trouve en même temps à l'origine de ses maladies. Alors que la droite suit les reliefs de l'Histoire et ses lignes de pente, la gauche, par nature, est écartelée entre la contestation et la responsabilité. Elle est obligée de refuser la société telle qu'elle est, mais en même temps, elle ne peut la nier. Elle doit construire des utopies, y puiser le courage de surmonter des obstacles apparemment invincibles, fixer des repères lointains qui guideront son action au jour le jour, prendre ses distances vis-à-vis d'un présent dont elle ne se satisfait pas.

Cependant, il faut bien qu'elle le prenne en charge, ce présent.

Autrefois, la perspective d'une révolution simplifiait tout. Lénine pouvait se désintéresser du processus d'industrialisation et de libéralisation de l'Empire des Tzars, puisqu'il comptait l'abolir et le remplacer par un ordre entièrement différent. Les Bolcheviks n'étaient « de ce monde » que pour le dénoncer, le dissoudre, et le détruire.

Pour la même raison, les communistes français se croient autorisés à faire, ou au moins à parler, comme si tout était possible à la fois : élévation des salaires, réduction de la durée du travail, diminution des impôts, augmentation des dépenses. Le malentendu qui les sépare de leurs voisins provient de ce qu'ils ne partent pas de la même hypothèse. Par la pensée, la gauche révolutionnaire habitait dans le futur, ou dans le rêve, comme la droite habite dans le présent. A partir du moment où la révolution — ce qui est le cas au moins dans les pays hautement industrialisés — devient à la fois impraticable et inopportune, et où il apparaît clairement qu'elle ramènerait la France à l'isolement et à la stagnation, la tâche de la gauche se complique.

Il lui faut être en même temps en 1967 et en 1987, circuler entre la réalité et l'utopie. Tant qu'elle maintient un équilibre entre les requêtes de son idéal et les contraintes du présent, l'opposition de ces deux termes lui sert de moteur. C'est ce que font les socialistes suédois qui parviennent encore à perfectionner chaque année une société qu'ils gèrent depuis quarante ans.

Lorsque cette dialectique ne joue plus la gauche se dénature et devient conservatrice, soit par impuissance, soit par conformisme. Qu'elle perde de vue son point de départ ou qu'elle perde de vue ses objectifs, le résultat est le même : elle cesse d'être un facteur de changement.

La gauche s'est laissé déséquilibrer par la contestation. Sa critique justifiée du capitalisme a dégénéré en un culte de la bureaucratie. Son procès justifié de l'autoritarisme a dévié en apologie du pouvoir faible. Son messianisme l'a éloignée du monde présent et de nos problèmes.

Le procès du capitalisme français était plus que justifié par son injustice et son mauvais rendement. Il était normal que la gauche, aidée en cela par la leçon des crises, pousse au renforcement de l'Etat, à l'établissement d'un véritable pouvoir de commandement économique par les seuls procédés alors connus, notamment la nationalisation.

Mais dans ce combat au jour le jour, s'est produit un transfert. Tout ce qui est privé — l'entreprise privée, la propriété privée, l'initiative privée — ayant été confondu une fois pour toutes avec le Mal, tout ce qui est public a été identifié avec le Bien.

En dépit des réserves de la pensée socialiste à l'égard du fonctionnarisme et de l'Etat bourgeois, l'habitude s'est prise de réclamer, chaque fois qu'un secteur était déficitaire, ou attirait l'attention de quelque manière, soit une nationalisation, soit une réglementation propre à supprimer la concurrence à coups de taxations et de contingentements.

Seule une minorité s'est avisée, chemin faisant, que de nouvelles méthodes encore grossières mais perfectibles étaient nées, qui permettraient un jour de remédier aux abus et aux lacunes de l'économie de marché sans en perdre les stimulants et les signaux. La nationalisation est restée, dans les programmes traditionnels une sorte d'ouvre-boîte universel. Une double confusion s'est produite : confusion entre la propriété et le pouvoir, confusion entre la planification et la bureaucratie.

Le pouvoir n'est plus guère lié à la propriété : c'est ce que démontre la pratique des grandes sociétés qui, de plus en plus, contrôlent les secteurs clés de la production. Chacun sait que les droits des actionnaires se bornent maintenant à l'encaissement des coupons, et ceux des conseils d'administration, dans la plupart des cas, à la ratification des décisions prises par le management.

Dans son nouveau livre, l'économiste John Kenneth Galbraith, qui est devenu l'inspirateur des forces de gauche américaines, résume ainsi cette nouvelle situation[1] : « Le transfert du pouvoir s'est fait en grande partie sans que l'on s'en aperçoive parce que, comme ce fut vrai autrefois de la terre, la situation du capital est imaginée par la plupart comme étant immuable. Que le pouvoir soit ailleurs que dans le capital ne paraît pas naturel. Et ceux qui le démontrent sont souvent dénoncés comme étant à la recherche de nouveautés artificielles.

« Si cela n'est pas apparu évident, c'est aussi parce que le pouvoir ne s'est pas transféré sur l'un des autres partenaires classiques du jeu social, tels qu'ils sont décrits dans les manuels d'économie conventionnels. Il ne s'est pas transféré aux travailleurs. Les travailleurs ont conquis une certaine autorité sur l'accroissement de leurs salaires et l'amélioration de leurs conditions de travail, mais pas sur la direction de l'entreprise.

« Le pouvoir ne s'est pas transféré non plus au chef d'entreprise classique — celui qui, autrefois, réalisait, à son profit personnel, la combinaison du capital avec les autres facteurs de production. Dans notre nouveau système industriel, son pouvoir individuel est, au contraire, plus limité.

« Le pouvoir se transfère, en fait, à ce que l'on doit appeler un nouveau facteur de production. *Ce facteur est l'association d'hommes et d'équipes,* de compétences techniques variées, que le processus moderne, de l'innovation technologique, exige. C'est sur l'efficacité de ce *nouveau type d'organisation,* comme le reconnaissent toutes les doctrines économiques modernes, que repose le succès de la société industrielle. Si on la démantelait,

1. « The New Industrial State » par John Kenneth Galbraith (Boston, 1967).

ou si elle s'affaiblissait, il n'est pas certain que l'on pourrait la reconstruire. La renforcer et l'élargir est une tâche ardue, délicate et constante, qui est à la base du progrès de nos sociétés. »

C'est ce que confirme d'ailleurs l'expérience des nombreuses entreprises — grandes banques de dépôts notamment — dont le comportement n'a guère changé après qu'elles furent passées aux mains de l'Etat. Mais la croyance dans les miracles de l'expropriation a fait oublier à beaucoup d'hommes de gauche où ils voulaient aller et les a dispensés d'étudier par quels cheminements. Le domaine de l'Etat étant vu comme une sorte de camp retranché, d'où une sortie en masse irait un jour conquérir la zone ennemie, les moyens pratiques d'établir, sans guerre civile, sur l'ensemble du territoire économique « la souveraineté populaire », ou au moins de l'améliorer, n'ont pas suscité assez d'intérêt.

Parmi ceux qui ont compris que tel était bien l'objet et l'intérêt de la planification, le « modèle soviétique » a exercé une évidente fascination. Toute une partie de la gauche communiste, et même non communiste, a cru longtemps reconnaître l'Avenir dans un système conçu en 1928 pour une société de tradition despotique et d'économie attardée, mal adaptée d'ailleurs au degré de maturité ultérieurement atteint par l'U.R.S.S. elle-même. Ainsi la gauche a exigé que l'on entasse des armes juridiques dans l'arsenal public, pour forcer le passage de la planification « indicative » à la planification « impérative » et détaillée , alors que ce qui manquait à l'Etat c'était la cohérence interne et la résolution nécessaire pour encadrer *par une stratégie du développement* l'action d'unités autonomes (privées et publiques).

La première condition de cette cohérence — l'autorité et la stabilité du pouvoir exécutif — était en même temps rejetée par la gauche traditionnelle. Car l'Etat dont on sanctifiait les interventions restait, d'un autre point de vue, et dans la tradition d'Alain, un suspect.

La critique de l'autoritarisme dans un pays comme la France qui en est imbibée au point d'en être malade, était aussi justifiée que celle du capitalisme. Mais là aussi, elle s'est trompée de cible. Il y avait un combat à livrer pour faire de la démocratie quelque chose de concret, de vécu, de quotidien, dans l'entreprise comme dans les régions, dans les grandes villes comme dans les partis politiques, dans la préparation du plan comme dans la gestion de l'éducation nationale, ou dans le fonctionnement de la radio et de la télévision. Mais la gauche a préféré le plus souvent se battre contre l'exécutif fort — à défaut duquel pourtant il est vain de prétendre à une quelconque domination des forces économiques — et se battre accessoirement contre la « technocratie », instrument pourtant utile au succès de cette ambition sous réserve qu'il y ait un pouvoir assez ferme pour le manier.

L'amour des solutions bureaucratiques et le goût du pouvoir faible sont des traits contradictoires en apparence. Mais tous deux ont contribué à réduire le rôle de la liberté et de la volonté humaine dans l'aménagement de notre société. Le premier a favorisé l'effacement de la concurrence, de l'initiative, et du risque, auxquels nos dynasties bourgeoises n'étaient que trop disposées à consentir. Le second a empêché l'Etat de porter notre système économique et social au degré d'efficacité et de justice qui aurait dû être le sien si les interventions publiques avaient été mieux calculées et moins discontinues.

Mais ce qui retire le plus de rigueur à la gauche, c'est l'apparente inversion de ses réflexes devant l'avenir. « Ceux qui avaient peur de l'avenir s'y adaptent maintenant car ils y voient une rassurante prolongation du présent ; ceux qui vivaient pour l'avenir en ont perdu les clés, et les recherchent à tâtons ; ils s'épouvantent des menaces et cherchent refuge dans leurs traditions. » L'auteur de cette constatation, le sociologue français

Edgar Morin, cite le cas d'une commune rurale du Finistère où il a enquêté.

Les « réactionnaires » d'avant-guerre, les représentants des grandes familles « blanches » ont évolué ; ils acceptent le temps présent, voire le futur, avec confiance. Les leaders laïcs et socialistes de la commune sont au contraire saisis d'angoisse lorsqu'ils évoquent maintenant l'avenir. Pour eux, non seulement les grands loisirs modernes et les nouvelles habitudes des jeunes sont des éléments négatifs, mais l'avenir, dans son ensemble, leur paraît une source d'angoisse. « On ne sait plus où l'on va »... « On est dans une voiture lancée dans le brouillard » — tels sont les termes qu'ils évoquent naturellement lorsqu'ils regardent l'avenir.

Les deux mythes qui donnent au temps une pente descendante, celui de l'Age d'or, et celui de l'Apocalypse, sont passés de la droite à la gauche. A droite, Charles Maurras avait naguère, bien au-delà des zélateurs de l'Action Française, fait prévaloir sa croyance dans une apogée antérieure de la société : l'ordre classique, fruit quasi miraculeux d'une rencontre de la pensée grecque et du catholicisme. Toute innovation risquait de ruiner cet équilibre inespéré, dont l'harmonie se perpétuait encore.

La « Petite peur du XXe siècle », analysée il y a vingt ans par Emmanuel Mounier, habitait ce noyau de la droite pour qui l'avenir prenait tantôt la forme d'une termitière démocratique, tantôt l'aspect d'un monde asservi par les robots. Mais elle tend à s'effacer. Vatican II a guéri l'Eglise catholique de la névrose intégriste. Et pour la droite politique moderne, l'avenir est du côté de l'Amérique, image tranquillisante pour elle.

A gauche il y a un ou plusieurs Ages d'or. Pour les uns, c'est le temps de Combes et de Waldeck-Rousseau. Pour les autres, celui du Front Populaire. L'Age d'or de 1936 a ses limites, rappelées sévèrement par M. Roger Priouret : « Léon Blum a gouverné dix mois seulement, et il a été débordé par les occupations d'usines avant même d'avoir pris le pouvoir. Il n'a pas pu faire à froid la dévaluation qui s'imposait. Et il n'a pas pu refuser les « quarante heures » qui ont compromis l'expansion. En fait, 1936 a été une explosion du monde ouvrier après une longue et terrible crise de chômage, comme l'a été 1945 après la souffrance de l'Occupation. Le moins que l'on puisse espérer pour l'avenir des hommes est que de tels drames ne se renouvellent pas. »

Mais les mythes sont parfois plus tenaces que les faits. Et le Paradis Perdu de la gauche brille d'un éclat d'autant plus vif que la Terre Promise n'est pas en vue. Dans la gauche progressiste et laïque, on voit même apparaître, comme l'écrit M. Edgar Morin, « la crainte d'un avenir de barbarie où la télévision, les bals, l'égoïsme et la jouissance emporteraient l'acquit de siècles d'humanismes ».

On dirait en somme qu'un mouvement rapide de la droite a tourné les positions que tenait la gauche : des politiciens sportifs, des ingénieurs dynamiques, des technocrates formés à la prospective surgissent de son côté. Dans le contexte du changement, qui est celui où nous entraîne l'innovation technologique permanente, la droite ne serait-elle pas, encore une fois, et pour d'autres motifs, plus apte à gouverner ? Les chefs modernes du nouveau parti conservateur, comme M. Valéry Giscard d'Estaing, pensent qu'elle est faite pour agir, et que la gauche est faite pour critiquer. N'est-ce pas exact ?

Du temps où la bonne gestion s'identifiait essentiellement avec la stabilité de la monnaie, l'avantage était à la droite. Maintenant qu'un gouvernement efficace postule une adaptation continuelle au changement, les atouts ne sont-ils pas encore de son côté ? Quand la gauche des années 30 annonçait les lendemains qui chantent, les « honnêtes gens » craignaient en votant pour elle de voir l'utopie fleurir à Matignon. Maintenant que le goût de l'avenir et la volonté de progrès devraient la porter tout naturellement aux responsabilités, les a-t-elle encore ?

Une réponse sans nuance méconnaîtrait une évidence : les traits de culture qui expliquent à la fois une certaine adaptation et une certaine résistance de la société française au changement, sont, dans une large mesure, communs aux hommes de droite et aux hommes de gauche. Ils forment ce qu'il n'est pas exagéré d'appeler le tempérament national. Deux facteurs toutefois ont joué en faveur de la droite :

— l'explosif s'est métamorphosé en opium ;

— le pouvoir n'use plus, il renouvelle.

La gauche avait jadis entre les mains un explosif : la révolution. C'est lui qui s'est transformé en opium. « Je ne vois pas présentement, écrit M. François Bloch-Lainé, où sont les explosifs de qualité. J'aimerais que les hommes de gauche, qui empruntent aux communistes leur dialectique mais qui s'arrêtent juste avant la conclusion, s'expliquent une bonne fois sur l'événement qu'ils souhaitent, sur le socialisme conforme à leurs vœux qui naîtrait d'une explosion des structures actuelles de l'économie. Il y avait dans la France de 1788, et dans la Russie de 1916, des forces neuves, jugulées par des privilèges et prêtes à se substituer à des pouvoirs abusifs et décadents. Est-ce le cas de la France aujourd'hui, et d'une façon si générale que le bonheur de la majeure partie de la population ne puisse être accru sans tout remettre en cause ? Qui et quoi, sauf la dictature d'un parti soviétique, sortirait du bouleversement ? »

Les forces neuves qui, dans la Russie de 1916, étaient prisonnières de cadres vermoulus sont dans la France de 1967 captives des restes de l'idéologie révolutionnaire. Cette idéologie comportait à l'origine une motivation positive : le présent est tellement intenable qu'il faut une révolution pour accoucher de l'avenir. Insensiblement, le sens de cette proposition, pour les vieux militants, s'est renversé : l'espoir des lendemains qui chantent est si consolant qu'il dispense de changer le présent.

On a cent fois montré comment la perspective, de plus en plus théorique, d'un bouleversement de plus en plus lointain, servait d'alibi au conservatisme des appareils politiques. Mais l'espérance d'un retournement final adoucit également pour les individus la peine d'être en bas de l'échelle sociale. Le sociologue américain, M. Jesse Pitts, observe à ce propos que cette espérance joue dans la France contemporaine un rôle analogue à celui que Marx attribuait à la religion dans le capitalisme du XIXe siècle. Tenant d'une révélation qu'ils seront les premiers dans un monde meilleur, les derniers supportent d'autant mieux les injustices du temps présent. L'attente de la terre promise désarme les combattants. Son annonce remplace pour les militants les opérations payantes.

Ce parallèle n'est malheureusement pas une plaisanterie. Il est vrai qu'une énorme partie du courage et du dévouement des syndicalistes se dépense en « revendications-témoignages » qui préservent le patronat des concessions concrètes qu'une agressivité mieux dirigée pourrait lui arracher. Pour rester dans le jeu de la contestation radicale, on présente le plus grand nombre possible de revendications outrancières, sans se soucier de ce que l'entreprise peut ou non accorder. Rien n'est plus facile alors au patron que d'asphyxier la grève ou de choisir lui-même, sur la liste des griefs, celui dont l'apaisement le dérangera le moins — et qui n'est pas, bien entendu, réellement celui qui tient le plus au cœur des salariés.

Cette tendance à se jeter sur des leurres n'a cessé de faire perdre à la gauche des projets qui étaient à sa portée. Comme le note M. Roger Priouret : « Il a fallu vingt-huit ans à la gauche pour accorder aux ouvriers la légitime protection contre les accidents du travail que Jules Favre avait demandée en son nom en 1869 à

Napoléon III. Quand on a réintégré, en 1919, les Alsaciens-Lorrains dans la communauté française, on a fait cette constatation douloureuse qu'ils allaient perdre, en retrouvant leur patrie, l'assurance-maladie et la retraite-vieillesse que l'Empire allemand leur avait accordées depuis quarante ans et que la République française avait été incapable de mettre sur pied. »

Face à l'armée versaillaise prête à les écraser, les Communards estimaient que seul le « témoignage » gardait un sens. Leur ministre de l'Education Nationale le dit à Jacques Vingtras en lui remettant son programme « plein de tâches et sentant la colle[1] ». « Il s'agit seulement d'avoir le temps de montrer ce qu'on voulait, puisqu'on ne peut pas faire ce qu'on veut. » Par fidélité aux cendres de l'ex-future Révolution, la gauche traditionnelle témoigne encore comme si elle était encerclée. Réclamant l'impossible ou l'inutile, elle oublie du même coup d'attaquer là où elle pourrait obtenir.

Mais l'encerclement est imaginaire. Il est dû, pour une bonne part, au peu qui demeure du messianisme des premiers temps. Ce messianisme sépare le parti communiste, le plus « pur », du reste de la gauche, dite moins « pure ». Le socialisme est vécu et senti par beaucoup de Français comme un communisme édulcoré : le communisme *moins* des concessions à la légalité démocratique et à l'ordre bourgeois. Cette définition par voie de soustraction empêche encore la gauche non communiste d'être moralement sûre d'elle-même, de s'affirmer pleinement, légitimement, tranquillement comme la gauche.

M. François Mitterrand, lui, et ce n'est pas négligeable puisqu'il a pris la tête d'un mouvement, donne maintenant l'exemple : il n'a pas de complexes. Mais combien d'hommes de gauche ne peuvent s'empêcher de regarder par-dessus leur épaule pour s'assurer que

1. Jules Vallès dans « L'Insurgé ».

le « Parti », censeur moral, ne les regarde pas d'un œil trop sévère, ou de se prouver à eux-mêmes qu'ils sont encore plus fidèles que lui ? Le mythe révolutionnaire tirant d'un côté, et les nécessités de l'autre, le langage se dédouble et se brouille. Comme les catholiques libéraux, au lendemain du Syllabus, l'intellectuel de gauche est écartelé, selon les termes de Mgr Dupanloup, entre la Thèse et l'Hypothèse.

La Thèse étant qu'il faudrait socialiser les moyens de production. L'Hypothèse étant qu'il vaut mieux ne rien en faire puisqu'on casserait ainsi les ressorts mêmes de l'économie. Tantôt on entre dans la logique de la gestion réformatrice. Tantôt on en sort par l'invocation des fins dernières, et c'est la « nationalisation en première urgence en début de législature des grandes banques, de la sidérurgie, du pétrole, de l'industrie atomique, des chantiers navals, de la chimie ». Cette confusion sur les objectifs et les moyens, cette involontaire duplicité, ce doute sur sa propre légitimité, contribuent aujourd'hui encore à diminuer beaucoup *la force d'entraînement* de la gauche et à l'empêcher d'atteindre les frontières naturelles du « parti du mouvement ».

Un second facteur perturbe, à gauche, le sens de l'avenir et favorise au contraire l'éveil et le renouveau de la droite : le pouvoir désormais renouvelle, tandis que l'opposition use.

Dans la conception classique, l'exercice du pouvoir entraînait une usure progressive de la popularité des équipes en place, un épuisement des hommes et de leurs idées, enfin le retour quasi automatique du balancier vers l'opposition. Cette vue des choses n'est plus aussi vraie. Les conservateurs, qui ont été portés au pouvoir, en ont largement profité pour se moderniser. Ils ont remodelé leurs structures politiques, trouvé des hommes jeunes et de valeur, modifié leurs attitudes devant les problèmes. Pourquoi ?

Dans toutes les professions aujourd'hui, la mise à jour

continuelle du savoir et des compétences est reconnue comme une exigence absolue. La profession politique n'échappe pas à cette règle. Elle y échappe d'autant moins qu'elle est la plus difficile de toutes. Un bon politicien doit se tenir au courant d'une masse de faits, garder le contact avec une quantité de gens appartenant aux secteurs les plus divers, posséder, ou du moins dominer, des techniques extrêmement variées — sous peine de perdre sa qualification. Or ces gens, ces faits, ces techniques changent avec le reste, et tout aussi vite. Les hommes qui occupent le Pouvoir y trouvent un remarquable dispositif de formation permanente, qui fait entièrement défaut à l'opposition. Tout l'appareil d'information, d'analyse, et de prévision de l'Etat est à leur disposition. Il leur permet, sinon de réviser leurs dogmes, au moins de garder le contact avec les réalités toujours plus complexes et mouvantes sur lesquelles ils doivent travailler. Certains évidemment ne savent pas en profiter. Mais d'autres, nombreux, ne cessent de faire des progrès.

En 1958, le nouveau Chef de l'Etat, malgré de remarquables facultés d'assimilation, en était encore, dans sa pensée politique, au stade pré-économique. Revenant au pouvoir, il découvrira les avantages du Marché Commun et l'intérêt du Plan. Il ira même avec « l'ardente obligation » jusqu'à entrevoir les dimensions épiques de l'intendance. Les hommes du gouvernement vivent en symbiose avec la technocratie. Celle-ci a ses défauts. Mais ce sont, malgré tout, les Inspecteurs des Finances et les Polytechniciens qui, après la guerre, ont donné à l'Etat, avec le Plan, la Comptabilité nationale, la Prévision, une dimension prospective qui lui faisait défaut et qu'ignoraient les hommes politiques d'avant-guerre (le programme du Front Populaire ne mentionnait pas de « Plan »). C'est dans la technocratie qu'a pris forme l'idéologie de la croissance dont se sont inspirées, dans les années 50, ses sympathies pour l'expérience de M. Mendès France, comme ses réserves à l'égard de la gestion classique de M. Antoine Pinay.

Plus encore que l'usage des dossiers comme manuels, et des techniciens comme répétiteurs, l'exercice continu des responsabilités gouvernementales a forcé les conservateurs à changer. Si respectueux que l'on soit des situations acquises, il est difficile de survivre longtemps aux postes de commande d'un pays avancé sans agir, ni d'agir sans accepter les réalités d'un monde qui bouge.

On invoque les lois de l'économie pour obliger la gauche à reconnaître qu'elle ne pourrait pas, si elle était au gouvernement, faire une politique très différente. La même contrainte, il ne faut pas l'oublier, s'impose à ses adversaires. Mis en condition par ses responsabilités de Premier ministre, M. Georges Pompidou sera amené à endosser un Vᵉ Plan qu'aucun homme conscient des réalités ne peut raisonnablement taxer de réactionnaire. Symétriquement, M. Harold Wilson, une fois au pouvoir, s'est converti assez vite à l'entrée de la Grande-Bretagne dans le Marché Commun, faute de trouver une autre issue à la crise de l'économie britannique. Le pouvoir stimule en somme l'assimilation des idées neuves dont la nécessité le rend consommateur. C'est pourquoi certains modérés ont fait d'aussi larges emprunts aux suggestions que les groupes orientés à gauche, comme le Centre des Jeunes Agriculteurs ou le Club Jean Moulin, ont mises en circulation ces dernières années. Ils en usent tantôt pour agir, tantôt pour adopter seulement un vocabulaire moderne ; mais peu importe, elles les changent. Le style, le ton, le comportement de M. Giscard d'Estaing sont, pour une bonne part, les inventions de la jeune gauche transplantée dans le vieux terroir des indépendants-paysans.

Inversement, une grande partie de la gauche s'est anémiée dans une opposition trop prolongée. A rester longtemps en dehors du jeu dans un pays qui change aussi vite, on court le risque de perdre le contact des réalités.

N'étant pas quotidiennement aux prises avec elles, on est tenté de conserver les mêmes analyses et de vivre une expérience dépassée. Les sociaux-démocrates des pays voisins ont aperçu le danger de « l'éternel repos ». Ils ont compris qu'au lieu de s'engraisser sur les pâturages de l'opposition, ils pouvaient fort bien, à la longue, s'y abrutir et s'y étioler.

En 1963, M. Pietro Nenni, vieux militant marxiste, lié au parti communiste italien par des années de lutte commune, décide « l'ouverture à gauche » qui offre à son parti l'occasion de rentrer dans le circuit des responsabilités.

En 1963 et 1964, M. Harold Wilson livre par deux fois, et avec acharnement, deux batailles électorales pour prendre le pouvoir et pour s'y consolider.

En 1966, les chefs de la social-démocratie allemande acceptent, contre les gardiens de la tradition, de former avec les conservateurs un gouvernement de coalition. Ils y réussissent contre le vœu des plus vieux militants qui croient, comme toujours, qu'un peu de patience encore vaudra aux sociaux-démocrates une victoire plus lointaine mais plus complète.

Ces trois expériences sont un peu des opérations de survie pour sortir d'un engourdissement insidieux. Les partis de gauche français, pour leur part, souffrent d'autant plus de leur éloignement que le Parlement français n'associe guère l'opposition au travail de la majorité, et que ni les partis ni l'Assemblée Nationale ne sont équipés comme ils devraient l'être.

La vie d'un parlementaire français, harcelé par les problèmes de sa circonscription, partagé entre Paris et la province, condamné au bricolage politique, est la moins propice qui soit à l'entretien d'une vraie qualification professionnelle. Insuffisamment informée, privée d'experts et de services d'études, à l'écart des responsabilités depuis trop longtemps, la gauche, dans son ensemble, a tendance à ressasser plutôt qu'à se recycler. De ce fait, elle s'est exposée à une tentation redoutable : celle de glisser de l'opposition à l'anti-pouvoir et de l'anti-pouvoir à l'anti-société.

L'opposition critique le gouvernement, c'est son devoir et son métier. Mais deux tactiques lui sont ouvertes : critiquer ce qu'elle ne ferait pas si elle était au pouvoir ; ou bien contester en bloc, et par principe, toutes les décisions du gouvernement. En adoptant cette seconde tactique sans réserve, en exploitant à fond les possibilités qu'elle offre à court terme, l'opposition en vient nécessairement à condamner non seulement les erreurs du gouvernement mais ses actions utiles. Non seulement ses actions positives, mais aussi les transformations inévitables et indépendantes de sa volonté. Elle s'insurgera contre le déclin des charbonnages ou contre l'exode rural. Elle se méfiera des agents du changement, ceux dont l'activité contribue, quels que soient leurs abus, à donner au pays un visage nouveau. Les technocrates, les grandes entreprises et les hommes dynamiques, deviendront pour elle, presque sans discrimination, des suspects.

A la limite, elle peut tomber à son tour dans la « Petite peur du XXe siècle » et s'inquiéter des progrès de la télévision ou de l'emploi des ordinateurs. Au départ, la cible était le gouvernement. A l'arrivée, elle risque d'être tout simplement le changement. L'opposition peut devenir ainsi l'expression politique de ce que M. Mendras appelle la « contre-société ».

Il est juste que la gauche épouse la cause des « éclopés de la croissance », de ceux qui, souvent par la faute d'une société mal organisée, n'arrivent pas à en suivre le rythme. Ils ont besoin plus que jamais d'avocats habiles et de représentants efficaces. La richesse allant spontanément vers la richesse, il est trop facile de les oublier et de les sacrifier. Mais ce n'est pas toujours le sort concret des victimes que l'opposition prend en charge, c'est souvent leurs protestations à l'état brut.

Le Centre des Jeunes Agriculteurs a réussi à convaincre la nouvelle génération paysanne qu'elle devait accepter, pour se préparer un avenir, la mort de l'agriculture traditionnelle. Mais les représentants politiques du monde rural préfèrent encore, pour la plupart, perpétuer des structures sans avenir sous prétexte de défendre les travailleurs qui y vivent de plus en plus mal.

M. Georges Lavau a bien résumé le langage « populaire-électoral-protestataire » du parti communiste qui forme en réalité une sorte de fonds commun de la gauche traditionnelle : « Augmentation des dépenses, vaste programme de construction de logements, réduction de la fiscalité des petits et moyens contribuables. » L'incohérence de ce discours trahit autre chose qu'un vulgaire poujadisme. L'auteur le note très justement. « Si on laisse de côté les grosses ficelles, on comprend bien les raisons sérieuses pour lesquelles le parti communiste refuse d'assumer le langage des responsabilités gouvernementales : dans la situation concrète de la France, il ne peut se définir que par rapport à une lutte contre ses gouvernements et dans la perspective d'un renversement absolu. Il reste prisonnier de la critique dévastatrice que Marx a faite de l'idéologie de l'Etat. De plus, se voulant l'agent historique de la classe ouvrière, il reste très près de l'instinct et de l'expérience vécue de cette classe. Celle-ci, en France, est, par sa formation mentale, profondément a-gouvernementale et le plus souvent anti-pouvoir. Elle devine d'instinct que toute logique de la cohérence la bloque et signifie, pour elle, tant qu'elle n'aura pas fait triompher son pouvoir sur la société, une entrave à ses mouvements. »

Les traditions révolutionnaires et anarcho-syndicalistes de la gauche voient leurs effets accentués par une maladie spécifique de l'opposition en période de changement accéléré : l'éloignement des réalités, et des responsabilités, qui provoque à la longue une sorte d'aversion à leur égard.

On peut d'ailleurs se demander si le refus de composer non seulement avec le capitalisme, mais avec le monde tel qu'il est, n'est pas l'une des causes du prestige et de la stabilité du parti communiste. Depuis la fin de la guerre, le niveau de vie des Français a plus que doublé, leur genre de vie s'est profondément modifié, Moscou a cessé d'être le phare d'une révolution en marche — mais, en dépit des prédictions qui annonçaient le déclin du parti communiste, celui-ci recueille toujours autant de suffrages.

Bien plus, malgré Budapest, les avatars du stalinisme et de la déstalinisation, en dépit de cent revirements tactiques, beaucoup d'hommes de gauche continuent à voir en lui le pôle de la morale en politique. L'alliance avec le parti est pure ; les autres ne le sont pas. Pourquoi ? Certes le parti communiste a beaucoup d'électeurs ouvriers, mais il n'a pas le monopole des déshérités. Un sondage de l'I.F.O.P. indique même que son électorat n'est pas, en moyenne, moins fortuné que celui d'autres formations. La source de son prestige ne serait-elle pas encore dans un monopole de la non-compromission ? Non-compromission avec le pouvoir, non-compromission avec la société capitaliste, non-compromission avec la société tout court. Cette « pureté » exerce une attirance indiscutable.

L'hypertrophie de la contestation enlève de sa crédibilité à l'hypothèse d'un gouvernement de la gauche. Et elle la prive ainsi de suffrages qui normalement lui reviendraient.

Or si la gauche est « contre » beaucoup de choses — les technocrates, le pouvoir personnel, les grosses entreprises, le profit — on ne distingue pas encore bien, malgré des efforts incontestables, mais récents, ses objectifs généraux. Supprimer l'économie de marché ou bien corriger ses imperfections ? S'éterniser dans l'opposition ou bien s'installer pour toujours au gouvernement ? Accepter ou non le jeu démocratique qui comporte l'alternance au pouvoir, et par conséquent des rapports pacifiés entre majorité et minorité ? Revenir au régime d'Assemblée ou maintenir la prédominance de l'Exécutif ? L'imprécision des buts laisse une impression d'insécurité, de confusion, et de complication.

Pour retrouver l'atout décisif que constitue, à l'époque industrielle, *une stratégie claire,* il faudra que la gauche aille jusqu'au bout de la révision qu'elle a entamée, en France comme dans tous les pays d'Europe, et qui est en passe de lui restituer sa véritable identité. Quelque chose, cependant, retient encore les cadres de la gauche d'achever cette conversion.

La gauche craint de disparaître en renonçant à des signes distinctifs auxquels pourtant elle croit de moins en moins. Dépouillée de son messianisme révolutionnaire, de son rigorisme laïc, de sa nostalgie parlementariste, que lui resterait-il en propre ?

Tout : ses buts, et ses raisons d'agir. Pour que la gauche perde son utilité, il faudrait que ses buts soient atteints ou hors d'atteinte, ou bien encore que l'unanimité se soit faite autour d'eux. Or c'est maintenant, comme M. Gaston Defferre l'a bien montré [1], que ce que le socialisme voulait apporter aux hommes cesse d'être une chimère, grâce précisément aux progrès de la science, de la technologie, et de l'organisation moderne du travail.

L'une des plus vieilles ambitions du socialisme est de donner un métier intéressant à tous les travailleurs. Cette ambition n'est plus illusoire depuis que l'automation permet d'envisager la généralisation du travail qualifié, l'abolition des tâches mécaniques et parcellaires Qu'importe si le cheminement qui nous a conduits à cet extraordinaire résultat n'est pas celui qu'imaginaient les doctrinaires du siècle dernier. L'originalité profonde de la gauche, sa raison d'être, est *dans les fins* qu'elle pro-

(1) Voir en particulier : « Un nouvel horizon », par M. Gaston Defferre (1964).

pose, non dans des procédés qui sont forcément sujets à révision.

L'heureux aboutissement n'est nullement garanti. Si la France a aujourd'hui plus de richesses à sa disposition qu'à aucun autre moment de son histoire, l'inégalité des revenus s'est pourtant accentuée depuis dix ans. Le progrès économique, lorsqu'il n'est pas maîtrisé, consolide les forts et affaiblit les faibles. Il fait boule de neige de la richesse et laisse derrière lui, même dans le pays le plus prospère du monde, d'inadmissibles taches de misère.

Sans l'intervention *d'un principe de justice,* la prodigieuse expansion de cette fin de siècle pourrait accoucher d'une société féroce. Il suffit donc que les hommes de gauche ouvrent les yeux sur l'avenir pour voir leur mission se dessiner, dans la ligne d'une fidélité. Fidélité non à la tradition, mais à l'inspiration, et aux buts rationnels.

Les valeurs centrales de la gauche sont aujourd'hui, c'est ce qu'il nous reste à montrer, d'*irremplaçables* sources d'efficacité, pour l'effort qu'exigera le défi américain. C'est en achevant de se dégager de ses perversions accidentelles que la gauche retrouvera son caractère et sa compétence pour redevenir l'indispensable force d'entraînement.

SIXIÈME PARTIE.

LES GISEMENTS DE PUISSANCE

Chapitre 23

La croissance et la justice

Avant la dernière guerre, la « bonne gestion » du Professeur Salazar, qui battait les records européens de la stabilité monétaire, de l'analphabétisme et du marasme économique, faisait encore envie aux conservateurs du continent. Ils admiraient le vigoureux libéralisme de M. Jacques Rueff, conseiller économique du Président portugais, ratifié par la bonne tenue de l'escudo. La stabilité de la monnaie, la sécurité des placements, l'ordre dans la rue — critères de réussite — exprimaient la sagesse d'une société figée.

Ces critères laissaient peu d'espoir aux victimes du désordre établi. Les journaux reçoivent, aujourd'hui encore, régulièrement des lettres faisant l'éloge de l'avant-guerre. Or des calculs récents ont montré qu'entre les deux guerres, la production française avait baissé de 20 %.

Dans ce contexte, la justice sociale était une entreprise de subversion, et tout effort pour corriger les inégalités prenait l'aspect d'une expédition punitive contre les classes dirigeantes.

Le pouvoir était un piège pour la gauche. Si elle observait les règles du jeu, elle devait respecter le statu quo, et se trahir, si elle les rejetait, c'était l'échec. La bourse baissait, les capitaux fuyaient, les prix montaient. Il manquait à l'équation économique une donnée : *la croissance*. L'apparition de ce facteur, la place qu'il a prise dans les calculs des experts — la première — et la conscience du public change entièrement les perspectives.

Désormais, la bonne gestion se mesure : le taux de croissance annuel de l'économie fournit une jauge d'emploi universel. « La nécessité de se tenir au-dessus de 4 % de croissance annuelle est devenue un impératif politique majeur. Il a le don de la simplicité et un avantage inédit dans l'univers politique : il se chiffre. En deçà de 4 % c'est l'échec, au-delà le succès [1]. »

On sait qu'il n'y a pas d'expansion durable sans une certaine stabilité, l'inflation minant les équilibres fondamentaux des prix, du commerce extérieur, de l'investissement. Le nouveau critère englobe l'ancien tout en condamnant la stagnation et à travers elle l'ordre éternel des choses, sur quoi le conservatisme fondait sa doctrine.

Le choix du nouvel indicateur de la bonne gestion impose aux hommes de gauche comme aux hommes de droite une révision. Il oblige les premiers à examiner les rouages de la production et les seconds à entrer dans une dynamique, jusqu'alors étrangère à leur vision du monde. Le programme ébauché par M. François Mitterrand insiste courageusement sur « l'épargne » — un mot qui écorche la bouche des vieux militants. M. Georges Pompidou, de son côté, se fait l'éloquent avocat du « partage équitable des fruits de l'expansion ». Les uns et les autres doivent reconnaître qu'une *croissance rapide et durable est le point de départ de toute politique* — intérieure ou extérieure.

Elle n'est évidemment pas un but en soi. Comme tout culte abusivement voué à des moyens (que ces moyens soient la libre entreprise ou le plan, la stabilité monétaire ou l'expansion), la religion de la croissance conduirait à l'oubli des hommes et de leurs besoins. « Les Russes, écrit Galbraith, veulent avoir plus parce

1. « La politique des Revenus », par M. Jean Boissonnat.

que nous avons plus qu'eux. Mais nous devons nous demander pourquoi nous voulons davantage. Il faut que nous ayons pour cela une raison meilleure que le seul désir de garder l'avance que nous avons sur eux. Une rivalité purement statistique où nous tenterions d'obtenir les résultats les meilleurs pour l'amour des statistiques serait futile. »

Il n'en est pas moins certain que le degré d'autonomie, de prospérité, de justice sociale — et les trois sont liés — auxquels un pays peut prétendre sont fonction de son taux d'expansion. Une société à forte croissance est libre de définir la forme de sa civilisation, parce qu'elle peut fixer la hiérarchie de ses priorités. Une société stagnante n'exerce pas réellement son droit à l'autodétermination.

Dans une société en expansion, le débat politique prend un sens : faut-il participer à la conquête de l'espace ou augmenter l'aide au tiers monde ? Embellir les villes ou exploiter le plateau marin ? Développer l'énergie nucléaire ou le parc automobile ? Dans un pays immobile, les caractères acquis, et, surtout, les contraintes extérieures décident de tout.

La croissance a pour corollaire *le changement.* Pour s'enrichir comme ils l'ont fait, et trop lentement, au cours des vingt dernières années, les Français ont dû s'arracher, et trop difficilement, à beaucoup d'habitudes dont certaines leur étaient chères. Il n'y a pas de progrès sans abandon de droits acquis, sans mise au rebut d'outillage, de concepts, de qualifications, démodés. La fameuse crise des cadres de quarante ans est le résultat d'une collision entre un système de formation figé et des techniques en mouvement. Ce changement destructeur est cependant le contraire du chambardement. Ce ne peut pas être une succession d'orages et d'accalmies, ce n'est pas une révolution à répétition — c'est un *ajustement incessant.*

Le changement est la croissance elle-même — qui est

moins addition que substitution, moins accumulation que transformation. Des activités naissent, croissent, plafonnent, déclinent et meurent dans la fièvre de destruction créatrice qu'a décrite Schumpeter, et dont M. Pierre Massé dit [1] :

« La condition d'une expansion rapide est ainsi une redistribution incessante du travail et du capital assurant à chaque instant leur affectation aux emplois les plus productifs. Cette mobilisation des ressources que tous préconisent implique une mobilité que beaucoup refusent. C'est qu'il ne suffit plus de consentir à des changements isolés, séparés l'un de l'autre par de longs paliers. Il faut accepter de vivre au sein d'un changement qui s'accélère. Cet état de disponibilité permanente, qui nous est imposé, « choque ». Pour qui abandonne un métier, une résidence, des amitiés, des habitudes, le changement peut être un déchirement. Même si l'homme reste en place, les choses changent autour de lui. Il y a trop d'idées périmées, de situations révolues, de techniques désuètes, de villes vieillies. Et en même temps il y a trop d'idées nouvelles, de situations inédites, de techniques sans filiation, de villes sans racines. »

La nouvelle modalité du progrès ne ressemble pas aux précédentes. Elle ne peut pas ressembler, en particulier, à la vague nécessaire, mais brutale, de réformes qui a suivi la dernière guerre : grandes nationalisations, institution de la Sécurité Sociale, modernisation soudaine des industries de base. Les pas rapides remplacent les sauts brusques.

La permanence d'un état de changement bouleverse les idées reçues concernant l'art du gouvernement. Conservation et bonne gestion deviennent forcément antinomiques. Un gouvernement qui ne veille pas sans cesse à l'adaptation des hommes et des structures est un mau-

1. Dans « Le Plan ou l'anti-hasard ».

vais gestionnaire, exactement comme un ingénieur qui vit sur un acquit de connaissance est un mauvais technicien.

La bonne vieille prudence des conservateurs, vertu cardinale des gestions traditionnelles, ne permet plus de « maintenir l'ordre » : elle crée au contraire de l'insécurité, des souffrances et des crises.

Les exemples sont sous nos yeux. Le drame de mineurs prisonniers de leur mine condamnée, celui des enseignants submergés par des classes trop nombreuses, celui des villes invivables, des routes impraticables, et des téléphones en dérangement, sont tous imputables à des vues trop courtes et à des réflexes trop lents.

Il ne s'agit pas de reprendre, ici, le procès fastidieux de la IVe et de la Ve République ; elles sont co-responsables, ou plutôt c'est la collectivité française dans son ensemble qui n'a pas encore tiré les conséquences des accélérations qu'elle subit.

A posteriori il est facile de constater que bien des drames auraient pu être évités si la conversion de la main-d'œuvre dans la sidérurgie, le charbon, ou la construction navale, avait été préparée, si des réserves foncières avaient été faites en temps utile. Diagnostiquer ce qui devrait être fait maintenant, pour épargner aux Français de 1980 d'autres maux dont les germes sont présents parmi nous, est déjà moins aisé, et exige un travail d'équipe. Malgré la vogue de la croissance, nous vivons encore avec une image statique du gouvernement. L'agitation réformatrice qui sévit dans de nombreux domaines, l'Education, en particulier, est un simulacre d'adaptation : elle trahit la nervosité des institutions figées devant une évolution trop rapide.

Dans la vision traditionnelle, les « phases de gestion » et les « phases de réforme » alternent. On peut ajouter, car c'est encore une idée répandue : la droite se charge des premières, la gauche des secondes. La gauche réforme, et dissipe. La droite digère, et accumule. Raymond Poincaré fait des réserves, Léon Blum fait des cadeaux. Les étapes tranquilles se succèdent séparées par des crises, qui servent à réparer les injustices avec les profits de la période précédente. Cette conception n'a jamais été vraie et ne résiste pas à l'examen historique. Mais aujourd'hui il est certain que son principe même est faux : celui qui ne transforme pas dissipe.

Par une ironie du sort, c'est au moment même où l'accélération du changement renverse les critères de la « bonne gestion » que les positions traditionnelles paraissent se retourner et que la gauche semble une fois de plus mal placée pour gérer.

Pourtant la gauche possède d'immenses réserves de progrès que la droite n'a pas, et ne peut pas avoir. Les conservateurs ont incontestablement mis à jour leurs connaissances techniques. Ils n'ont pas accepté toutes les conséquences de l'expansion. Ils n'en ont pas profité vraiment pour s'attaquer aux racines du sous-développement français.

Si l'on passe en revue, au terme d'un règne exceptionnellement autoritaire et continu, les principales institutions, on s'aperçoit que leurs traits essentiels ont à peine varié. Les soubassemens archaïques de la bureaucratie, de l'enseignement, du crédit, de la fiscalité, de l'organisation judiciaire, etc., restent pratiquement intacts. De brillantes opérations à court terme, — dévaluation de 1958, stabilisation de 1963 —, se détachent sur un fond d'imprévoyance. Des crises faciles à prévoir, comme celle de la Sécurité Sociale ou des activités industrielles en déclin, ont mûri pendant des années sans que nos dirigeants s'en inquiètent. La tactique a été meilleure que la stratégie. Or *plus le mouvement est rapide, plus la stratégie compte.*

En 1959 deux dossiers pourrissent : celui des structures industrielles et celui de la fiscalité. Dans quelques années, l'achèvement du Marché Commun et la conclusion du Kennedy Round exposeront l'industrie française à la concurrence internationale. Sans remaniements profonds, elle n'est pas de taille à la supporter. Sa structure financière, sa capacité d'innovation technologique, sont insuffisantes. La plupart de ses grandes entreprises sont en état d'infériorité non seulement devant les géants américains, mais devant les principales firmes allemandes et néerlandaises. Il n'existe pas de branches où elle surclasse ses rivales. Pour l'adapter, il faudrait concentrer, spécialiser, élaguer.

Que ce travail soit à faire, très vite, à l'échelle de l'Europe n'interdit pas de l'entamer dans le cadre français. Mais la refonte des structures qui ont grandi et vieilli à l'abri bouleverserait les situations personnelles, les habitudes des professions — elle paraît excéder les forces des responsables du secteur privé. L'Etat pourrait en prendre l'initiative. S'il y a quelque chose à faire dans le secteur électronique, par exemple, pour commencer à rassembler les forces des trois premières firmes de cette branche, le gouvernement le peut. Malgré la rivalité qui les oppose, les chefs d'entreprise n'ont rien à refuser à un Etat qui est leur premier client en même temps que le maître du crédit. Mais nos Ministres s'abstiendront. Il est contraire à la tradition que l'Etat se mêle à ce point des affaires privées. [1]

Depuis 1954, la France a une fiscalité indirecte moderne grâce à la TVA ; mais ses impôts directs sont de plus en plus délabrés. Leurs barèmes ne sont appliqués qu'aux salariés. Pour les autres catégories, les taux tiennent compte de la fraude et la fraude s'autorise de la sévérité des taux. Les bases d'imposition conçues pour exonérer les petites exploitations agricoles procurent aux grandes une rente généreuse. Dans l'industrie, le commerce, les professions libérales, le rapport entre le revenu et l'impôt est fictif : les taux réels varient

1. Il faut noter quelques exceptions intéressantes comme la concentration Pechiney-Trefimeteaux ou Ugine-Kuhlman, et plus tard l'effort, dont nous avons montré les limites, du plan-calcul dans l'Electronique.

suivant les entreprises et les contribuables. Des milliers de subventions et de pénalités sont ainsi distribuées au hasard.

La dissimulation est généralisée et, d'ailleurs, quasi obligatoire. En 1963, 85 % des exploitants agricoles ont été considérés comme ayant gagné moins de 1 410 francs par an — et n'ont pas acquitté l'impôt sur le revenu. Le tiers des entreprises françaises a déclaré un déficit. Trois à quatre milliards de « frais généraux » ont servi à la rémunération des cadres d'entreprises. Ces chiffres que le Ministère des Finances est le premier à connaître ne l'inciteront pas à mettre un peu de justice dans le système fiscal.

Telles sont les limites d'une bonne gestion conservatrice. Peut-on les dépasser ?

Les économistes attribuent, non par « gauchisme » mais par réalisme, une importance grandissante aux facteurs humains de l'expansion : qualité du chef d'entreprise, aptitude des travailleurs à l'assimilation des techniques nouvelles, adhésion de la collectivité aux objectifs, accord des partenaires sociaux sur les règles du jeu industriel. Ces données étrangères à la pure mécanique s'intègrent dans leurs calculs et y prennent maintenant la première place, là même où règne le « capitalisme » sans complexe. C'est vers elles qu'ils se tournent pour chercher la raison des inégalités dans la vitesse de croissance des pays techniquement avancés. C'est sur l'une d'elles — on peut le dire sans exagération — que se concentre maintenant la réflexion des éléments de pointe du patronat, du syndicalisme, de la technocratie. Il s'agit du *degré d'intégration des salariés dans un ordre basé non plus sur la stabilité, mais sur la croissance.*

Les salariés représentaient avant la guerre, en France, 45 % de la population active. Ils dépassent aujourd'hui 75 %. En nombre, pouvoir d'achat, capacité d'épargne, ils sont les plus forts et de beaucoup. Pourtant la majorité de cette majorité continue d'agir et de penser comme si la croissance ne la concernait pas. Ou, plutôt, comme si la croissance servait des buts contraires à ses intérêts par des moyens attentatoires à ses droits.

Il est vrai que la disparité des revenus s'aggrave, que le chômage s'étend, que les faibles sont mal protégés. Il est vrai que les institutions françaises ne font pas leur place, ou ne donnent pas leur chance, à ceux qui se trouvent en bas de l'échelle sociale. Education nationale, Bourse des valeurs, ou Marché immobilier, ces institutions restent marquées par la discrimination sociale, inadaptées au besoin du plus grand nombre. Au moment où les experts constatent que la souplesse et le dynamisme de l'économie dépendent, avant tout, du comportement des salariés, les salariés conservent, pour la plupart, le statut et l'état d'esprit d'une minorité : il y a là un hiatus rigoureusement incompatible avec une meilleure gestion des ressources.

Pendant longtemps les chefs d'entreprises américaines ont cru qu'ils possédaient, avec les chronomètres, et les normes de travail de M. Taylor, le secret du rendement. Ils ont compris, depuis, que leurs objectifs de productivité ne pourraient être atteints que grâce à une plus intelligente participation. Nous sommes aujourd'hui devant la manifestation à grande échelle d'une évidence analogue.

Les salariés accepteront-ils les mutations industrielles ? Développeront-ils une épargne proportionnée aux besoins d'investissement de notre époque ? Admettront-ils de voir leurs augmentations de salaires entrer dans le cadre d'une planification « en valeur » ? Quels droits, quels pouvoirs faudra-t-il leur reconnaître, quels buts faudra-t-il assigner à la croissance pour qu'ils jouent le jeu, et prennent le parti de la production ? Tels sont les termes d'une dialectique qui ferait progresser, ensemble, l'efficacité économique et la justice sociale. Tels sont les éléments d'une vaste « négociation » qu'une gauche fidèle à sa vocation devra tenter et réussir.

Dans un pays qui se pique de rigueur économique, les ouvriers des chantiers de l'Atlantique, les mineurs du charbon du Nord, les mineurs de fer de Lorraine, parmi d'autres, en sont réduits à faire grève pour garder des emplois ingrats dont la collectivité nationale est obligée de subventionner le maintien. De nombreux chefs d'entreprises diffèrent des réorganisations urgentes ou y renoncent par crainte des remous sociaux. Et l'Etat, nous l'avons vu mais il faut le redire, dépense plus d'argent pour prolonger l'agonie des secteurs moribonds que pour stimuler l'essor des industries de pointe [1]. Celles-ci manquent de travailleurs qualifiés, mais ceux-là vident leurs excédents de main-d'œuvre dans des poches de chômage qui se résorbent mal. Le jour où les activités artificiellement soutenues sombrent quand même, tout le monde perd et sur tous les tableaux.

Le coût de ces rigidités — si elles devaient se perpétuer — deviendrait écrasant. Car l'épreuve du Marché Commun n'est pas le prélude d'une nouvelle période de stabilité ; elle marque une entrée définitive dans le mouvement perpétuel. L'automation et les ordinateurs vont se répandre, le rythme des inventions s'accélérer ; les revenus continueront de monter, le goût des consommateurs de varier ; la croissance ne cessera pas de sacrifier, et de susciter, des activités et des qualifications.

Supposons que sous l'aiguillon de la concurrence, l'Etat et le patronat se rangent à une conception brutale et « réaliste » des conversions industrielles, toute production qui perd de l'argent étant supprimée sans égard aux récriminations. Cette méthode aurait l'avantage de la simplicité : elle couperait court aux discussions. Appliquée dans une société peu préparée à la mobilité, elle n'éviterait ni le déchaînement des grèves, ni l'accumulation des déclassés. Son passif serait tellement insup-

1. Voir en Annexes : « L'exemple d'une mauvaise politique économique ».

portable que même les avocats de l'assainissement par le jeu naturel du marché concèdent qu'il faut faire quelque chose pour humaniser les mutations, pour empêcher que des événements, normaux dans une économie de croissance, soient ressentis comme des fléaux.

On touche ici au cœur du paradoxe.

Le monde du travail, dans son ensemble, a tout avantage aux mutations qui non seulement procurent des gains de productivité, mais accroissent le nombre des emplois qualifiés. La transformation des structures industrielles coïncide globalement avec une ascension collective vers des métiers plus intéressants et mieux payés.

Cette évidence n'échappe pas aux salariés. Les ouvriers français sont loin d'être systématiquement hostiles à la mobilité. L'enracinement sentimental dans un métier, une entreprise, une localité est un moindre obstacle que le problème du relogement, du travail de la femme, de l'éducation des enfants, que la crainte du déclassement professionnel, du saut dans l'inconnu. Des observations précises montrent que la mobilité est généralement acceptée et même souhaitée lorsqu'elle s'accompagne de certaines garanties.

« Après 1950, au cours des années durant lesquelles les exigences de productivité ont commencé à modifier considérablement les techniques, les qualifications et l'organisation des unités productives, les chercheurs se sont attendus à découvrir chez les ouvriers touchés par les transformations de vives réactions d'opposition. En fait, de telles réactions se sont manifestées seulement dans les cas où les modifications entraînaient pour ces travailleurs *une situation économique sans issue*... Dans les enquêtes auxquelles nous avons procédé, nous avons noté une *acceptation de principe* des transformations techniques : les protestations portaient sur les modalités humaines des transformations [1]. »

1. MM. Guy Barbichon et Serge Moscovici « Situations de changements et comportements collectifs ». (SEDEIS).

Lors de la conversion des Forges de l'Adour, ces modalités ont été soigneusement étudiées, mises au point, discutées : les syndicats ont collaboré.

Les salariés ont intérêt au changement. Des indices sérieux permettent de penser qu'ils pourraient, à certaines conditions, s'y rallier. Pourtant ils en ont peur. Et leurs organisations, en règle générale, se battent contre. Cette crispation freine dangereusement la modernisation de notre appareil industriel. Cependant le gouvernement français la laissera se durcir, après la signature du Traité de Rome, pendant plusieurs années. Il ne s'occupera de la formation professionnelle qu'à partir de 1966. Il attendra 1967 pour essayer d'intégrer l'aspect social des conversions. Cette longue distraction est révélatrice.

Les dirigeants politiques ont mal compris que *la justice sociale devient, dans une économie en expansion, la condition du dynamisme industriel.* Car l'adaptation au progrès technique passe nécessairement par des changements dans la condition des salariés, qui soient tout autre chose que la distribution de quelques actions symboliques. Elle exige que l'école fournisse à tous — et pas uniquement à la minorité favorisée — les instruments intellectuels qui rendront possible un ou plusieurs changements de métier, et de milieu, durant la vie active ; que les voies d'accès à la culture et les filières de promotion professionnelle soient multipliées ; que l'instabilité de l'emploi soit compensée par une garantie des ressources couvrant les périodes de reclassement et de réapprentissage ; que le crédit à la construction soit réformé afin que les migrations géographiques deviennent aisées même pour les moins fortunés. Impossible « d'assouplir » l'économie sans affranchir les travailleurs des angoisses et des entraves de toutes natures — matérielles et intellectuelles — qui brident, avec leur développement personnel, celui de la production.

Sans doute verra-t-on s'imposer, d'ici quelques années,

la nécessité d'une stratégie industrielle. Les progrès de la prévision permettront de préparer de longue main la conversion des secteurs condamnés, de concentrer les efforts sur ceux qui ont un avenir, d'orienter la main-d'œuvre présente et future vers des débouchés utiles au lieu de l'engager et de l'abandonner dans des impasses. Mais plus les tentatives de rationalisation des mouvements de main-d'œuvre seront ambitieuses, et il le faut, plus l'exigence de concertation deviendra vive.

Des plans affectant à la fois l'occupation professionnelle, le lieu de résidence, le niveau de vie — tous les principaux paramètres, en somme, de l'existence — se heurteront à la résistance passive, ou au sabotage, s'ils sont conçus et mis en œuvre *en dehors* des intéressés. Il faudra leur apporter, pour les convaincre, des informations précises sur les motifs des ajustements envisagés, leur faire constater les contraintes, les associer à la définition des modalités des conversions, passer des contrats avec leurs représentants, bref les reconnaître.

Dans un milieu de liberté, ou bien ceux dont le sort est en jeu participent à l'œuvre de rationalisation, ou bien cette œuvre ne s'accomplit pas. On peut renoncer à la liberté et manœuvrer les travailleurs comme des soldats ; on peut renoncer à la rationalité, laisser faire la nature, et se résigner à ses gaspillages. Mais si l'on veut jouir à la fois des agréments de la liberté et des ressources de l'esprit scientifique, la conciliation est à chercher dans un surcroît de démocratie.

Les expériences et les réflexions, en matière de politique des revenus, vont dans le même sens. En moins de quinze ans, le gouvernement français a été contraint de « casser » l'expansion, délibérément, à trois reprises : en 1952, en 1957, en 1963, faute de pouvoir maîtriser un élan qui finit par emballer la machine. Ce processus, du « stop and go », est toujours à peu près le même. L'appétit des consommateurs appelle l'expansion, puis la dérègle. Dans la phase ascendante, les salariés des secteurs dynamiques exploitent à fond leur avantage, entraînant dans leur sillage ceux des autres branches. Des augmentations de salaires, non gagées par des gains de productivité, sont accordées. Les coûts de production montent, la demande tend à dépasser l'offre, les prix montent à leur tour. Pour parer à la menace d'inflation il faut alors prendre des mesures de stabilisation qui ont pour effets de briser le rythme de l'expansion et d'atteindre, au premier chef, le développement.

C'est, ou bien en maintenant une réserve de chômeurs, ou bien en la reconstituant périodiquement par des procédés déflationnistes, que les pays occidentaux modèrent la hausse de leur prix. Pour corriger les erreurs de calcul collectives que comporte l'élan vers le bien-être, on ne cherche pas à créer une conscience plus claire des possibilités physiques de l'économie ; on ampute la capacité de production. Coût de ces opérations en France : au moins un point de croissance par an. Or un point de croissance en plus, sur dix ans, transforme le visage d'une société.

« Supposons que la production française croisse en moyenne de 4 % par an. Si elle est aujourd'hui de 100, elle atteindra, au bout de 10 ans, 148. Imaginons maintenant que l'on réussisse à la faire progresser au taux de 5 %, l'écart annuel apparaît minime. Pourtant le niveau atteint en dix ans sera cette fois de 163, c'est-à-dire dépassera de 10 % celui qu'on aurait obtenu avec 4 % seulement. Si, au lieu de répartir ce supplément entre tous les Français proportionnellement à leur revenu initial, on décidait d'en faire bénéficier exclusivement la moitié la moins riche du pays, le niveau de vie de cet ensemble, d'environ 25 millions de personnes augmenterait en dix ans de près de 90 % ; ceux des Français qui n'auraient pas profité de ce supplément auraient quand même déjà vu leur niveau de vie s'élever de 40 % en dix ans [1]. »

1. M. Jacques Meraud : « L'expansion dans la stabilité ».

Pour gagner ce formidable enjeu, il faut en arriver, d'une manière ou d'une autre, à « régler » le mouvement des revenus et principalement celui des salaires qui forment, dans les pays industriels, la masse décisive.

Les Hollandais, les Suédois, et récemment les Anglais se sont engagés dans cette voie longue et ardue. Tous ont connu des déboires, même les Suédois qui sont les plus avancés. Tous persévèrent, à commencer par M. Wilson dont les idées ont fait bouger lentement les Trade Unions.

En France les arguments de M. Pierre Massé ont rencontré moins d'objections rationnelles que de réticences politiques. La C.G.T. n'a pas récusé le principe, mais elle estime « qu'en régime capitaliste, les conditions d'une politique des revenus ne sont pas remplies ». Les groupements plus novateurs — C.F.D.T., Jeunes Agriculteurs, Jeunes Patrons — ont réagi positivement. Il aurait fallu, pour lancer l'affaire, que le gouvernement cherchât, sans relâche, la confiance des salariés. Ce n'était pas son principal souci.

Nos Ministres ne croient pas assez aux réserves de sagesse des Français pour tenter d'exploiter ces réserves de croissance de l'économie. Une campagne d'explication, une série d' « opérations vérité » portant sur l'évolution des prix et des revenus — de tous les revenus — auraient pu triompher des premiers obstacles. C'était beaucoup demander que d'ouvrir de pareils dossiers sur la place publique...

Ces tâtonnements jetteraient un doute sur l'avenir de la politique des revenus, s'il se présentait un autre moyen d'obtenir une croissance forte et continue. Il n'en existe pas.

Les partisans de la planification peuvent difficilement se contredire au point de prétendre que tout doit être planifié sauf les salaires. Ceux qui se défient des systèmes, mais mesurent l'étendue des pertes dues aux à-coups de l'expansion, sont obligés de reconnaître que les outils classiques de la politique économique ne parviennent pas à résoudre le problème. Sous la pression d'une logique commune à tous les pays occidentaux, des recherches parallèles se poursuivent non seulement en Scandinavie, en Angleterre, dans le Marché Commun, mais également aux Etats-Unis.

C'est J.K. Galbraith, ancien conseiller du Président Kennedy, qui écrit : « Notre système économique comporte une « faille »... Le problème sur lequel nous butons est que, dans une partie de notre économie, les prix ne sont pas stables quand le plein emploi est réalisé. Quelle que soit la procédure adoptée, elle exige que la puissance publique détermine chaque année l'augmentation des salaires qui est globalement compatible avec la stabilité des prix... Après quoi, dans chacune des industries qui obéissent à une discipline des prix, des comités tripartites seraient mis en place. Ils auraient à connaître, sur une base décentralisée, de l'application à cette industrie des directives gouvernementales. » Les économistes américains, signale Galbraith, « en viennent à admettre en nombre croissant une intervention de ce genre ».

Les difficultés tiennent moins, en réalité, à la complication technique du projet qu'à sa dimension politique. Sa mise en œuvre suppose un haut degré de concertation des différents partenaires du jeu économique, par conséquent l'accession des salariés à un niveau de responsabilités qu'ils n'ont jamais eu dans le passé. Les bases de la politique des revenus sont ainsi, et au sens exact, « à gauche », comme les fondements de la politique monétaire étaient, hier, « à droite ».

Techniquement la clé de la politique des revenus, c'est le réglage des salaires. Mais aucun gouvernement démocratique ne peut l'envisager sans proposer en même temps le « réglage , par des procédés indirects, des revenus non salariaux. Pour maîtriser l'augmentation de ces revenus, il faudrait d'abord les connaître, ensuite disposer de mécanismes de redistribution en état de fonctionner. Or ce mécanisme est faussé, et les ressources réelles des catégories privilégiées sont enveloppées de mystère. Est-ce un gouvernement de droite qui favorisera le *renforcement du syndicalisme,* étape obligatoire de la politique des revenus ? Il n'est pas question, dans un régime de liberté économique, de procéder par voie de contrainte. Il n'est pas possible à l'inverse, de s'arrêter au stade des recommandations. La combinaison du principe de liberté et de la volonté de croissance joue à nouveau en faveur des salariés. Elle appelle le développement de syndicats assez puissants pour négocier, s'engager et faire respecter les engagements.

Que les contrats soient ou non détaillés, qu'ils englobent l'ensemble des activités économiques ou seulement celles dont l'essor ou le dépérissement menace de créer des déséquilibres, qu'ils se présentent comme des décisions parallèles, peu importe ici : ce qui compte, c'est l'existence d'un accord des volontés, et d'un dispositif propre à le faire respecter.

Des syndicats faibles et divisés hésitent toujours à prendre des engagements. Pour « faire le poids » devant l'Etat et le patronat, dans une discussion complexe et lourde de conséquences, ils auront besoin de plusieurs dizaines d'experts et de plusieurs millions d'adhérents. Pour obtenir de la grande masse des salariés la discipline requise, il faudra qu'ils s'appuient sur une grande quantité de cadres capables de défendre les intérêts des travailleurs, mais aussi de comprendre et de faire accepter la stratégie d'ensemble. Une pareille armature exige des moyens de formation très supérieurs à ceux dont nos organisations ouvrières disposent à l'heure actuelle.

La transformation de ces groupements faibles et désunis en organisations de masse dotées des outils techniques et financiers de la nouvelle ère industrielle demandera des années et dépassera les seules forces du mouvement syndical. Elle réclamera toute la patience, l'habileté, l'énergie d'un gouvernement résolu à s'attaquer aux vraies réformes de structures : *celles qui touchent à l'équilibre des pouvoirs dans la société.* Il ne s'agira plus de distribuer aux travailleurs des droits fictifs, mais de les aider à forger l'instrument de leur participation à la réalité du pouvoir, et de remettre en cause les buts mêmes de l'expansion économique.

Les salariés n'ont aucune raison de se soumettre à une quelconque discipline de rémunération si leur niveau de vie — et plus généralement la condition qui leur est faite — ne s'en trouve pas améliorée. Seul l'attrait du résultat final, exprimé en termes concrets — logements disponibles, avenir des enfants, équipements de culture, durée du travail, accession aux loisirs — peut les décider à entrer dans les règles d'un jeu nouveau.

Si l'expansion est évidemment la base d'une justice sociale possible, *la justice devient, ce qui est beaucoup plus fort, la condition de la croissance continue.* Cette unification de deux facteurs qu'on avait pris l'habitude de distinguer, voire d'opposer (ce qui était « donné » par souci de justice étant considéré comme « pris » sur la production) devrait être la force d'une gauche de gestion.

La gauche a promis de transformer la société et fait alliance, depuis qu'elle existe, avec les moins favorisés. Elle reste la préférée de millions de personnes, près de la moitié des citoyens, dont la vie peut être transformée par une croissance plus rapide et mieux orientée. A cette attente, la gauche peut apporter deux réponses :

1. Exploiter le *capital de confiance* dont elle dispose chez les salariés pour obtenir un surcroît d'expansion. Et négocier l'avantage ainsi procuré à toutes les catégories sociales contre une répartition différente des bénéfices de la collectivité. Dans ce cas, elle accepte de faire fonctionner l'économie. Elle ne perd pas de vue l'anta-

gonisme des intérêts mais elle admet de les résoudre par la concertation et le contrat — en dehors des comportements de guerre civile.

2. Exploiter le *capital de mécontentement* qu'elle est également bien placée pour faire fructifier ; se désintéresser par conséquent du problème de gestion ; renoncer à un exercice prolongé du pouvoir — ces trois propositions étant strictement liées.

Il est également impossible de semer à la fois la révolte et le sens des responsabilités ; de former en même temps une milice d'agitateurs et une armée de gestionnaires efficaces ; de nier les contraintes économiques dans l'opposition et de les reconnaître quand on gouverne.

Dans la deuxième hypothèse, la plus commode, la gauche n'est pas entièrement réduite à l'impuissance ; elle peut arracher des concessions aux conservateurs quand ceux-ci tiennent les leviers de commandes. Et profiter, comme elle l'a fait, des rares et courts moments où elle gouverne, pour faire voter des lois sociales. La droite devra respecter ces réformes et les « digérer » pendant les dix années suivantes.

Mais dix ans d'expansion continue, et orientée, au taux de 5,5 % par an produiraient des résultats spectaculairement supérieurs à quarante ans de « coups de main » espacés.

Un seul motif justifierait que la nouvelle génération politique se résigne à la seconde méthode : la gauche française serait trop lourdement chargée d'hommes et d'idées inadaptables pour porter un projet de gouvernement. N'ayant d'autre base politique que le mécontentement, il faudrait bien qu'elle se contente, comme les jeunes chefs conservateurs d'ailleurs l'y engagent, au rôle secondaire de contrepoids.

Cette conviction existe, sans aucun doute, dans l'esprit de certains hommes de gauche, qui partagent alors le profond scepticisme de leurs collègues conservateurs à l'égard de leur peuple, inapte à leurs yeux à la pleine citoyenneté. Elle n'a pas de base objective.

Le désir de progresser l'emporte de plus en plus, c'est clair, sur le besoin de protester. Après des décennies de stagnation, les Français se convertissent massivement aux conditions de la croissance. Dans l'ensemble ils acceptent le changement plus aisément que leurs dirigeants. L'espoir que suscita, en d'autres temps, le projet révolutionnaire n'a pas disparu de nos pays, où tant d'hommes vivent encore dans la médiocrité. Il se reporte sur les tangibles, et nobles, satisfactions que promet une économie en continuelle expansion. La gauche peut, si elle le veut, donner à la croissance, par la justice, l'envergure d'une révolution.

Chapitre 24

L'investissement dans l'homme

Il y a dix ans encore on ne se demandait pas si l'U.R.S.S. rejoindrait le niveau de vie américain, mais quand elle le dépasserait. Des experts peu suspects de complaisance envers le régime soviétique discutaient de la date à laquelle les courbes se croiseraient : 1970, 1985 ?

En 1967, l'agriculture soviétique reste empêtrée dans les kolkhozes et le commerce intérieur dans les magasins d'Etat. Le « bond en avant » s'est produit aux Etats-Unis, dont la production augmente d'une Angleterre tous les deux ans, et dont la capacité d'innovation stupéfie aussi bien les « managers » étrangers que les savants.

Les Américains ne sont, évidemment, pas plus intelligents que les autres. Pourtant ce sont bien des facteurs humains — faculté d'adaptation des individus, souplesse des structures, puissance créative des équipes — qui sont à la base de leur succès. Au-delà des explications particulières, qui portent chacune leur vérité, le secret est bien dans la confiance de principe que cette société-là accorde à ses citoyens. Confiance souvent un peu naïve, aux yeux d'Européens, mais que l'Amérique place à la fois dans la capacité d'autodétermination de ses hommes et dans l'aptitude de leur intelligence.

Tocqueville, au siècle dernier, y voyait déjà un trait essentiel, sinon le trait fondamental du Nouveau Monde : « Chaque individu, quel qu'il soit, possède le degré de raison nécessaire pour qu'il puisse se diriger lui-même dans les choses qui l'intéressent exclusivement — telle est la grande maxime sur laquelle repose la société civile et politique. Le père de famille en fait application à ses enfants, le maître à ses serviteurs, la commune à ses administrés, la province aux communes, l'Etat aux provinces, et l'Union aux Etats. Etendue à l'ensemble, elle devient le dogme de la souveraineté du peuple... De là cette maxime que l'individu est le meilleur juge de son intérêt particulier [1]. »

Cet optimisme qui marque tous les aspects de la vie américaine s'exprime dans la confiance faite au suffrage universel pour désigner directement le Président. On le retrouve dans la large délégation donnée aux collectivités locales pour administrer la vie quotidienne et prendre, en matière d'urbanisme, d'éducation, de santé, quantité de décisions que notre administration centrale tremblerait de remettre à des élus. On le reconnaît encore dans le rôle de moteur que joue la recherche : les idées ne sont pas des ornements, *mais des outils* pour transformer le monde. Et rien n'est plus *rentable* qu'une bonne idée. La formation permanente n'est pas considérée aux Etats-Unis comme une œuvre humanitaire mais comme un investissement.

Dans une modeste commission du service de la Productivité, des industriels français discutent des avantages d'un « recyclage périodique » de leurs cadres. Mais combien osent sacrifier, à ce pari sur l'intelligence, les heures d'ingénieurs qu'il faudrait perdre pour le gagner [2] ?

1. Alexis de Tocqueville : « La Démocratie en Amérique ».

2. M. Jacques Maisonrouge rapporte l'épisode suivant dont il a été témoin : « Un institut avait organisé un séminaire de perfectionnement de 3 semaines. Une société européenne avait envoyé l'un de ses dirigeants à ce cours. Mais elle l'avait rappelé au bout d'une semaine et demie, car les problèmes de l'entreprise paraissaient plus importants et plus urgents que de former ce cadre supérieur. Cependant, comme cette entreprise avait versé une somme pour l'inscription à ce cours, elle décida d'envoyer un collaborateur du cadre précédent... pour suivre la deuxième semaine et demie du programme ! »

Au même moment, la filiale américaine d'I.B.M. en France consacre à la formation permanente de son personnel d'encadrement 10 % de la masse de ses salaires. Et les visiteurs européens constatent que les universités américaines sont maintenant envahies par des adultes qui viennent s'y refaire une compétence nouvelle. Cette même volonté, ce même optimisme, expliquent l'introduction des méthodes scientifiques dans des domaines qui jusqu'alors étaient gouvernés par la routine.

Contrairement au cliché, la société américaine mise beaucoup plus sur l'intelligence humaine qu'elle ne gaspille dans le gadget. Nous avons vu que des travaux scientifiques commencent à confirmer ce que l'intuition laissait pressentir : *ce pari sur l'homme est à l'origine de son nouveau dynamisme.* Malgré les changements importants des vingt dernières années, le tableau européen reste profondément différent, en particulier en France.

La France est le pays où règne sans doute encore le plus la défiance à l'égard du voisin. C'est M. Wylie qui signale comme un grave obstacle au progrès « ce principe posé par les Français, que les hommes sont par nature hostiles et égoïstes. Comme les Français supposent que les hommes sont hostiles, ils se sont protégés des « autres » par un réseau compliqué de lois tout à fait conformes à la tendance française de limiter et de définir soigneusement tous les aspects de l'existence humaine. La camisole de force qui en résulte empêche tout naturellement le changement [1] ».

En dépit du prestige dont jouissent en France les intellectuels, et du culte de Descartes, la pratique trahit un certain mépris pour les idées, ou du moins pour leur efficacité. Il se manifeste aussi bien dans l'industrie par le sous-développement de la recherche, que dans l'administration par la rareté des services d'études et

1. Dans « A la recherche de la France », par M. Lawrence Wylie.

surtout par le manque d'intérêt qu'on leur porte : mieux vaut éviter ces « voies de garage » quand on ambitionne une carrière rapide. Des deux côtés, la matière grise reste mal intégrée dans les structures.

Ce scepticisme à l'égard du potentiel humain est commun à la gauche et à la droite ; mais il entraîne, ici et là, des conclusions opposées.

A droite, il conduit à la sanctification des « lois naturelles du marché ».

Au moment où les pays de l'Est cherchent à retrouver les indicateurs que constituent les prix, les taux d'intérêt et les profits, il est difficile de nier que l'économie de marché soit, selon la formule que Churchill appliquait à la démocratie, « la pire à l'exception des autres ». Elle a ses limites évidentes. Mais là où la concurrence peut jouer effectivement, le marché rend des services qu'un ordinateur géant servi par des surhommes assurerait avec peine : il signale les besoins des consommateurs, règle les investissements d'après la demande et le coût des facteurs, sanctionne par le déficit les comportements inefficaces et les productions inutiles. En règle générale, le producteur s'y prendra mieux qu'un fonctionnaire dictant des ordres de l'extérieur pour gérer son entreprise. Le marché fait ainsi à la liberté une place que les Soviétiques d'aujourd'hui voudraient bien lui rendre pour améliorer le rendement de leur appareil économique.

Mais les décisions globales, qui résultent après coup de la somme statistique des millions de choix individuels, ne sont pas, quant à elles, conscientes et libres. Elles représentent une contrainte extérieure, une limite imposée à tous, par personne. « Le plan, disait Oscar Lange, vient du besoin de déborder les limites de la rationalité privée. » C'est un effort pour réduire le hasard et orienter la croissance vers des objectifs délibérément choisis. Donc une tentative pour gagner une marge supplémentaire de liberté.

Or, les conservateurs — c'est assez frappant — sont encore plus attachés aux entraves que le pur marché met à la volonté collective qu'aux libertés qu'il accorde à l'initiative individuelle. Aujourd'hui encore ils demandent parfois à l'Etat de leur épargner simultanément les disciplines d'un Plan et, par la fermeture des professions ou des frontières, les risques de la concurrence.

Ils sont partisans d'une société où les « hiérarchies naturelles », fortement accentuées, se perpétuent par la grâce de l'hérédité ou des positions acquises. Mais, le jeu du marché tend à détruire les pouvoirs qui survivent à leur justification économique. Quand ils invoquent les « lois naturelles » du marché, les conservateurs cherchent à donner à des mécanismes économiques, le caractère intouchable du sacré. La charte du patronat français de janvier 1965 — l'année même où s'achevait l'élaboration du Ve Plan — exalte les « lois naturelles du marché » sans mentionner, même d'un mot, la planification. La nature, c'est-à-dire la force des choses, est là, au centre du manifeste, pour protester contre le sacrilège du Plan, contre une certaine outrecuidance de la pensée et de la volonté humaine : « Le fruit de l'arbre de la connaissance, du bien et du mal, tu n'en mangeras pas, dit la Bible, car le jour où tu en mangerais, tu périrais instantanément. » Le marché serait ainsi un garde-fou dressé par la Providence devant l'ambition des hommes qui prétendraient dangereusement choisir leur avenir.

A gauche, la même défiance de l'homme débouche sur un culte de la planification coercitive. Beaucoup de « progressistes » rêvent encore d'instaurer une société dans laquelle une bureaucratie omnisciente et dépositaire de l'ordre moral dicterait aux consommateurs les sages décisions qu'ils sont inaptes à prendre de leur plein gré. On croirait, à les entendre, que la masse des citoyens ne souhaitent qu'enlaidir leurs taudis et enjoliver leurs voitures, que la vraie cause de la crise du logement est moins dans le blocage des loyers, et dans le désordre du marché des terrains, que dans un appétit déréglé de jouissances immédiates aggravé par une docilité aux consignes de la publicité. La gauche oublie de chercher ses remèdes dans un accroissement de la liberté par une meilleure information et par une concurrence effective. Elle a pris l'habitude du renforcement de la réglementation et de la mise en régie des activités économiques.

A travers les excès de ce qu'on appelle « la société de consommation » beaucoup de nos intellectuels, de la génération plus ancienne, dénoncent en réalité l'arbitrage par le consommateur lui-même de ses propres besoins. Le procès de cet aspect, partiel, mais précieux, de la démocratie économique est une résurgence du « despotisme éclairé ». Une élite sûre de la vérité se croirait volontiers en droit d'imposer à tous ses préférences, par une contrainte détaillée. Elle serait même prête, elle le dit, à *reconstituer la pénurie* pour prémunir la masse contre les risques *moraux* de la croissance en liberté.

Ecoutons Madame Simone de Beauvoir : « Socialistes ou capitalistes, dans tous les pays l'homme est écrasé par la technique, aliéné à son travail, enchaîné, abêti. Tout le mal vient de ce qu'il a multiplié ses besoins alors qu'il aurait dû les contenir. Au lieu de viser une abondance qui n'existe pas, et n'existera peut-être jamais, il lui aurait fallu se contenter d'un minimum vital, comme le font encore certaines communautés très pauvres — en Sardaigne, en Grèce, par exemple — où les techniques n'ont pas pénétré, que l'argent n'a pas corrompues. Là, les gens connaissent un austère bonheur parce que certaines valeurs sont préservées, des valeurs vraiment humaines, de dignité, de fraternité, des générosités, qui donnent à la vie un goût unique. Tant qu'on continuera de créer de nouveaux besoins, on multipliera les frustrations. Quand est-ce que la déchéance a commencé ? Le jour où on a préféré la science à la sagesse, l'utilité à la beauté. Avec la Renaissance, le rationalisme, le capitalisme, le scientisme. Soit, mais, maintenant qu'on en est arrivé là, que faire ? Essayer de ressusciter en soi, autour de soi, la sagesse et le goût de la beauté. Seule une révolution morale et non pas sociale ni politique, ni technique, ramènerait l'homme à sa vérité perdue [1]. »

Les deux courants, de droite et de gauche, celui qui sanctifie le marché par méfiance à l'égard des audaces du plan, celui qui fait du dirigisme un but en soi par crainte des libertés du marché, se combinent négativement dans le « colbertisme », centralisateur et méfiant de l'administration française.

Manque de dessin d'ensemble, mais strict quadrillage réglementaire des activités de chacun, caractérisent son comportement. Elle s'intéresse beaucoup aux moyens et peu aux objectifs. Au lieu de fixer ceux-ci avec précision et de laisser à ses interlocuteurs la plus grande latitude dans le choix des procédés, elle fixe en détail les procédés sans déterminer les grandes missions.

Un directeur d'administration centrale n'a généralement qu'une vague idée des objectifs qui lui sont assignés, et définira volontiers le rôle de son service par la formule classique : « exercer ses attributions dans le cadre de la réglementation en vigueur ». Mais les moyens à mettre en œuvre pour atteindre ces fins obscures sont minutieusement codifiés. Il n'a le droit ni d'acheter une machine à calculer avec des crédits de personnel (même si cela permet une économie) ni d'envoyer un collaborateur en mission à Orléans sans le visa du contrôleur financier. Un président d'entreprise nationale ne sait pas toujours quelle est exactement la politique du gouvernement dans le secteur où il opère ; mais toutes les techniques de contrôle, et de la « tutelle », le guideront pas à pas pour lui éviter le risque. Notre bureau-

1. Simone de Beauvoir : « Les Belles Images ».

cratie traduit ainsi sa double réserve devant l'intelligence organisatrice et devant l'initiative responsable.

Le choix de la « bonne gestion » en vue de la croissance maximale, dans la France de 1967, n'est pas, au premier chef, un choix d'ordre *technique*. Il dépend d'abord, de la réponse donnée à cette question : faut-il ou non faire crédit à la maturité, à l'intelligence du plus grand nombre ? Jusqu'à présent les Français ont plutôt répondu *non*. S'ils se décidaient en faveur du *oui*, leur option aurait des conséquences illimitées, et pourrait changer toute la physionomie de la société. Cet acte de confiance serait la source commune de trois politiques qui forment un tout : investir dans l'intelligence humaine ; libérer les initiatives ; rechercher un choix conscient de l'avenir collectif.

En théorie, tout le monde est d'accord sur le premier point, c'est-à-dire sur le développement de l'enseignement, de la formation professionnelle, de la recherche. Les uns et les autres admettent que le retard de l'Education Nationale stérilise la plus grande partie de notre potentiel intellectuel, que l'insuffisance de la formation professionnelle est une des causes principales de la rigidité des structures industrielles, que la pauvreté de la recherche risque d'entraîner la satellisation de notre économie.

Dans les dernières années, des efforts ont été accomplis pour remédier à cette triple carence, comme en témoigne l'augmentation des crédits. Mais des signes clairs montrent que la confiance n'y est pas, que le dessein d'ensemble n'existe pas. La « politique de la matière grise » n'est pas vécue comme une obligation qui ferait sentir son ardeur partout où elle trouverait un point d'application. En dehors même de l'enseignement et de la recherche, où beaucoup, beaucoup reste à faire, d'énormes lacunes révèlent l'absence d'une vue globale du problème, d'un projet bien arrêté, d'une conviction au travail.

L'O.R.T.F., formidable outil d'éducation permanente, reste utilisé au dixième de ses capacités, alors que c'est dans ce domaine que le monopole d'Etat trouverait une justification. L'Etat se désintéresse si manifestement de la formation de ses propres fonctionnaires que pratiquement aucun dispositif de « recyclage » n'a été mis en place pour eux. Alors que la République Fédérale d'Allemagne possède plusieurs fondations milliardaires pour l'éducation des adultes, la France ne compte que des associations courageuses mais pauvres. La coordination entre les dix administrations diverses qui s'occupent d'équipement et de diffusion culturels ne se fait pas. Beaucoup de bonnes volontés sont à l'œuvre ici et là, mais *la volonté politique* est absente, qui devrait imposer un plan de développement des ressources intellectuelles du pays.

Une entreprise visant au plein emploi de ces ressources — dont la rareté forme le plus dangereux de tous les « goulots d'étranglement » — ne se limiterait pas à la réforme de l'enseignement. D'autres moyens, tout aussi importants, devraient être mis en action. L'éducation permanente en est un. L'ingénieur, le professeur, le fonctionnaire, le journaliste sera multiplié par deux ou par trois si au lieu d'user en quelques années la compétence acquise à l'école, il la renouvelle plusieurs fois durant sa vie active. C'est à peine si l'on soupçonne l'intérêt de cette première multiplication. Mais que dire de la seconde !

La seconde multiplication consisterait tout simplement à augmenter les responsabilités à tous les niveaux, à miser sur la confiance. Dans toutes les professions se rencontrent des hommes dont le rendement serait incomparable si on leur laissait plus d'initiative, si on leur donnait, avec des responsabilités plus larges, l'envie et l'occasion d'apprendre, d'imaginer, d'agir.

Investir dans la matière grise ne suffit pas. Il faut encore cesser de la comprimer par crainte du mauvais usage qui pourrait en être fait. L'évidence commence à se faire jour à travers la crise de notre système administratif, caractérisé par la peur de déléguer. Cette peur a modelé les structures, motivé les procédures, dicté les comportements. Elle aboutit aujourd'hui au délabrement de secteurs entiers, dont la gestion courante fait maintenant scandale, par comparaison avec les normes des pays les plus avancés.

Les hôpitaux publics n'ont jamais passé pour des modèles d'efficacité administrative. Mais c'est à mesure que leur équipement se modernise que l'archaïsme de leur gestion devient plus accablant. Ils se payent — heureusement — des bombes au cobalt, mais leurs barèmes leur interdisent de recruter des infirmières dont ils auraient besoin pour utiliser normalement les nouveaux appareils. Ils entretiennent les meilleurs praticiens, mais l'Assistance Publique ligote ses établissements dans une réglementation d'un autre âge.

Il y a dix ans les P. et T., magnifique horlogerie réglée depuis les bureaux de l'avenue de Saxe, jouissaient d'une réputation flatteuse. Aujourd'hui ce service, riche en ingénieurs sortis de Polytechnique et en administrateurs qualifiés, est en pleine déroute. Dans certaines villes de France, il demande deux ans pour installer un poste, et les grandes lignes nationales sont tellement embouteillées que les usagers renoncent à communiquer. Au même moment, l'insondable défiance de la bureaucratie française se déverse sur les abonnés dans une brochure de style pénitentiaire : « En cas de fraude, manœuvres délictueuses, paroles outrageantes envers le personnel, l'administration peut suspendre temporairement l'usage de l'installation... Si les faits reprochés à l'abonné revêtent un caractère exceptionnel de gravité, l'administration peut à tout moment, et même avant l'expiration de la durée minimum d'abonnement, après avis donné à l'intéressé, résilier les engagements dudit abonné. »

Que s'est-il passé ? L'accroissement des besoins, les progrès techniques ont précipité le *rythme du changement* — mais les freins sont restés serrés sur les initiatives qui seules auraient permis à ces grandes organisations de s'y adapter. Ce qui transparaît à travers la crise des Hôpitaux, du Téléphone, c'est la faillite d'un système fondé sur la présomption que les serviteurs de l'Etat, ses partenaires et ses clients sont incapables de se comporter raisonnablement. Il suffit de lire les décrets qui paraissent au Journal Officiel et d'examiner les mécanismes de décision, pour réaliser que, dans ce système, le directeur d'école primaire est présumé incapable d'acheter des crayons, le Président de la S.N.C.F. de décider un investissement important ou de licencier un collaborateur, la municipalité de Grenoble d'établir son propre plan d'urbanisme. *La présomption d'incompétence s'étend par ondes concentriques.*

L'une des principales firmes américaines formule ainsi ce qu'elle appelle les « Dix principes fondamentaux de la gestion moderne » :

1. — la décentralisation place le pouvoir de prendre les décisions aussi près que possible du théâtre de l'action ;

2. — la décentralisation est susceptible de donner les meilleurs résultats d'ensemble, si l'on met réellement en jeu, pour la plupart des décisions prises, la connaissance la plus approfondie des faits et la plus applicable pour l'action ainsi que la compréhension la plus rapide ;

3. — c'est seulement si une délégation de pouvoirs réelle intervient que la décentralisation produira son effet : mais non pas si l'on doit rendre compte ou, pis encore, s'ils doivent être d'abord contrôlés ;

4. — la décentralisation implique que l'on fait confiance aux personnes remplissant des fonctions décentralisées pour prendre de bonnes décisions dans la plupart des cas ; cette confiance doit provenir de la direction ;

5. — la décentralisation demande une claire conscience du fait que le rôle principal des états-majors consiste à

apporter aide et conseil aux exécutants par l'intermédiaire d'un nombre relativement faible de personnes expérimentées, de telle sorte que ceux qui prennent des décisions puissent le faire en connaissance de cause par eux-mêmes ;

6. — la décentralisation demande la compréhension de ce que l'ensemble de plusieurs décisions individuellement bonnes vaut mieux pour une entreprise et pour tout le monde que les décisions prises et contrôlées par un organisme central ;

7. — la décentralisation repose sur la nécessité de donner à l'entreprise des objectifs généraux, une organisation des communications, des politiques et des contrôles qui soient connus, compris et suivis ; mais il faut avoir présent à l'esprit le fait que la détermination d'une politique n'implique pas nécessairement l'uniformité des méthodes de réalisation ;

8. — la décentralisation ne peut être réalisée que si les dirigeants comprennent qu'ils ne peuvent conserver pour eux-mêmes l'autorité qu'ils ont déléguée à leurs collaborateurs des échelons inférieurs ;

9. — la décentralisation ne sera effective que si une responsabilité proportionnelle au pouvoir de décision dont chacun dispose est sincèrement acceptée et supportée à tous les niveaux ;

10. — la décentralisation demande une politique du personnel basée sur l'évaluation des performances, sur le respect des objectifs, sur des promotions pour les bons résultats obtenus et sur le renvoi pour incapacité ou insuffisance de résultats [1].

L'opposé de ces principes donnerait une image assez exacte des relations hiérarchiques au sein de l'administration française. La méfiance des supérieurs à l'égard des subordonnés soupçonnés d'incompétence, des subor-

1. Cité par M. Olivier Giscard d'Estaing, promoteur de l'Ecole de Gestion de Fontainebleau, dans son livre : « La décentralisation des pouvoirs dans l'entreprise ».

donnés à l'égard des supérieurs, suspects de despotisme, des administrés à l'égard de toute autorité proche, et par conséquent personnalisée, entraîne une série de conséquences : éloignement du niveau où se prennent les décisions par rapport au « théâtre de l'action », foisonnement de règles impersonnelles dictant le détail des comportements, stratification de la hiérarchie empêchant une circulation normale de l'information, multiplication des contrôles préventifs, généralisation de l'avancement à l'ancienneté, etc. Toujours *la défiance* érigée en institution.

On sait que dans des matières qui relèvent en principe de leurs attributions — comme le développement urbain — les grandes villes elles-mêmes sont devenues, du fait de leur dépendance financière, des circonscriptions d'exécution dont les magistrats élus ne peuvent rien faire d'important sans obtenir de Paris une permission dont la délivrance est subordonnée au contrôle détaillé des projets. En 1966, la Direction du Budget a retardé pendant plusieurs mois l'approbation d'un projet de Marché-gare à Marseille parce qu'un administrateur civil avait décidé de vérifier la dimension des casiers.

Les patrons du secteur privé ne voient pas toujours quand ils se plaignent du « dirigisme tracassier », qui soumet leur activité à une réglementation abondante, minutieuse et changeante, que celle-ci n'est que l'application des principes mêmes qu'ils appliquent dans leur propre entreprise, à leurs propres collaborateurs.

Au moment où la France entre dans la compétition internationale, l'industrie privée devrait être placée dans un climat favorable à l'initiative, à la concurrence, au rendement — la suspicion qui l'entoure, la tendance héritée de Colbert, à soumettre la production aux rigidités de la bureaucratie, représentent un handicap dangereux.

La présomption d'incompétence entraîne une double perversion. Elle tue l'initiative au-dedans et au-dehors.

Elle disloque l'administration. Car l'unité d'un pouvoir central aussi lourdement chargé de détails, aussi accablé par le téléguidage de millions d'opérations particulières, ne peut être que fictive.

La présomption d'incompétence fabrique sans cesse ses propres confirmations, car elle refuse à ceux qu'elle frappe l'occasion de montrer ou d'acquérir le savoir-faire qui leur est a priori dénié. Elle engendre constamment des conduites irresponsables et finit donc par justifier la méfiance sur laquelle elle repose.

Ni la Suède, ni le Royaume-Uni, ni les Etats-Unis, ni la Suisse, qui tous, ont l'expérience d'une décentralisation beaucoup plus prononcée, n'offrent pourtant l'exemple d'aberrations...

Même sa tâche ainsi allégée, l'Etat ne manquerait pas de besogne. Il pourrait se concentrer sur les responsabilités que nul ne peut prendre à sa place. Ses dirigeants, et ses fonctionnaires, pourraient se consacrer à l'essentiel de leur métier : définir soigneusement les objectifs, élaborer avec précision les politiques. Les grandes entreprises modernes tendent à « centraliser les objectifs et décentraliser les décisions ». L'Etat, énorme entreprise, doit évidemment s'inspirer de la même règle. Car la source de son inefficacité est moins dans le manque de moyens juridiques ou financiers, que dans l'absence de buts clairs et de politiques cohérentes.

Il est vrai que ce n'est pas seulement l'Etat, mais toute la société française qui flotte. Mais n'est-ce pas, précisément, la fonction des hommes qui exercent le pouvoir, ou y prétendent, que de la tirer de son indétermination ? Ils n'y parviendront qu'en se décidant à « faire faire » une grande partie de ce qu'ils font eux-mêmes et qui les accable. La centralisation dispense ceux qui commandent d'expliquer aux autres, et de s'expliquer à eux-mêmes, leurs objectifs. La décentralisation les y contraint.

Il n'y a pas d'initiative sans droit à l'erreur, il n'y a

pas non plus de responsabilité sans sanctions. Toute tentative pour libérer l'initiative implique la généralisation du contrôle sur les résultats. Le marché — là où il peut réellement fonctionner — en est une modalité. La Régie Renault voit sa gestion « contrôlée » par la concurrence de Citroën ou de Volkswagen de manière mille fois plus rigoureuse, et vigoureuse, que par la « tutelle » du Ministère de l'Industrie. Le fonctionnement du marché aurait sans doute épargné aux Français la crise du logement provoquée par le blocage des loyers de 1919. L'établissement ou le rétablissement d'une concurrence effective assainirait des professions fermées, bien plus sûrement qu'un raffinement des réglementations. La concurrence est inscrite dans la perspective du Marché Commun : il n'y pas à regretter ce que risque d'y perdre le dirigisme.

Il y a d'autres sanctions que celles du marché qui sont utilisables là où celui-ci ne l'est pas. Le vote des électeurs jugeant la gestion d'une municipalité remplacerait avantageusement la tutelle de l'Etat.

A partir du moment où les maires et les conseillers municipaux deviendraient effectivement responsables de leur gestion, à partir du moment où les communes trouveraient dans leurs ressources propres de quoi financer l'essentiel des services dont elles seraient chargées, il est permis de penser que les électeurs verraient assez clairement le lien entre l'effort fiscal qui leur est demandé, et les résultats atteints par la municipalité, pour sanctionner par leurs votes les bonnes ou mauvaises gestions. Si imparfait que puisse être le contrôle démocratique, il serait préférable, du simple point de vue de l'efficacité, au système qui supprime, en fait, tout contrôle en rendant impossible l'identification des responsables.

Là où ni le marché ni le vote ne permettent de concilier responsabilité et liberté d'action, il reste tout simplement les règles modernes du « management ». *Ce qui importe, c'est la volonté de libérer l'initiative, de faire confiance à l'homme, à tous les niveaux.* Tous ceux qui sont capables d'apprendre, et d'agir, mais qui faute de responsabilité ne le font pas, apporteraient un surplus de compétence inappréciable.

Bien que jamais jusqu'à présent aucun gouvernement ne se soit fixé pareil objectif, il s'agit bien d'une *entreprise politique,* et sans doute la plus urgente, car tout le reste en dépend, et en sera modifié. Certes on pourrait attendre que l'évolution naturelle des mœurs, et de la désagrégation du système ancien, la conduise à son terme. Mais l'Histoire offre trop d'exemples de civilisations qui se sont ainsi peu à peu englouties sous le poids de leur passé.

La libération des initiatives n'est pas de ces problèmes que les programmes électoraux aiment à traiter. C'est pourtant l'opération politique la plus décisive. Elle ne peut être menée sans être voulue et, pour qu'elle soit voulue, il faut d'abord que les responsables rejettent pour leur propre compte le scepticisme dont notre vie collective est imprégnée. Et c'est le même fil directeur qui devrait les guider dans la recherche d'un choix de plus en plus conscient des grandes orientations de l'économie.

L'accélération du rythme de la croissance et les progrès de la prévision appellent une orientation à long terme plus ferme. L'élévation des niveaux de vie rend évident le retard des équipements collectifs — dont dépendent de plus en plus l'agrément, la « qualité » de l'existence — sur les consommations individuelles. Le marché, révélateur utile d'une large gamme de besoins n'exprime pas ceux qu'il faudrait satisfaire en priorité pour organiser une société plus habitable. Des opérations aussi cruciales que l'expansion de la recherche en électronique ou la domestication des « surgénérateurs » atomiques atteignent une envergure telle que les entreprises ne peuvent qu'y collaborer, sous le leadership de l'Etat et avec l'appui des finances publiques. Ce n'est donc pas le moment de suggérer un « désengagement » de l'Etat, mais celui de proposer qu'il se concentre sur les responsabilités suprêmes que personne n'assumera à sa place.

Il est permis de demander plus de planification *et* plus de liberté, sans tomber dans la logomachie électorale. « La dialectique plan-marché s'est beaucoup affinée. En combinant les découvertes américaines sur le management et les découvertes françaises sur la planification souple et concertée, on peut devenir révolutionnaire en étant, seulement, plus conscient [1]. »

En dépit des habitudes de pensée de la droite et de la gauche, libération des initiatives et maîtrise des actes qui engagent l'avenir sont les deux branches d'une même émancipation. Qu'il y ait sans cesse des conciliations difficiles à opérer entre la liberté des acteurs privés et la stratégie de l'Etat, cela va de soi. Mais la croyance dans un antagonisme de principe entre les deux termes est démentie par l'expérience.

La logique du libéralisme et la logique de la planification détaillée sont également boiteuses parce que l'une et l'autre amputent les hommes d'une partie de leur pouvoir créateur.

La confiance et la liberté sont liées par une commune inspiration, celle qu'identifiait Jaurès lorsqu'il résumait ainsi les buts, à ses yeux, du marxisme :

« Marx a déclaré que jusqu'ici les sociétés humaines n'avaient été gouvernées que par la fatalité, par l'aveugle mouvement des forces économiques ; les institutions, les idées n'ont pas été l'œuvre consciente d'hommes libres, mais le reflet de la consciente vie sociale dans le cerveau humain. Nous n'en sommes encore que dans la préhistoire. L'histoire humaine ne commencera véritablement que lorsque l'homme, échappant à la tyrannie des forces

1. M. François Bloch-Lainé.

inconscientes, gouvernera par sa raison et sa volonté la production elle-même [1]. »

Les mêmes expressions, à peu de choses près, viennent sous la plume d'un « technocrate » moderne comme M. Pierre Massé : « Les ressorts de cette grande œuvre — le développement économique et social — sont la liberté et la volonté de l'homme. Ses instruments sont les plans, partiels ou globaux, privés ou publics, qui, sous les formes les plus diverses ont pour contenu commun la conscience et l'intentionnalité, opposées aux fatalités et aux hasards. »

Mais si la théorie de la planification a fait depuis 1945 de grands progrès, la pratique n'a pas avancé à la même cadence. Et ce n'est pas que l'Etat, maître du budget, de la fiscalité, des grandes banques nationales, principal client de l'industrie privée, manque de pouvoirs ; il en regorge. C'est qu'il hésite, par scepticisme à l'égard de « l'aventure calculée », à devenir plus conséquent avec lui-même. La plupart des praticiens estiment qu'il suffirait de rationaliser l'organisation gouvernementale pour obtenir un progrès spectaculaire de la planification.

Pour gagner plus de liberté, il faut se résigner à descendre dans les soutes de la finance publique, et sans doute à changer complètement l'outillage. Les Américains l'ont entrepris en mettant en vigueur, depuis juillet 1967, le « PPBS » (Planning, Programming, Budgeting System). Sous les dehors rébarbatifs d'une nouvelle procédure budgétaire, le « PPBS » est le point de départ d'une révolution dans les techniques du gouvernement. Révolution animée, elle aussi, par tout l'optimisme de l'esprit scientifique. L'enjeu n'est rien moins que la suppression de la routine et du précédent, causes du retard ancestral, universel et légendaire, des bureaucraties publiques. Pour parvenir à ce résultat, on introduira,

1. Jean Jaurès : « Introduction à l'Histoire Socialiste ».

dans tous les processus administratifs de décision, des mesures objectives, des calculs de rendement et même des concurrences entre projets.

Bien entendu, le but de ce système ne peut pas être d'épargner au gouvernement et au Parlement les options politiques : aucun calcul ne permet de déterminer objectivement s'il vaut mieux entreprendre un programme de rattrapage scolaire ou un programme de recherche spatiale. Les grands choix resteront du ressort de la conviction. Les auteurs de la réforme ont voulu éclairer ces choix, contraindre les responsables du haut en bas de la hiérarchie à réfléchir sur leur action et à l'orienter en connaissance de cause. La nouvelle procédure budgétaire est finalement une pédagogie, une tentative pour faire triompher l'intelligence sur la routine.

L'acte de confiance fondamental dont dépend désormais la « bonne gestion », qui donc en sera le plus capable : la droite ou la gauche ? « La nature, dit Ramuz, est à droite. »

La droite, en effet, n'a cessé d'opposer la nature aux artifices, c'est-à-dires aux inventions humaines. Non pas qu'elle ne sache à l'occasion user d'artifices. Mais alors elle les déguise en « lois naturelles » pour faire obstacle aux choix conscients. Nous avons assisté à la résurrection de tabous financiers qu'on pouvait croire définitivement tués par l'expérience et par la science économique. Tabou de l'étalon-or qui s'imposerait aux nations en vertu des qualités naturelles et intrinsèques de ce métal. Tabou du budget équilibré qui, s'il était réellement observé, priverait le gouvernement de l'arme anti-cyclique que doit constituer, dans certaines conjonctures, le déficit budgétaire.

Il n'y a pas, disait Jaurès, de vin naturel : « Le pain et le vin sont un produit du génie de l'homme. Et la nature elle-même est un merveilleux artifice humain. » C'est cette affirmation que la droite a toujours contestée. M. René Rémond, qui en est le meilleur historien, en distingue d'ailleurs trois. Il constate qu'elles se rejoignent dans le « scepticisme inné pour tout ce qui projette de dévier le cours naturel des choses, la soumission à l'ordre naturel, qui fait condamner les révolutions, et le principe même des réformes de structure[1] ».

La droite c'est encore « le gouvernement de l'élite », que réclamait Lyautey, opposé à une démocratie ambitieuse qui voudrait que chacun puisse faire le plein des responsabilités qu'il est capable d'assumer. L'élite tient ses droits, et s'il le faut ses privilèges, de l'inaptitude des hommes, et de leur irrémédiable inégalité.

Cette profonde défiance motive, autant que la défense d'intérêts matériels, l'hostilité des conservateurs à toutes les tentatives pour remplacer « l'ordre naturel » par un ordre voulu.

L'animosité officielle récente, si profonde, à l'égard de l'Europe supranationale, vient du même dégoût pour les constructions nécessairement arbitraires de l'esprit humain. « Il y a, disait Maurras, une unité, une entité politique, civique, sociale, *qui s'appelle la France.* Il n'y a pas *une Europe* à cerner, par opposition et symétrie oratoire, d'attributs pareils ou correspondants. Parler de France et d'Europe en politique concrète est tout aussi sérieux que de balancer l'antithèse *du moi* et du *non-moi.* Nous connaissons le moi, c'est un personnage défini et dont le nom correspond à une réalité distincte. Le non-moi, c'est tout ce qu'on veut mettre sous cette épithète flottante. Cet abus de langage consiste à fixer sous deux vocables également précis deux idées aussi dénuées d'équivalence logique et pratique. »

Il y avait, il y a encore, dans le scepticisme de la droite une bonne dose de réalisme. C'est vrai que les nations sont de fortes réalités, c'est vrai que les « lumières » de la raison sont inégalement répandues. Mais à mesure que les hommes apprennent à mieux connaître les forces qui

1. M. René Rémond : « La droite en France ».

les entourent, et par conséquent reçoivent le pouvoir de les canaliser et de les dominer, le réalisme change de camp. Le désir de faire mieux, autrefois générateur d'utopies, devient la condition du progrès, et même de la prudence. Or cette confiance dans les possibilités humaines est l'âme de la gauche.

Elle s'est exprimée tantôt avec maladresse, tantôt avec clairvoyance, dans un parti pris pour la science contre l'obscurantisme, pour la démocratie contre l'autoritarisme, pour le changement contre le statu quo. Elle a suscité des doctrines, mais aussi des combats, qui ont profondément marqué l'histoire de notre pays.

Le conservatisme professionnel qui s'est emparé du milieu enseignant ne doit pas faire oublier que ce sont des hommes de gauche, les instituteurs républicains, qui ont mené au moment le plus difficile la bataille pour la diffusion du savoir, au-delà de cette élite si désireuse d'en garder le monopole. Les résistances du milieu parlementaire devant la désignation du chef de l'exécutif par le peuple ne devraient pas faire perdre de vue qu'historiquement les progrès du suffrage universel sont dus à l'acharnement de la gauche. C'est aussi chez elle qu'est née la volonté de soumettre l'économie à des choix raisonnés, et grâce à elle que le Plan est apparu en France.

Si l'on cherche, au-delà des moyens préconisés par les « pères fondateurs », quels sont les buts qu'ils poursuivaient, quelle était l'espérance qui les animait, ce que l'on trouve c'est bien « le jaillissement de la grande vie ardente et libre de l'humanité qui, affranchie de tout servage, s'appropriera l'univers par la science, l'action et le rêve. Le jour où il y aurait, entre toutes les formes de l'activité humaine, entre toutes les fonctions, libre passage, libre et incessante circulation, *les aptitudes changeantes ou incertaines de l'homme ne seraient pas figées* et immobilisées dès la première heure par la fonction d'abord choisie par eux ; *les activités seraient perpétuellement en éveil,* et même les poussées de sève tardive pourraient s'ouvrir de nouveaux canaux et éclater en floraison imprévue » (Jaurès).

Si la critique d'un capitalisme oppressif les a conduits à contester les libertés formelles que celui-ci dispensait à quelques milliers de privilégiés, il ne reste pas moins vrai qu'ils voulaient dans l'ensemble une société de l'initiative. Ces objectifs sont parfaitement actuels. Le pressentiment d'une société ouverte d'hommes *mobiles,* et constamment *régénérés* par ce que nous appelons aujourd'hui l'éducation permanente, trouve une éclatante confirmation.

Jamais ces valeurs n'ont été aussi précieuses que dans une époque où se révèle l'immensité des ressources contenues dans l'homme, et par conséquent, la faillite historique où mène leur sous-développement.

CONCLUSION

Pour les sociétés, comme pour les hommes, il n'y a pas de croissance sans défi. Le progrès est une bataille, comme la vie est un combat. Ces évidences n'ont jamais été perdues de vue parce que l'histoire des sociétés humaines s'est à peine distinguée, jusqu'à présent, de l'histoire militaire.

Aujourd'hui, les sociétés avancées (Etats-Unis, Union Soviétique, Europe) parviennent au terme de cette Histoire-là. Des affrontements militaires, entre elles, ne seront plus que virtuels ou thermo-nucléaires. Cette deuxième hypothèse, celle de l'anéantissement, n'est pas, bien entendu, à exclure. Mais l'hypothèse historique qu'il nous faut prendre comme point de départ, pour la réflexion et pour l'action, c'est la paix atomique. C'est-à-dire la guerre industrielle.

Résidu, absurde et barbare, de l'époque des croisades, le conflit au Vietnam touche forcément à sa fin. Il paraît inconcevable qu'avant la prochaine élection à la Présidence des Etats-Unis ne s'élève pas, comme chaque fois dans l'histoire de ce grand peuple, une voix claire qui redresse le débat politique et emporte l'adhésion de la majorité des Américains, qui l'attendent, pour en terminer avec cette expédition dont le seul objectif rationnel est depuis longtemps atteint : arrêter le débordement de l'impérialisme chinois sur l'Asie, comme autrefois celui de Staline sur l'Europe.

Alors commencera visiblement ce que les guerres coloniales, depuis vingt ans, en occupant les discours et les esprits, n'ont pas permis à tous d'apercevoir : l'affrontement des civilisations se déroule désormais dans le champ clos planétaire de la technologie, de la science, de la gestion.

Le Corps Expéditionnaire américain quittera le Vietnam, où il n'a plus rien à gagner et tout à perdre. Mais l'industrie américaine ne quittera pas l'Europe, où elle ne cesse d'avancer ses conquêtes et d'accroître sa puissance. Cet aiguillon n'existerait pas que nous devrions trouver en nous-mêmes la force de créer, le goût de façonner une « société post-industrielle » plus intelligente et généreuse. Les duels techniques, les prouesses d'organisation, nous plaisent, mais nous captivent moins que la perspective d'une plus haute civilisation. Le défi américain ne fait ainsi qu'ajouter une pression extérieure à la nécessité intérieure.

Devant ce défi, sans précédent, nous serons seuls, et tard éveillés, mais non sans ressources. Du temps où la puissance s'exprimait par le nombre d'homme en armes, par le nombre des Légions, l'Europe fut au premier rang. Quand vint la puissance mécanique de l'industrie, de la transformation des matières premières, l'Europe garda la tête. En 1940 encore, rien n'aurait pu vaincre une coalition de l'Allemagne, de la Grande-Bretagne et de la France, si elles avaient été unies. Même livrée, par la folie hitlérienne, à sa plus grande guerre civile, cette Europe saignée dans son corps et aliénée dans son esprit, connut, après 1950, un redressement d'une telle vitalité qu'elle pouvait encore prétendre aux premiers rôles. Ce qui a manqué à nos dirigeants, dans les années qui ont suivi, c'est une ambition rationnelle, c'est-à-dire réalisable.

Nos débats politiques, durant les années mêmes où commençait la conquête par l'industrie américaine de toutes les positions dominantes de la technologie, montrent assez que nos responsables ont perdu de vue et les réalités nouvelles et les conditions de l'espérance. Si bien que la Grande-Bretagne et la France se retrouvent au même point que les pays vaincus de la dernière guerre, comme l'Allemagne et l'Italie, face au vrai vainqueur qui a su exploiter son succès et entame maintenant la grande conquête.

Cette nouvelle forme de conquête répond presque parfaitement à la définition d' « *immatérielle* » — ce qui explique sans doute qu'elle ait échappé à nos dirigeants habitués à compter en tonnes d'acier, en outillages et en capitaux.

Ni les légions, ni les matières premières, ni les capitaux ne sont plus les marques, ni les instruments, de la puissance. Et les usines elles-mêmes n'en sont qu'un signe extérieur. La force moderne c'est la capacité d'inventer, c'est-à-dire la recherche ; et la capacité d'insérer les inventions dans des produits, c'est-à-dire la technologie. Les gisements où il faut puiser ne sont plus ni dans la terre, ni dans le nombre, ni dans les machines — ils résident dans l'esprit. Plus précisément dans l'aptitude des hommes à réfléchir et à créer.

On l'admet du savant. On le réalise mal du politique, du fonctionnaire, du chef d'entreprise. Dans cette notion de profit, dont il est de bon ton de faire l'éloge indiscriminé aujourd'hui, l'économiste français M. François Perroux montre bien qu'on fait tout entrer : la rente de situation, le gain du monopole, les fruits de la spéculation. Or ce qui est profit sain, profit réel, pour l'entreprise comme pour la société, *c'est le fruit de l'innovation.*

La formation, le développement, l'exploitation de l'intelligence — telle est la ressource unique. Il n'en existe pas d'autre. Le défi américain n'est pas brutal comme ceux que l'Europe a connus dans son histoire, mais il est peut-être plus dramatique : il est le plus pur.

Ses armes sont l'emploi et l'affinement systématique de tous les instruments de la raison, non seulement dans le domaine de la science qui ne connaît pas d'autre outillage, mais aussi dans celui de l'organisation, celui de la gestion, où les Européens se sont accoutumés au règne de l'irrationnel : fétichisme des préceptes transmis de père en fils, pesanteur des routines, droit divin de l'autorité, priorité abusive du « flair » sur la pensée méthodique. A côté de ces tabous pesants, la raison humaine est souple, légère, mobile.

La renaissance, que nous ne pouvons plus guère nous permettre d'attendre, ne répondra pas à l'éloquence patriotique ni aux sonneries de clairon du temps des grands affrontements physiques ; mais à la finesse de l'analyse, à la rigueur de la pensée, à la précision du raisonnement. Elle appelle donc une race particulière de chefs politiques, de chefs d'entreprises et de chefs syndicalistes.

Combien de temps leur reste-t-il pour arriver ? Il serait absurde de fixer une date. Mais on sait, car chaque secteur se prête à certaines mesures, que le point de non-retour existe, et qu'il est proche. Il reste encore quelques années. Si l'on prend comme indicateur le secteur électronique, il en reste peu.

Pour une partie du front, il est d'ailleurs déjà trop tard : l'Espace lourd, par exemple, voire le transport supersonique. Mais ce ne sont pas là des secteurs vitaux. C'est à partir des Systèmes d'Information, et de leurs méthodes d'utilisation, que des frontières nouvelles pour la création humaine, dans tous les domaines, et que les Américains eux-mêmes n'ont pas encore reconnues, apparaîtront. C'est vers elles qu'il faut aller avant qu'elles soient tenues par d'autres.

Jouer cette partie est une immense affaire. Il s'agit d'amener à l'exercice et à l'application de l'intelligence tous les hommes valides que notre société est capable de former et d'équiper. Et il s'agit surtout qu'ils y arrivent résolus à lutter jusqu'à la limite de leur valeur, ou de leur génie, c'est-à-dire *pour leur compte.* C'est bien le problème politique par excellence.

Dans une société de liberté, comme la nôtre, il n'y a pas de voie unique en politique. Chacun doit indiquer ses propositions, nous avons donné les nôtres. Ensuite le débat fait la lumière, et crée la force. A la seule condition que l'objet même du débat soit clairement reconnu, et admis, par tous. Cette fois c'est assez simple, nous n'avons pas à le choisir, il nous est imposé : c'est le défi américain. Nous avons seulement à le comprendre, à le cerner, à l'étudier.

Ce livre n'avait pas d'autre prétention que d'y contribuer. Il ne comporte, à vrai dire, pas de conclusion ; car si la tragédie est sur nous, son dénouement n'est pas écrit. Aussi n'est-ce pas un livre d'Histoire mais, avec un peu de chance, un livre d'action.

Septembre 1967.

ANNEXES

1. *Note sur l'expérience japonaise.*

2. *Note sur l'expérience suédoise.*

3. *Exemple d'une mauvaise politique.*

4. *Commentaires de M. Herman Kahn.*

5. *Réflexions de M. Louis Armand.*

6. *Remarques de M. Jacques Maisonrouge.*

NOTE SUR L'EXPÉRIENCE JAPONAISE

Le Japon est la puissance industrielle qui se développe depuis vingt ans au rythme le plus rapide, supérieur, de loin, au rythme américain (ce qui est dû en partie à son niveau de vie encore très inférieur). S'il poursuit durablement sur cette lancée, *le Japon aura rattrapé les Etats-Unis avant n'importe quel autre pays du monde.*

Or les traits caractéristiques de la société japonaise d'aujourd'hui et du développement de son industrie sont, sur certains points, *très différents du modèle américain.*

Ainsi le Japon nous offre l'exemple d'une grande nation qui se porte au plus haut niveau de compétitivité sans renoncer à l'originalité de ses traits socio-culturels, et sans entrer dans un processus de pure imitation.

En particulier :

— Le taux *d'autofinancement* des entreprises japonaises est faible. Alors qu'aux Etats-Unis, les investissements sont financés essentiellement par voie d'autofinancement.

— La *mobilité de la main-d'œuvre* est extrêmement réduite au Japon. Alors qu'elle est considérée aux Etats-Unis comme un élément déterminant de l'efficacité des entreprises.

— Enfin, la politique du Japon *en matière de recherche* est, pour des raisons historiques évidentes, très différente de la politique américaine, et très en retard.

1. — Alors que les entreprises américaines, et dans une grande mesure, européennes, cherchent par efficacité économique à financer la plus grande part, sinon la totalité, de leurs investissements sur leurs bénéfices propres (autofinancement) c'est l'inverse au Japon : la majorité des investissements sont financés par les crédits bancaires.

Ce système particulier vient de loin dans l'histoire japonaise. Peu après la révolution des Meiji en 1868, les établissements bancaires ont commencé à jouer un rôle moteur dans l'industrialisation du pays. La spécialisation des fonctions bancaires, telle qu'elle est définie en France par exemple, est pratiquement inconnue au Japon : la banque, loin de se spécialiser dans le simple financement, est associée à l'industrie, dont elle est même souvent un actionnaire, majoritaire, ou minoritaire important.

Après la guerre, c'est autour des Banques que se sont reconstitués les grands ensembles industriels, dont la base familiale avait été détruite par l'occupant américain. Les cartels et les trusts, qui n'avaient plus le tissu des participations croisées familiales, en ont retrouvé un autre avec les réseaux bancaires. La banque japonaise exerce ainsi maintenant une fonction directrice et régulatrice des investissements à l'intérieur des groupes industriels.

Même si l'Etat japonais, dans les derniers temps, a amorcé un sytème de contrepoids à ce rôle dominant des banques, il demeure que la relation banque-industrie au Japon est bien différente de celle que l'on connaît en Occident. Ce qui explique que l'autofinancement n'ait pas été considéré là-bas, jusqu'à présent, comme un facteur déterminant du développement industriel.

Cette activité des Banques a permis une remarquable animation du marché financier par *l'épargne individuelle* qui a ainsi atteint au Japon la part exceptionnelle de *20 à 22 % des revenus personnels.* Ils se placent en banque sous forme de dépôts à terme, et forment une base solide pour l'expansion du crédit.

Ces structures financières, peu orthodoxes du point de vue occidental, n'ont pas constitué un obstacle à l'investissement, et ont souvent même obtenu des résultats exceptionnels. La formation brute de capital a représenté au Japon, de 1956 à 1963, 34 % du produit national (contre 17 % aux Etats-Unis).

Les grandes entreprises japonaises distribuent à leurs actionnaires des dividendes qui seraient exorbitants dans un pays occidental — *souvent de 10 à 15 % par an.* Cela évidemment contribue à empêcher l'autofinancement de se développer ; mais ces revenus importants viennent grossir la masse des dépôts dans les banques, et sont réinvestis, par ce circuit, dans l'industrie.

2. — L'immobilité de la main-d'œuvre, sans être aussi rigide et totale que la légende le veut, est néanmoins un trait tout à fait frappant de la spécificité japonaise.

Elle consiste en ceci : les grandes entreprises japonaises ont créé, dans un large secteur, pour leurs ouvriers, leurs employés et leurs cadres, un système qui s'appelle « *l'emploi permanent* » (shushin-koyo). Et ce système est prolongé, et accentué, par le « *salaire de l'ancienneté* » (nenko-sei).

L'emploi permanent désigne le fait que la grande firme japonaise recrute très jeunes ses employés et ses cadres, s'engage à compléter leur éducation et à les former professionnellement pendant plusieurs années, leur demande *un contrat à vie* et s'engage, de son côté, à ne pas les licencier. La carrière de l'employé sera liée à l'évolution de la firme.

A cette fidélité par contrat est lié le salaire à l'ancienneté : une augmentation proportionnelle au temps de service dans l'entreprise. Ainsi un ouvrier de quarante ou cinquante ans a fréquemment un salaire quatre ou cinq fois plus élevé que l'ouvrier plus jeune faisant le même travail.

Cette relation avec l'entreprise provoque une grande immobilité de la main-d'œuvre. En théorie économique occidentale, cette rigidité est difficilement compatible avec le progrès. Ce n'est pas l'avis des industriels japonais et l'expérience des vingt dernières années leur donne, en ce qui concerne le Japon, raison. *C'est le facteur socio-politique, la notion d'intégration, qui l'emporte.*

Cette fixité de la main-d'œuvre ne s'applique pas à toute la population. Selon le spécialiste américain, M. Salomon Levine, l'emploi permanent concerne environ 40 % de la population active industrielle. Il est assoupli par le fait qu'il est beaucoup moins employé dans les petites et moyennes entreprises, qui constituent ainsi un réservoir de main-d'œuvre mobile pour les grandes firmes. Et qu'il ne s'applique pas du tout à la population agricole qui constitue à son tour un réservoir de main-d'œuvre pour les petites et moyennes entreprises. Il y a donc une souplesse qui corrige certains inconvénients du système ; et qui permet aux entreprises en forte expansion de pratiquer l'embauchage en dehors des circuits de l'emploi permanent et du salaire à l'ancienneté.

Néanmoins, c'est bien l'idée de la garantie de l'emploi qui domine l'essentiel de l'industrie japonaise. Les économistes japonais, qui ont étudié évidemment le phénomène, considèrent que cette immobilité relative a entraîné un avantage directement lié au taux extrêmement rapide de l'expansion japonaise.

Les innovations massives des vingt dernières années ont apporté des bouleversements presque permanents dans les emplois et les qualifications à l'intérieur des grands secteurs industriels. Ces changements auraient dû rencontrer une vive résistance de la part des syndicats. Or le système japonais de l'emploi à vie, considéré souvent comme un archaïsme, a permis de faire accepter, le plus souvent avec facilité, les progrès de l'automatisation et les changements d'emploi à l'intérieur des entreprises, les syndicats ayant l'assurance du non-licenciement. C'est ce qui ressort de l'étude de l'économiste japonais, M. Mikyo Sumiya [1]. Il indique même que c'est « le système de garantie de l'emploi qui a permis l'adoption des nouvelles techniques de production sans trop de difficultés sociales ».

Ainsi, non seulement les voies de la croissance sont diverses, mais il est important, du simple point de vue de l'efficacité économique, de les adapter aux tempéraments nationaux.

3. — Quant à sa politique de recherche, le Japon a, là encore, été dans une situation particulière. Les années de préparation de la guerre, puis de la guerre et de l'après-guerre l'ont handicapé d'un retard considérable. Non seulement par rapport à l'Amérique, mais par rapport à tous les pays d'Europe Occidentale.

C'est d'abord par l'importation massive de techniques étrangères que les industriels japonais ont entrepris, après la guerre et l'occupation, de compenser leur vieillissement

1. « The impact of technological change on industrial relations in Japan », (Tokyo).

industriel. L'utilisation de brevets étrangers et surtout américains, a joué un rôle moteur pendant un certain temps, mais il a rapidement présenté les inconvénients classiques.

L'importation massive de techniques mises au point à l'étranger a fini par avoir un effet nuisible sur la recherche nationale. Les firmes américaines ne vendaient que des techniques déjà dépassées par leurs propres découvertes. Le gouvernement japonais, et les industriels eux-mêmes, en ont pris conscience. Ils ont alors entamé une politique nouvelle destinée à reconquérir pour la technologie japonaise le minimum d'autonomie nécessaire à l'avenir de son développement [1].

Depuis 1960, le gouvernement japonais a donné une forte impulsion pour encourager la recherche fondamentale et secouer ce qu'il appelle « *la dépendance technologique* ». Les dépenses de l'Etat pour le développement de la science et de la technique ont été *multipliées par 5,* et celles des entreprises privées par 8. Ces efforts nouveaux, surtout, ont pu être concentrés presque exclusivement *dans le secteur civil,* ce qui a beaucoup avantagé, et accéléré, le rattrapage du Japon. Les Etats-Unis consacrent 8,9 % de leur produit national aux dépenses militaires, et la France 5,2 % ; le Japon, 1 % seulement.

Aujourd'hui le pourcentage de Japonais engagés dans la recherche scientifique se trouve à égalité avec la France et l'Allemagne : 2,5 pour 1 000 habitants. Et si l'on regarde seulement les scientifiques qualifiés et les ingénieurs, le Japon possède maintenant, en proportion, deux fois plus que la France ou l'Allemagne. Mais encore deux fois moins que les Etats-Unis.

Le Japon n'ayant ni la dimension, ni la richesse, pour rivaliser partout avec les Etats-Unis, a concentré son effort sur *des secteurs très spécialisés :* essentiellement les industries chimiques, et les industries de construction électrique et électronique — qui absorbent plus de 50 % des crédits de recherche industrielle. C'est pourquoi dans ces secteurs,

1. Comme le montre le professeur Hubert Brochier dans « Le Miracle économique japonais ». (Calman-Lévy).

le Japon est devenu compétitif avec les Etats-Unis, et commence même d'exporter vigoureusement sur le marché américain lui-même des produits techniquement très avancés. Ce qui est une performance remarquable en moins de dix ans.

Les grandes firmes industrielles japonaises créent maintenant des « *sociétés de recherche* » qui ont pour mission de faire de la recherche fondamentale sans être liées aux problèmes immédiats du marché, ni à la recherche du profit. Les industriels japonais en attendent de grandes réalisations d'ici à 1980 pour parvenir à des « percées technologiques », dans certains secteurs, avant les Américains. On peut citer en particulier « L'Institut de Recherche Honda » et « l'Institut de Recherche Matsushita ».

Ces efforts récents de la recherche japonaise s'inscrivent dans les derniers résultats enregistrés. L'augmentation des exploitations à l'étranger de brevets inventés au Japon s'est développée de 500 % en cinq ans, alors que durant la même période l'augmentation de brevets étrangers appliqués au Japon n'a été que de 50 %. Les écarts en valeur absolue demeurent encore considérables, le gouvernement et les industriels japonais veulent donc intensifier leur effort pour parvenir, dans de nouveaux secteurs, à l'autonomie technologique — après avoir fait la preuve qu'ils avaient été capables d'y parvenir en chimie et en électronique.

Conclusion : les particularités du système industriel japonais sont très fortes. Elles tiennent au système des relations sociales ; à la structure des circuits financiers et de l'épargne ; enfin au très grand retard technologique.

Le trait le plus spécifique est l'intégration presque totale du travailleur à l'entreprise et le degré élevé de l'emploi. Mais ce système social le Japon est parvenu à l'adapter. Les stimulants collectifs, au sein des entreprises, sont beaucoup plus utilisés que les formules de salaire liant la rémunération à la performance individuelle. Avec des résultats intéressants.

Les processus de décision, à l'intérieur de l'entreprise, tendent à être « démocratiques ». L'intégration de l'employé à l'entreprise, le lien à vie amènent les dirigeants japonais à rechercher l'adhésion aux objectifs de la firme par des processus de décisions qui associent davantage les employés. En raison des structures sociales japonaises particulières les résultats, sur le plan de l'efficacité, sont souvent remarquables.

C'est sans doute aussi par cette structure sociale que s'explique le niveau exceptionnel de l'épargne privée.

Les Japonais, bien qu'ayant un pouvoir d'achat individuel très inférieur encore au pouvoir d'achat occidental, mettent une bien plus grande partie de leurs gains de côté. Ils les investissent, par le biais de l'épargne et la Banque, dans les circuits de production. C'est dû à un réflexe de « précaution pour l'avenir » en raison de l'insuffisante couverture des risques sociaux, tout autant qu'à la traditionnelle frugalité des travailleurs japonais.

Enfin, l'industrie japonaise a conçu un système de retraite versée non pas sous forme de rente, mais sous forme d'un capital liquide brut, de telle sorte qu'il se réinvestit presqu'automatiquement dans le circuit bancaire.

Là où le système capitaliste japonais se rapproche du système américain est dans ce que Galbraith a défini comme « l'exaspération de l'investissement privé », la part excessive apportée aux biens de consommation par rapport aux équipements collectifs. Ainsi les graves problèmes des économies industrialisées — logement, planification urbaine, aménagement des ressources naturelles, etc., — n'ont pas été mieux résolus au Japon que dans les sociétés occidentales.

Il ne s'agit en aucun cas pour l'Europe de copier le Japon. Les traits fondamentaux de la situation sont entièrement différents. Ce que l'on tire de l'expérience japonaise est une conclusion forte : la croissance économique peut être adaptée à des comportements sociaux, des concepts de civilisation différents, sur certains points essentiels, du modèle américain. La croissance économique est compatible avec une large variété d'institutions sociales et de comportements individuels. « Ce n'est pas à imiter ses structures que nous invite le Japon, mais *à admettre un relativisme culturel permettant à chaque pays d'enraciner dans sa propre histoire les contraintes économiques de l'industrialisation et du progrès* » (Prof. Hubert Brochier).

NOTE SUR L'EXPÉRIENCE SUÉDOISE

Comme dans le cas de l'Amérique, les idées-force, à la racine du modèle suédois, ne sont pas strictement de technique économique. Aucune d'entre elles n'est inédite. C'est leur raffinement et *leur combinaison* qui ont permis le décollage d'un système particulièrement efficace.

En soixante-dix ans, un pays rural et pauvre, de trois millions d'habitants, est devenu une nation industrielle de sept millions de citoyens jouissant *du niveau de vie le plus élevé d'Europe.*

Quels sont les moteurs particuliers du dynamisme suédois ? On en discerne quatre : le rôle de l'Etat, l'exigence d'égalité, l'attitude des partenaires sociaux, et la fiscalité.

1. — *Le rôle de l'Etat.* — La Suède étant gouvernée par un parti socialiste depuis trente-cinq ans, on imagine que le gouvernement doit intervenir dans tous les domaines. Il n'en est rien. Lorsque les patrons et les syndicalistes se rencontrent dans la négociation essentielle, tous les deux ans, pour discuter des salaires et fixer le taux de croissance, le gouvernement ne participe pas aux discussions. Mais l'Etat suédois n'est pas non plus absent de la vie économique : l'exploitation du gisement de fer de Kiruna — le plus grand d'Europe — est depuis sa création une entreprise d'Etat.

L'Etat suédois était conservateur et agrarien pendant les trente premières années du siècle. A l'époque des grands conflits sociaux suédois (en 1920 et 1930), avant que les sociaux-démocrates ne prennent le pouvoir, représentants des patrons, et représentants des syndicats, décidèrent de résoudre leurs conflits entre eux, et *d'éviter l'arbitrage de l'Etat.* L'opération ayant réussi, ce trait subsiste encore aujourd'hui.

Le parti socialiste n'était ni assez fort pour détruire le pouvoir des banques, ni assez ignorant, une fois au gouvernement, pour casser la progression économique par des actes inconsidérés, que d'ailleurs les syndicats suédois n'auraient pas acceptés. Le gouvernement socialiste encadre le patronat avec les propres armes de celui-ci : respect absolu des lois concurrentielles, lutte contre les tendances monopolistes, forte pression fiscale pour dégager les ressources permettant *le développement accéléré des équipements collectifs.*

Cet Etat, peu interventionniste mais extrêmement actif, simultanément libéral et socialiste, a vu son rôle croître sans cesse dans l'orientation générale de l'économie : les dépenses publiques représentent 33,9 % du produit national contre 25 % aux USA (en 1965).

De tous les pays de l'Europe Occidentale, la Suède est aujourd'hui *celui dont le secteur public est le plus important en valeur relative.* Depuis deux générations, les Suédois ont pris l'habitude de bénéficier de services publics pratiquement uniques au monde (santé, sécurité, reconversion, éducation, équipements techniques et des loisirs, etc.) même s'ils les paient par des impôts élevés. Ordre de grandeur : le plus petit des salariés suédois paie en impôts deux mois de salaire sur douze.

2. — *L'exigence d'égalité.* — Lorsque le socialisme prit le pouvoir en Suède, l'expansion n'était pas encore l'idée majeure. L'idée socialiste était d'abord l'égalitarisme. Dans la mesure où les socialistes suédois se refusèrent à la nationalisation des moyens de production et d'échange, ils furent encore plus rigoureux sur l'objectif : *réduire l'écart entre les fortunes.* Progressivement l'idée de la marche incessante vers l'égalité est devenue une idée admise. Les conservateurs suédois se gardent d'y toucher. C'est un dogme.

Poursuivi pendant plus de trente ans, l'effort vers l'égalisation des revenus a obtenu des résultats exceptionnels. Aucun pays ne présente à la fois un tel degré d'égalité des revenus et de développement économique. En 1964, impôts non déduits, 43 % des personnes imposables ont gagné 16 % du revenu total ; 37 % en ont gagné 40 % ; et la tranche la plus élevée (de 1 % supérieur) a gagné moins de 7 % du revenu total.

Ce qui se traduit par des chiffres simples : le revenu moyen général était (pour 1964) par habitant de 15 233 couronnes ; la moyenne pour les employeurs était de 16 217 couronnes, pour les employés de 15 000 couronnes.

Le salaire moyen dans les villes : 16 538 couronnes, contre 13 497 dans les campagnes. Il reste un écart ; mais il est beaucoup plus faible que dans tout autre pays d'Europe.

Dès maintenant, la Suède a donc réalisé une égalisation exceptionnelle. On pourrait craindre qu'un tel écrasement de la hiérarchie des revenus n'aboutisse à un manque de dynamisme, et de compétition, dans l'économie. Pourquoi faire sept ans d'études médicales, par exemple, pour n'être guère mieux payé qu'un ouvrier spécialisé dans le bâtiment ? En fait ce frein ne semble pas exister. Passé le seuil des économies de pénurie, les stimulants de la conquête sociale ne sont pas uniquement d'ordre financier — c'est ce que suggère la réussite suédoise.

3. — *L'attitude des partenaires sociaux.* — Ici apparaît vraiment la spécificité du système suédois. Il joint les avantages d'une *centralisation* pratiquement absolue à ceux du *minimum de rapports bureaucratiques avec l'Etat* : la centralisation n'est pas le fait de l'Etat mais des partenaires sociaux eux-mêmes. Un tel mécanisme ne peut évidemment fonctionner que si chacun est en mesure de faire observer une discipline rigoureuse.

Pratiquement tous les ouvriers suédois apppartiennent au même syndicat : le L.O., Confédération des Syndicats représentant un million et demi d'ouvriers. Pratiquement tous les patrons suédois appartiennent à la même organisation : la SAF, Fédération suédoise des employeurs.

Deux autres syndicats participent aux débats : le Syndicat des employés (TCO), et l'Organisation centrale des fonctionnaires (SR).

Les discussions ont lieu, en principe, tous les ans. En fait, depuis 1955, les engagements sont pris pour deux ans, et depuis 1966 les contrats *portent maintenant sur trois ans.*

Les premières rencontres se déroulent, à peu près au

même moment dans toute la Suède, *au niveau des entreprises.* Les syndicats présentent leurs revendications en tenant compte de l'avenir prévisible de l'entreprise ou de la branche. Les patrons font des contre-propositions. En une quinzaine de jours, la discussion à ce stade est épuisée, et l'on classe les résultats en deux colonnes : les points sur lesquels l'accord s'est fait ; et les autres.

L'ensemble est envoyé, tel quel, à l'échelon supérieur : branches, fédérations d'entreprises, etc. A ce nouvel échelon les discussions reprennent en tenant compte de ce qui a été acquis. Une deuxième négociation se déroule et un deuxième bilan est alors transmis au siège central des organisations à Stockholm.

C'est là que s'engage le débat décisif. Il faut entériner les décisions prises, ajuster certains points acceptés ici, ou refusés là, aborder enfin les points de divergence. Les débats se déroulent en commission et durent plusieurs jours, ou semaines. Une série de compromis et d'échanges permet de délimiter les derniers points de conflit. Il reste aux deux leaders, le premier de LO, le second de la SAF, à trancher ; *leurs décisions sont exécutoires.*

On mesure les qualités humaines, l'effort de rigueur et de confiance, qui sont indispensables au fonctionnement d'un tel mécanisme. Et la condition de base qu'il suppose : *des organisations représentatives puissantes.*

Un tel système exige évidemment l'unité organisationnelle des partenaires sociaux. Mais il faut aussi que le syndicat ouvrier ou patronal soit représentatif à 80 % environ. S'il n'existait qu'un syndicat mais que 60 % des ouvriers n'y adhèrent pas, le système gripperait. Il faut aussi que chacun accepte la discipline collective. Il y a toujours des déceptions, des mécontentements à l'intérieur de chaque camp. Il est évidemment essentiel que les décisions prises au sommet, *qui sont des compromis,* soient respectées.

La France ou l'Italie ne sont pas actuellement en état, et de loin, de mettre au point un tel mode de régulation des rapports sociaux. La Grande-Bretagne s'y emploie à travers le mécanisme particulier du parti travailliste. La Hollande a réussi pendant plusieurs années à faire fonctionner correctement un système un peu analogue, mais avec une intervention plus directe de l'Etat. La plupart des pays d'Europe vivent en fait dans une certaine anarchie des rapports sociaux.

L'efficacité du système n'est pas discutable. Depuis 1932, exemple unique, la Suède n'a pas connu de grève.

Depuis 1965, des difficultés économiques apparaissent. Il faut les noter, car elles annoncent un type de problèmes d'avant-garde.

Les branches, ou les entreprises, en expansion rapide supportent mal une discipline qui les conduit à s'aligner en partie sur la situation des branches ou des entreprises relativement en retard. Il se produit alors une connivence entre patrons et ouvriers des entreprises florissantes pour déborder discrètement les accords signés. Des sur-augmentations sont décidées, qui favorisent la montée des prix et un processus inflationniste. Du coup les augmentations des autres salariés sont érodées, par la hausse des prix. Le décalage s'accentue entre les secteurs en expansion et les autres. Il y a risque de dérapage.

Autre difficulté liée à la première : une tendance chronique à l'augmentation des prix que les experts de Stockholm évaluent à près de 2 % par an. Elle absorbe parfois la moitié des augmentations de salaires. Les causes en sont multiples : appétit de consommation « de qualité » de la société suédoise qui exige toujours davantage de confort dans le logement, les services collectifs et les loisirs. Mais aussi *manque de main-d'œuvre* : la moyenne d'âge est élevée (réussite même des services de santé) et le nombre des personnes actives est insuffisant. Presque toutes les branches manquent de main-d'œuvre, ce qui provoque une pression sur les salaires difficile à contenir. Le résultat de ces différentes tensions a été qu'en 1966 des négociations centrales ont failli ne pas aboutir. Pendant huit jours, la Suède a craint une grève.

4. — *La fiscalité.* — La fiscalité très forte en Suède a essentiellement pour but de permettre à l'Etat le développement des équipements collectifs.

La Suède ne connaît ni le problème des ordures ménagères (Etats-Unis), ni le problème du téléphone (France) ; elle dispose d'un nombre considérable de stades, de piscines et de crèches ; elle possède le système de sécurité sociale le plus perfectionné ; elle consacre enfin une part relativement élevée de son budget à l'organisation d'une protection atomique au niveau national.

La fiscalité suédoise atteint un plafond. En Europe, ou en Amérique, chacun est conscient de l'insuffisance des équipements collectifs ; en Suède on souhaiterait plutôt une diminution de cet effort pour laisser un peu plus de marge aux possibilités de consommation individuelle. Le gouvernement suédois n'y est guère favorable. Le système actuel lui permet d'équilibrer les secousses économiques et de diminuer la pression en faveur de la consommation, source d'inflation. Le souhait du gouvernement suédois est *d'accélérer la formation de l'épargne* de manière à disposer d'un plus large volant financier en matière d'investissements.

En 1966, le gouvernement a décidé la création d'un « Fonds de politique industrielle », destiné à accélérer la rationalisation des structures du secteur privé. La création de ce fonds (500 millions de couronnes prévus pour 1967, c'est-à-dire 3 % des investissements privés) constitue une arme nouvelle et puissante entre les mains de l'Etat.

L'opposition suédoise affirme que l'Etat, par ce moyen, sort de sa réserve traditionnelle, affaiblit les banques et profite des difficultés actuelles pour renforcer son contrôle sur le secteur privé. C'est vrai. Mais c'est, comme aux Etats-Unis sous une forme différente, le même besoin : les grandes structures industrielles de pointe doivent maintenant avoir l'Etat comme soutien et comme partenaire direct.

Finalement, *le modèle suédois n'est ni l'américain, ni le japonais.* La volonté de l'Etat de faire respecter la concurrence, et d'aider puissamment certains secteurs de l'industrie avancée, est assez américain ; l'effort vers les équipements collectifs et l'intervention de l'Etat dans le domaine de l'investissement rejoint les tendances planificatrices classiques ; le système d'accord entre les partenaires sociaux est assez proche de ce qu'ont tenté au lendemain de la guerre les syndicats et le patronat hollandais. L'originalité du modèle suédois, *c'est le regroupement intelligent,* en un seul pays, de ces facteurs qui existent de manière moins cohérente dans d'autres sociétés industrielles.

Il faut ajouter que le développement de la Suède s'explique aussi par un trait du tempérament national : le caractère quasi sacré de l'idée de bien commun collectif. Lénine disait : « Si la révolution éclate à Stockholm les chefs insurgés inviteront à dîner les membres du gouvernement bourgeois, qu'ils auront renversés, pour les féliciter des efforts accomplis par ceux-ci lorsqu'ils étaient au pouvoir. » Le mot est resté valable. Les antagonismes sont moins forts que le *sentiment d'appartenance* à une communauté en développement constant, et relativement harmonieux.

C'est bien dans le domaine de l'emploi que la Suède paraît, en effet, être en avance sur la plupart des autres pays. Les spécialistes suédois contestent le rôle joué par l'insécurité comme moteur de l'initiative dans le domaine économique. Sur ce point, et pour d'autres raisons, ils recoupent l'expérience japonaise. Ils estiment que les travailleurs, s'ils se sentent trop menacés, perdent l'esprit d'initiative. Les spécialistes suédois estiment que d'autres moteurs jouent d'une manière plus efficace : volonté d'intégration dans une entreprise, ou une collectivité, qui fonctionne bien avec pour corollaire l'élévation du statut social.

EXEMPLE D'UNE MAUVAISE POLITIQUE

Les mineurs, entre le marteau piqueur et le coron, entre les risques du grisou et ceux de la silicose, vivent le pire des métiers. Cependant, ils se révoltent lorsqu'il est question de fermer une mine — ce qui signifie que, en cas de licenciement, *l'avenir que la collectivité leur offre est encore pire que leur situation présente.*

Pourtant la mobilité de l'emploi, en particulier dans ce domaine, constitue non seulement une condition du progrès social mais aussi une condition du progrès économique.

La production charbonnière en Europe n'a plus d'avenir. Non seulement la productivité des exploitations pétrolières est en général supérieure à celle de la plupart des exploitations charbonnières [1] ; mais le charbon européen n'est plus en mesure de soutenir la concurrence du charbon américain.

Le prix de revient industriel du charbon américain, vendu dans un port européen, est de 11 à 13 dollars la tonne. Le prix de revient du charbon européen est d'environ 20 dollars. En dépit de l'importance considérable des subventions publiques, l'écoulement de la production européenne de charbon ne peut plus être assuré qu'au prix de mesures protectionnistes qui ont des effets coûteux sur les conditions de fonctionnement des autres activités industrielles.

Par conséquent, l'activité des mineurs, qui est l'une des plus pénibles, a pour effet de *freiner le progrès* du niveau de vie de la collectivité dans son ensemble. Et cette situation est connue depuis de nombreuses années.

1. La consommation des produits pétroliers dans la Communauté Européenne est passée d'environ 15 millions de tonnes en 1948 à 250 millions de tonnes en 1965.

La politique qu'elle appelle est claire :

1. *Réduire aussi rapidement que possible la production,* qui est de plus en plus déficitaire.

La seule objection que l'on puisse élever contre ce premier point ne tient pas. Elle consiste à dire qu'un pays comme la France doit essayer d'assurer la sécurité de ses *approvisionnements nationaux* en matière énergétique. Cette thèse est d'abord contradictoire avec le choix de la libération des échanges. Ensuite, elle est incohérente puisque d'ores et déjà le pétrole, à lui seul, représente 50 % de la consommation d'énergie pour la France comme pour l'Europe, et qu'il est en *totalité dépendant de l'extérieur.*

2. *Réduire la production, c'est licencier la main-d'œuvre.* Mais une large part des mineurs de fond employés en France (140 000 personnes environ) sont des étrangers. Et l'on a pu dire qu'à travers notre protectionnisme charbonnier, c'est l'intérêt corporatif des ingénieurs des mines qui se manifeste bien davantage qu'une attention aux problèmes sociaux des mineurs. Il s'agit donc d'un problème qui concerne strictement *les ouvriers et non pas les entreprises.* Cette distinction est fondamentale, et pas seulement pour les mines. Un haut fonctionnaire suédois s'exprime à ce sujet de la manière suivante :

« Je ne comprends pas bien ce que les Français entendent par planification, dirigisme, politique sociale, etc. Je constate que lorsque, dans un secteur déterminé, plusieurs entreprises sont déficitaires et menacent de fermer, l'Etat leur apporte son aide. En d'autres termes, *les pouvoirs publics subventionnent l'inefficacité des patrons.* Chez nous, en Suède, nous faisons le contraire. Lorsqu'une entreprise ferme, nous nous en réjouissons toujours car son déficit ne fait que traduire son inefficacité et, par conséquent, la faiblesse de sa contribution à l'augmentation du revenu national. Le patron déficient ne reçoit pas un sou de subventions. *Les ouvriers, en revanche, sont très largement protégés.* Ils bénéficient pendant une longue période d'une garantie de salaire, d'une possibilité de réadaptation professionnelle. Nous nous organisons pour que, dans les trois quarts des cas environ, ils puissent trouver un nouvel emploi dans la région où ils habitent et, si ce n'est pas possible, l'Etat va jusqu'à leur racheter la maison dont ils sont propriétaires, de manière qu'ils puissent se réinstaller facilement. »

La preuve qu'une politique analogue serait financièrement possible en France est donnée par les chiffres suivants :

— En 1966, les subventions aux charbonnages représentaient 2,2 milliards de francs. Cette somme, répartie entre les 140 000 mineurs, représente près de *un million et demi d'anciens francs par mineur* et par an. Il est évident qu'une telle somme est sans commune mesure avec ce que coûterait une garantie intégrale du risque de chômage pour les mineurs, de leur réadaptation professionnelle, ou des mises à la retraite anticipée.

— Des experts ont calculé quelle est la somme que la collectivité nationale a intérêt à consacrer à la reconversion d'un mineur *plutôt que de le maintenir à la mine.* Ce calcul, qui est établi d'ailleurs en maintenant les avantages sociaux dont bénéficient les mineurs actuellement, montre que l'avantage collectif résultant d'une accélération du rythme de fermeture des charbonnages atteint, en moyenne, par mineur : 80 000 F en cas de reconversion ; 50 000 F en cas de mise à la retraite anticipée.

Ces chiffres qui sont, encore une fois, ceux que le pays pourrait accepter de consacrer aux mineurs pour la fermeture des mines sont *bien supérieurs aux sommes effectivement nécessaires.* Une reconversion complète, incluant la formation professionnelle, est estimée à un maximum de 25 000 F par mineur. Une retraite anticipée varie entre 24 000 F et 40 000 F.

En conséquence, ces experts concluent que même si l'on portait le coût admissible par mineur, pour arrêt de travail à la mine, à 40 000 F par tête, la dépense correspondante serait couverte par les économies obtenues en six ans seulement.

Au-delà de cette période de six ans, l'ensemble de l'économie de la région, et de la nation, conserverait l'entier bénéfice du coût actuel du mineur, auquel viendrait s'ajouter celui de l'entreprise qui les aura accueillis, une fois reconvertis.

Voilà ce qu'il faudrait faire. C'est très largement le contraire de ce qui est fait actuellement. La politique économique française en matière charbonnière se caractérise par l'incertitude des principes sur lesquels elle se fonde, et par l'extension des gaspillages qu'elle entraîne.

L'incertitude des principes se traduit par la volonté contradictoire de maintenir une importante production nationale de charbon, sans pour autant freiner la croissance des importations de pétrole d'une part, et de charbon américain, meilleur marché, d'autre part. En conséquence, le gouvernement a décidé, dans le cadre du « Plan Sidérurgie » en 1966, de faire en sorte que la sidérurgie française puisse acquérir le charbon français au prix du charbon américain, *ce qui entraînera de nouvelles subventions.*

Les chiffres montrent que, depuis dix ans, la France est le pays de la Communauté Européenne qui a le moins réduit sa production de charbon (12 % contre 20 % en moyenne), et qui a également le moins réduit le nombre de mineurs de fond (29 % contre 47 % en moyenne).

L'Etat se montre là à la fois un mauvais patron et un actionnaire peu exigeant. On notera que, mise à part une fraction de la production hollandaise, les charbonnages de la Communauté Européenne sont tous la propriété du secteur privé — sauf en France.

L'extension du gaspillage qui en résulte ressort d'abord de l'importance du montant des subventions qui a déjà été cité : 2,2 milliards, en 1966. On mesurera l'importance de ce chiffre en indiquant qu'il représente *un tiers de plus* que le total des appels de capitaux frais de toutes les sociétés cotées en bourse au cours de la même année.

Il faut noter en outre le coût de la « rationalisation » des exploitations charbonnières françaises. Le rendement par mineur, et par poste au fond, n'a augmenté depuis dix ans que de 30 % ; alors qu'il a augmenté en moyenne de 70 % dans la Communauté Européenne. Le rendement français, dans la mine, était égal au rendement allemand en 1956. Il n'en représente plus que les deux tiers en 1966. Les investissements qui ont été consacrés à la rationalisation peuvent donc être assimilés à des gaspillages financiers.

Le résultat de cette mauvaise politique est que tout est devenu aujourd'hui beaucoup plus difficile à réaliser. Jusqu'en 1966, la France était dans une situation voisine du plein emploi et il aurait été relativement facile d'organiser la réadaptation professionnelle des mineurs. Depuis 1966, il y a un sous-emploi *notamment* dans les régions d'industries traditionnelles, qui sont précisément celles des mines, et la reconversion est devenue plus difficile. Ce qui accentue le cercle vicieux du contresens économique et du gaspillage financier.

COMMENTAIRES DE M. HERMAN KAHN

A la fin des années 40, personne n'avait prévu la rapidité avec laquelle le Japon se redresserait. Depuis dix-sept ans maintenant il a réussi à obtenir un taux de croissance annuel de 9 % en moyenne. Il semble probable qu'il continue à se développer au même rythme dans les dix prochaines années.

En 1980 le Japon sera probablement reconnu comme étant la troisième puissance industrielle du monde, avec les Etats-Unis et l'Union Soviétique. Ce super-Japon représentera pour les nations de l'Europe Occidentale de nouveaux défis.

A la fin des années 40 également, très peu de gens prévoyaient que les pays d'Europe Occidentale « repartiraient » comme ils l'ont fait. Les experts considéraient qu'il faudrait une aide extérieure deux ou trois fois plus importante que celle du Plan Marshall. L'Europe Occidentale s'est développée d'une manière moins vigoureuse que le Japon mais néanmoins à un rythme sans précédent dans son histoire d'avant-guerre.

Si, à un moment quelconque avant 1958, l'Angleterre avait montré le désir de prendre la tête d'une Europe unifiée, elle aurait très probablement pu y parvenir. Il y a évidemment beaucoup de raisons, sur lesquelles nous ne reviendrons pas ici, qui expliquent que les Anglais n'aient pas vu l'occasion qui se présentait.

Il est également très probable que jusqu'en 1963, jusqu'au départ du chancelier Adenauer, la France aurait pu créer une unité politique des Six pays du Marché Commun sur la base d'un accord franco-allemand. Les Français auraient pratiquement pu obtenir les conditions qu'ils souhaitaient. Cela ne s'est pas fait non plus, pour les raisons que l'on sait.

Ces occasions n'ayant été saisies, ni par l'Angleterre ni par la France, il nous paraît maintenant peu probable qu'il y ait dans un avenir proche, d'ici à 1980, un progrès spectaculaire vers l'unification de l'Europe. Bien sûr, on peut envisager que s'il apparaissait une menace assez dramatique et explicite pour exiger l'unification de l'Europe, les choses prendraient une autre tournure. Mais il est plus probable maintenant que ce genre de drame n'interviendra pas...

Il peut même arriver, en vérité, que l'émergence du Japon, puis de la Chine, au niveau de puissances mondiales, après l'Amérique et l'U.R.S.S., amène les différentes nations européennes à accepter le statut de cinquième, sixième ou septième puissance dans la hiérarchie de la fin du siècle. Cette perte de prestige et de statut peut se faire sans entraîner de conséquences suffisamment aiguës pour amener à de graves décisions.

Cette situation européenne ressemblerait en somme à celle de l'Angleterre aujourd'hui. Alors que l'Angleterre n'est plus vraiment dans la compétition mondiale, la plupart des Anglais considèrent qu'ils vivent très convenablement, et relativement mieux qu'avant. D'ailleurs, par rapport à ses performances économiques d'avant la guerre, l'Angleterre ne subit pas une décadence rapide. Par conséquent, il n'y a pas de groupes politiques ou sociaux assez puissants en Angleterre pour entraîner des décisions radicales qui permettent à leur pays de retrouver sa place.

Les Anglais en sont plutôt à douter d'eux-mêmes, ou à accepter une vision nouvelle et beaucoup plus modestes du rôle de leur pays dans le monde. Ce sont ces attitudes psychologiques qui le plus probablement se reproduiront pour l'ensemble des pays d'Europe. D'ailleurs, il est maintenant assez prouvé qu'à la base du « technological gap », entre l'Europe et les Etats-Unis, il y a moins des problèmes vraiment techniques que des facteurs de gestion, d'administration, d'éducation, et même des facteurs culturels qui paraissent échapper à la volonté des Européens.

L'unification de l'Europe, si néanmoins elle se produisait, changerait-elle les perspectives générales ? Examinons la question.

Supposons, par exemple, que l'Europe atteigne un degré d'unité qui lui permettrait de créer une communauté stratégique, c'est-à-dire nucléaire, de défense (qui ne serait d'ailleurs pas nécessairement une intégration militaire détaillée mais seulement ce que nous venons d'énoncer : une communauté stratégique de défense). Bien que limitée, une telle communauté de défense nous paraîtrait apporter une théorie plausible de dissuasion et de sécurité devant l'ensemble des menaces ou des pressions que l'on peut envisager dans les toutes prochaines années. Il faut noter, à ce stade, qu'une communauté de défense de cette nature peut aussi bien précéder que suivre la communauté politique. Car il est possible qu'une communauté stratégiques de défense pour l'Europe n'exige pas, en tout cas au départ, une unité politique complète.

Notons également que jusqu'à présent il n'y a eu pratiquement aucun débat en Europe sur l'intérêt et les contours d'une communauté stratégique de cette nature qui, pourtant, aurait une efficacité évidente dans la situation de l'Europe en 1980. Elle serait très différente de la proposition qui avait été faite dans les années 50 d'une C.E.D., qui était beaucoup trop intégrée, et qui n'avait pas bien discerné quels étaient les objectifs globaux que les pays d'Europe pouvaient avoir en commun.

Supposons, au-delà des impératifs de défense, qu'il y ait en Europe, dans le cours des dix prochaines années, le sentiment de vouloir appartenir à une communauté politique plus large et que, sous l'influence et la direction de quelques hommes en Europe, se développe le besoin de construire de grandes aventures industrielles et technologiques qui nécessiteront la Communauté Européenne comme base. Je pense en particulier à de vastes projets comme l'aide au tiers-monde, la conquête de l'aérospace, la recherche scientifique de grande envergure, les sociétés supranationales de télécommunications comme le COMSAT, et d'autres projets non seulement d'ordre économique mais d'ordre scientifique et culturel que l'on peut aisément décrire, dans la grande compétition mondiale.

Il n'y a aucune raison, pour faire cette hypothèse, de penser que les différences culturelles et sociales des divers pays d'Europe auraient besoin d'être amoindries ; au contraire. A l'intérieur d'une communauté plus puissante, on peut envisager une grande floraison de particularismes locaux comme ce fut le cas à d'autres époques dans les différentes villes des Empires grec ou romain. Il suffirait que la communauté soit fédérée de telle manière qu'elle puisse, sur certains axes choisis, et par l'intermédiaire d'agences fédérales créées en commun, aboutir à une égalité de puissance avec les Etats-Unis, et l'Union Soviétique. Elle aurait, du même coup, une supériorité évidente sur le Japon.

La Communauté Européenne, que l'on peut envisager, pourrait alors créer et maintenir l'image d'une entité nouvelle, multinationale, et multiculturelle, qui fonctionne en dépit de cette multiplicité des caractères différents, et qui soit capable de résoudre ses problèmes vitaux. Elle apparaîtrait alors comme ayant une signification universelle ; comme un modèle d'avenir plutôt que comme une simple solution aux problèmes européens.

Une telle communauté provoquerait, à notre avis, un encouragement incomparable pour les aspirations des peuples à l'extérieur d'elle-même, qui y trouveraient un modèle et un appui. Sa diversité interne la rendrait particulièrement apte à entraîner vers le progrès les nations du monde sous-développé qui la considéreraient comme un exemple sans craindre son hégémonie...

J'ai indiqué, tout au long de mon rapport, mon scepticisme sur les chances qu'avait l'Europe de se résoudre à créer une telle communauté dans les prochaines années. Mais il ne me paraît pas effectivement impossible qu'une telle communauté s'organise.

Je pense que, si elle le faisait, non seulement elle n'entrerait pas en conflit avec les valeurs nationales des différents pays européens mais qu'elle les préserverait en les développant. Une telle communauté pourrait alors être l'entreprise la plus importante à l'horizon de 1980.

Non seulement son influence directe serait considérable, mais son rôle de modèle pour d'autres groupements de peuples pourrait apparaître comme une étape décisive vers un ordre mondial plus coordonné. Parce qu'elle serait évidemment l'égale des Etats-Unis et de l'U.R.S.S., avant la fin de ce siècle, et supérieure au Japon, la Communauté européenne pourrait coopérer avec ces autres puissances sur une tout autre base, que ce que l'on peut imaginer aujourd'hui. Et sous la pression de cette concurrence, ces différentes puissances seraient amenées sans doute à de nouveaux et spectaculaires projets dans le progrès mondial...

Du point de vue strictement européen, au-delà des avantages évidents et des bénéfices directs qu'elle entraînerait, l'existence d'une telle communauté retirerait aux retards de l'industrie et de la science, des pays d'Europe, les prétextes de la dimension insuffisante, de l'absence d'une aide publique conséquente. Elle retirerait aux Européens leurs complexes, et leur permettrait de concentrer leurs efforts sur les facteurs socio-culturels et politiques, qui sont beaucoup plus sérieux et qui sont ceux-là mêmes qui détermineront les chances de l'Europe dans la compétition avec les Etats-Unis.

A moyen terme l'existence d'une Communauté Européenne réelle aiderait puissamment les autres grandes puissances à coordonner leurs efforts pour des projets communs. En particulier on imagine très bien que les Japonais, qui ont peur de la domination américaine, accepteraient plus aisément de collaborer si l'Europe était partie prenante. Cela est vrai aussi, sinon davantage, des nations d'Amérique du Sud.

Aujourd'hui, ces nations d'Amérique latine ressentent douloureusement la pression de la surpuissance américaine, qui engendre des frictions et des crispations nationalistes. Une Communauté Européenne, forte et compétitive, apporterait une alternative plus pacifique et plus acceptable que ne peuvent le faire les Etats-Unis. Cet apport serait de nature à réduire beaucoup les conflits internes et externes de tout le continent sud-américain.

Enfin il est clair qu'une Communauté Européenne, forte et organisée, ne laisserait pas d'autre choix à l'Union Soviétique que celui d'une coopération pacifique, entre partenaires égaux, avec l'Europe Occidentale.

Quant aux Etats-Unis, ils en recueilleraient aussi un grand bénéfice. L'apparition d'une puissance majeure, réellement compétitive, ce qui n'existe nulle part aujourd'hui, obligerait les Etats-Unis à mieux réfléchir sur leurs buts d'avenir et à mieux organiser l'utilisation de leurs ressources. En forçant les Etats-Unis à partager avec une autre puissance les responsabilités mondiales, l'Europe rendrait beaucoup moins dangereuses, et sans doute moins probables, les tendances américaines à la mégalomanie, à l'illusion de la grandeur. Tendances naturelles à toute nation dominante.

L'Europe, régénérée et compétitive, pourrait transformer les relations entre les pays industriels avancés et les nations du tiers-monde. En particulier, en éliminant beaucoup d'occasions où les Etats-Unis seraient amenés à intervenir directement, grand nombre de ces nations pourraient s'adresser à l'Europe, pour leur sécurité comme pour leur développement, et ainsi les Etats-Unis ne seraient pas constamment impliqués dans toutes les crises, avec les dangers que cela représente et que nous connaissons.

La Communauté Européenne envisagée pourrait constituer une protection très efficace pour les systèmes démocratiques non seulement en Europe elle-même, mais dans bien d'autres endroits du monde.

D'abord, à l'intérieur d'elle-même, une communauté aussi avancée et organisée a très peu de chances de laisser se développer des régimes de dictature. La logique du développement interne de cette communauté est aussi une logique de liberté. Cela ne signifie pas que nous pensions que l'Europe soit aujourd'hui une région instable du point de vue de la démocratie, mais il nous paraît évident qu'une Communauté Européenne sera beaucoup plus efficace politiquement, économiquement et militairement pour protéger, et cultiver, des sociétés démocratiques face au développement technologique, aussi bien à l'intérieur qu'à l'extérieur d'elle-même, dans les trente prochaines années.

RÉFLEXIONS DE M. LOUIS ARMAND

Il faut bien voir le rôle nouveau que peut jouer l'Europe — la pensée européenne, les initiatives européennes — dans le monde tel qu'il s'organise aujourd'hui. Un monde qui va être essentiellement dominé par ce que j'appellerai la « planétisation ». Car tout a changé extrêmement vite depuis dix ans. Nous arrivons rapidement *au palier planétaire.*

C'est un horizon bien différent de celui des premières pensées européennes d'après-guerre. Elles étaient essentiellement dominées par deux idées à la fois vraies et élémentaires, à l'époque :

— La réconciliation européenne après les guerres intestines ;

— l'idée de se situer comme un « troisième grand » entre l'Amérique et la Russie.

Toutes les idées d'intégration européenne tournaient autour de ces deux pôles.

Il est évident qu'aujourd'hui une mise à jour s'impose sur les idées européennes. Ceux qui étaient à la tête du mouvement il y a vingt ans et qui, de ce fait, ont droit à notre reconnaissance, s'ils continuent à parler le même langage, seront en retard d'une mutation.

Celle-ci est provoquée par les progrès techniques — que l'on peut encadrer entre deux réalisations — toutes deux d'ailleurs conséquence de l'avancée de l'électronique. Primo, les *missiles intercontinentaux* sont maintenant à l'échelle de la planète : on peut tirer de n'importe où sur n'importe quoi, et avec une très grande précision. Secundo, la *mondiovision* devient maintenant une réalité.

Il y a vingt ans, la mondio-vision était niée encore par de bons esprits qui ne pensaient pas que nous serions si vite à l'échelle de la planète. Je suis de ceux qui ont été témoins du refus intellectuel, récent encore, de tenir compte des missiles intercontinentaux comme du refus de réfléchir à la mondio-vision. Cependant aujourd'hui nous sommes dotés de ces facteurs de planétisation : un homme peut être vu et entendu par tous les hommes — et où qu'il soit il peut y être tué. — Voilà l'échelle de notre époque.

Les idées « européennes » d'après-guerre sont des idées qui ont été élaborées avant les grandes révolutions technologiques, que nous venons d'évoquer (missiles intercontinentaux, mondio-vision, ordinateurs). Il faut maintenant *repenser l'Europe dans ce nouveau contexte.*

Pourquoi ce niveau planétaire est-il important ? D'abord parce qu'il va durer longtemps. Le niveau méditerranéen de la civilisation, puis le niveau européen, ont duré quelques siècles mais ils avaient toujours un « palier au-dessus ». Maintenant c'est fini, nous voilà installés dans ce qu'on peut appeler le palier final, sur notre planète en tout cas, de l'évolution de la société. Quel rôle peut y jouer l'Europe ?

La première condition est d'ordre économique : il faut qu'elle soit à l'échelle des marchés mondiaux, en quantité et en qualité.

Ceci ne veut pas dire qu'il faille être compétitif en tout. Il serait grave de penser qu'on puisse l'être. La notion d'indépendance économique a changé complètement de contenu. Le mot « indépendance » a perdu aujourd'hui son sens simpliste d'autrefois. C'est maintenant une question d'échanges, de « flux », diraient les scientifiques : *il faut chercher à être aussi indispensables aux autres que les autres nous sont indispensables.*

Sur ce plan l'Europe n'a aucune raison de ne pas jouer un rôle très important. Il ne faut pas qu'elle compte sur ses matières premières. Mais il faut savoir que le temps viendra où l'on produira de l'énergie à partir de l'eau — et n'importe quel plastique avec l'énergie de l'air et le gaz naturel de la mer du Nord. En attendant, nul doute que les matières premières ne seront pas un obstacle à condition de choisir pour les développer certains types d'industries fondamentales permettant d'exploiter le gisement de technicité que représente notre vieux continent.

Si nous faisons le bilan par pays, il n'y a pas de solution. Mais si nous faisons le bilan de l'ensemble de l'Europe, et si nous pensons que c'est à l'échelle de l'ensemble de l'Europe que nous avons à choisir nos voies industrielles, alors il n'y a pas de problèmes. Il s'agit non seulement de choisir mais de choisir en étant fédérés. D'où cette notion que nous avons souvent développée : l'Europe doit tendre vers « *une fédération à la carte* », c'est-à-dire s'organiser pour réaliser en commun un certain nombre de choses afin d'atteindre la dimension mondiale qui lui permettra d'être compétitive.

Il devrait y avoir la mise en place progressive d'un certain nombre de structures de type fédéral, la règle d'or étant la suivante : *développons en commun ce qui est neuf*. Laissons de côté les héritages du passé dont l'unification prendrait trop de temps, demanderait trop d'énergie et soulèverait trop d'oppositions. Mais créons des « structures fédérales ». Les régimes matrimoniaux peuvent rester différents, mais créons des législations pour simplifier les mariages européens. Etablissons des lois pour les sociétés européennes, les brevets d'invention européens. N'unifions pas nos diplômes mais créons-en de nouveaux, valables dans tous les pays en commençant par les disciplines nouvelles.
Avec cette notion de fédération à la carte et la volonté de développer en commun — et non coup par coup, en bilatéral — toutes les technologies nouvelles, je pense que, dans un délai d'une quinzaine d'années, il n'y a aucune raison pour que l'Europe n'ait pas repris une position de compétitivité mondiale dans un certain nombre de domaines importants.

Mais, si l'on veut que l'Europe ait une personnalité et qu'elle joue vraiment un rôle propre, le fait, indispensable, qu'elle soit présente dans ces échanges technologiques, ne sera pas suffisant.

Si l'on veut que l'Europe continue d'influencer le développement du monde, à l'ère planétaire, à la première condition qui est d'exister sur le plan économique, il faut en ajouter une autre : l'Europe doit faire preuve d'originalité sociologique. Elle doit avoir une éthique, une philosophie, une pensée politique. *Et c'est dans ce domaine que nous sommes le plus en retard.*

Le retard technique risque de nous masquer un retard beaucoup plus fondamental, celui très général de l'organisation — et, s'il a pu être considéré comme une cause, il risque demain de n'être qu'une conséquence. N'oublions pas que la France n'est plus un pays où on lit beaucoup. Ne se classe-t-elle pas dans la deuxième dizaine, dans ce domaine, c'est-à-dire plus loin qu'en technique ?

L'Europe, dans son ensemble, ne sait pas ce qu'elle veut. Et tant qu'elle ne saura pas ce qu'elle veut, elle ne pourra pas jouer un rôle directeur dans le monde.

Il me semble que l'absence de pensée originale européenne est encore plus nette que l'absence de personnalité technologique. L'Europe lorgne vers la richesse des Américains, la jalouse — et l'envie n'est pas bonne conseillère. A l'opposé elle a besoin, pour se forger une espèce de bonne conscience, de lorgner quand même aussi vers les pays les plus pauvres, ceux de l'Est en particulier. Il en résulte qu'elle louche. Je n'ai jamais vu quelqu'un qui louche exercer beaucoup d'attrait sur les gens, sauf par pitié.

Ainsi, l'Europe louche dans l'espace. Elle louche aussi dans le temps. Car elle ne veut pas oublier l'époque où elle fut grande. C'est difficile de ne pas se souvenir du Commonwealth, des colonies, de l'ère du français, langue diplomatique. L'Europe louche dans l'espace et dans le temps à la fois entre l'Est et l'Ouest, entre le passé et l'avenir. Et cela traduit son incertitude. N'entre-t-elle pas dans l'avenir à reculons ?

Une mutation des esprits, un changement de mentalité s'impose. Et ce qui est grave c'est que cette mutation ne se fera pas spontanément sous l'effet direct du progrès matériel. Elle demande des hommes de volonté. Et ces hommes doivent être des hommes politiques. Je donne donc *la primauté absolue à la politique ;* c'est aux hommes politiques à exploiter les possibilités de la technique et surtout les impératifs de dimension qu'impose son développement.

La grande chance de l'Europe me paraît être la suivante. Les diverses collectivités nationales sont conduites à se rapprocher sous l'effet de la puissance et de l'extension de la zone d'action des équipements. Ceci va modifier beaucoup de mentalités à travers le monde. L'expérience montre, en effet, que les mentalités des jeunesses évoluent très vite. Les gens prendront une mentalité correspondant à cette phase planétaire de l'évolution. Mais, par contre, les structures politico-économiques vont être très en retard. C'est la séquence classique : l'équipement se développe rapidement et franchit les frontières ; il modifie vite les mentalités des esprits jeunes ; mais les structures économiques et politiques sont en retard — et c'est là l'origine du grave déphasage qui débilite les vieux pays.

Aussi faut-il s'attaquer à la modernisation des structures industrielles, administratives, sociales et politiques, avant même de dominer les techniques avancées.

L'ordinateur peut en être l'occasion. Il va entraîner une révolution beaucoup plus grande que la construction en série. Il va s'appliquer à tout, depuis le Droit jusqu'à l'usine la plus courante.

L'essentiel c'est de bien utiliser les ensembles électroniques de gestion dont les ordinateurs sont les pièces maîtresses, pour catalyser la rénovation de nos structures. Par conséquent, l'Europe a une chance : elle n'a pas besoin de tout fabriquer, mais elle devrait s'appliquer à bien utiliser les équipements. Ce n'est pas chose facile et c'est la grande tâche de cette « cybernétisation » qui fascine à la fois Russes et Américains.

En effet, on a dit que, pour un homme occupé à la fabrication de machines, il en faudra dix qui définissent la manière de les utiliser dont une partie sera attelée à ce travail intellectuel difficile qui n'a pas encore de nom en français, le « software », et il en faudra probablement cent, connaissant bien à la fois les possibilités des machines et le fonctionnement des entreprises et des administrations, pour en faire une application souple et productive.

La manière d'utiliser les ordinateurs est beaucoup plus difficile encore que leur fabrication. C'est une question d'intelligence, de travail d'équipe, et c'est le rôle de l'Europe, si elle comprend le problème. Car il n'y a rien de commun entre les processus de gestion sans machine et les processus de gestion avec machine. C'est cela qui va être la grande transformation. Par conséquent l'essentiel consistera à bien savoir utiliser les machines. L'Europe trouvera plus facilement et plus utilement une personnalité si elle sait tirer parti de la technique avancée, même dans les cas où elle n'aura pas inventé cette technique.

Il s'agit pour l'Europe d'être plus intelligente « en structures », puisqu'elle a pris du retard sur les équipements. Et c'est ainsi, à condition qu'elle en ait la volonté politique, que l'Europe pourrait marquer d'un sceau original toutes les activités d'avenir, depuis les sciences humaines jusqu'à la gestion des affaires.

Y compris la politique : si l'on met les ordinateurs au service du dirigisme, dans le circuit de la technocratie, on va écraser l'individu. Ou bien l'ordinateur est mis ainsi au service d'une planification centralisée, ou bien il est mis au service des stratégies, du choix, et il permet de concevoir, d'organiser la stratégie de la concurrence, la stratégie de la liberté.

C'est pourquoi actuellement, en Amérique, il y a un tel regain de foi dans l'ordinateur : on s'est aperçu que toute la stratégie commerciale et la stratégie de la recherche ne peuvent se traiter qu'avec des ordinateurs. Dans quelque temps, cela paraîtra absolument élémentaire.

On peut donc développer l'ordinateur en fonction de l'éthique, de l'idée politique, que l'on peut avoir. C'est là qu'il faut que l'Europe choisisse, pour qu'il y ait une originalité européenne dans l'utilisation des ordinateurs. Pour le moment il n'y en a pas. Nous allons à la dérive. Et un jour prochain, les U.S.A. seront tellement en avance qu'on copiera dans ce domaine même leur « American way of life » — ce qui est beaucoup plus grave que d'importer les machines. On s'hypnotise sur les réalisations techniques alors que l'originalité réside dans leur utilisation. Mais il est plus difficile, et plus ingrat, de s'attaquer aux structures et aux mentalités que de suivre une voie technique tracée par d'autres avec l'espoir souvent chronique de les dépasser.

Pour rénover structures et mentalités, il faut mieux éduquer et mieux informer les citoyens. Et pour cela, la grande clé de l'avenir est l'éducation permanente. Le pays qui marquera de son empreinte le troisième millénaire est celui qui, se dégageant délibérément de l'enseignement d'autrefois, considérera, comme une époque aussi périmée que l'âge de pierre, celle où l'on prétendait tout apprendre avant de se marier ou avant de faire son service militaire.

Il s'agit d'organiser une répartition de l'acquisition des connaissances au long de la vie, qui ira de pair avec une promotion sociale de plus en plus poussée. On peut très bien imaginer qu'on dispose d'ici quelques décennies de trois mois de congés tous les trois ou quatre ans — c'est une question d'organisation — et certains voudront en profiter pour compléter leur formation intellectuelle. La démocratisation de l'enseignement ayant des limites naturelles, il faut surtout se préparer à la promotion sociale de celui qui restera assez réceptif pour continuer à étudier au-delà de trente ans. Et cela résoudra une quantité de problèmes, en apportant notamment plus de souplesse à faciliter les inévitables reconversions. Voilà des progrès sociaux d'un type nouveau que l'Europe pourrait être la première à préconiser et à mettre en œuvre.

Enfin, pour reprendre le phénomène fondamental évoqué tout à l'heure, on ne peut pas imaginer, au stade planétaire, une structure politique du monde qui soit le prolongement du stade des nations unitaires. Le monde sera obligé de passer par le stade fédéral. La grande idée de l'avenir est là : le resserrement, le développement des liens sociaux et internationaux qui découlent de l'usage des techniques planétaires imposera des structures fédérales.

Or il se trouve que l'Europe doit d'abord se fédérer elle-même pour jouer un rôle. C'est un besoin, pour elle, absolu. Cette nécessité d'être fédérée lui donnera une position d'avant-garde puisque c'est par là que l'évolution de l'humanité devra passer. De ce fait nous aurons une grande influence, en particulier sur le tiers-monde.

L'Amérique n'a pas besoin de se fédérer, la Russie non plus. Elles ont d'autres problèmes. C'est à nous de résoudre celui-là et de donner l'exemple.

Je crois qu'il est tout juste temps. Et ce sont les seules idées qui puissent, consciemment ou inconsciemment, intéresser vraiment la jeunesse. Notre originalité, nous devons la chercher dans l'invention et la définition de nouvelles structures, plus encore que dans la fabrication des équipements.

Nous avons cette chance : il aurait très bien pu se faire que ce qui nous est nécessaire pour devenir compétitifs économiquement nous fasse devenir archaïques politiquement. Ce n'est pas le cas. Les nécessités économiques nous contraignent à nous orienter vers un fédéralisme moderne. Et c'est cette nouvelle structure politique — car il faut innover — dont le monde entier sentira de plus en plus le besoin ; aussi bien, par exemple, en Amérique du Sud qu'en Afrique ou en Asie.

C'est une mentalité fédéraliste qui doit permettre de développer une éducation civique plus poussée et répartie sur toute l'existence, dépassant les concepts primitifs de nationalisme enfantin qui flottent encore dans tant d'esprits.

Etre fier d'être associé à des peuples qui ne nous ressemblent pas, mais nous sont complémentaires, est une attitude plus évoluée que le perfectionnement du concept de tribu. L'Eglise chrétienne ne nous en donne-t-elle pas l'exemple avec le mouvement œcuménique comme avec la visite du Pape à l'O.N.U. ?

Le fédéralisme mondial était une utopie tant que n'existaient pas tous ces nouveaux moyens techniques qui sont à notre disposition aujourd'hui pour rapprocher les hommes de tous les continents. Tout se passe comme si le monde était maintenant beaucoup plus petit qu'autrefois. L'Europe peut ouvrir la voie, donner l'exemple. Il y a des utopies qui restent des utopies. D'autres sont des rêves qui entrent, un jour, dans le domaine du réalisable. La conquête de la Lune est de celles-là : Russes et Américains vont la réaliser sous nos yeux. Pourquoi l'Europe ne s'occuperait-elle pas, elle, d'un autre vieux rêve, le rapprochement des habitants de la Terre ? En commençant, bien entendu, par donner l'exemple — ce qui, au lieu de coûter cher comme la conquête de l'espace, lui serait, au contraire, une source d'enrichissement ! et ceci sans réticence, car il n'est pas question qu'une nation européenne agissant seule puisse jouer à l'échelle planétaire un rôle digne de son passé.

REMARQUES DE M. JACQUES MAISONROUGE

Première question : Quelles sont les attitudes et aptitudes faisant défaut aux chefs d'entreprises européens ? Il est extrêmement difficile de généraliser. Il y a cependant un certain nombre de facteurs communs affectant profondément l'attitude des chefs d'entreprises dans les différents pays européens.

Tout d'abord, la structure même de l'enseignement. En étudiant le problème du soi-disant « retard technologique » de l'Europe, l'on constate en fait que le nombre des écoles scientifiques n'est pas tellement différent de celui des Etats Unis, ou plus exactement que proportionnellement à la population il n'y a pas là un retard considérable. Les Américains eux-mêmes reconnaissent la valeur des Européens puisqu'ils recrutent de nombreux scientifiques en Europe. 6 529 ingénieurs et scientifiques européens ont émigré aux Etats-Unis de 1962 à 1964.

Par contre, si l'on examine la formation dans le domaine de la gestion l'on s'aperçoit qu'il existe dans ce domaine un retard considérable de l'Europe.

Dans les années passées, les hommes d'affaires européens ont, semble-t-il, pensé que seule l'expérience pouvait amener à une bonne connaissance des méthodes de gestion et que celles-ci ne s'apprenaient pas dans des cours. Or, il est bien évident, comme cela a été démontré par des personnes ayant passé quelques années aux Etats-Unis pour se perfectionner dans ce domaine après des études faites en Europe, que l'éducation dans la gestion peut permettre de compenser des années d'expérience et d'éviter surtout que cette expérience ne fasse acquérir des idées préconçues et limitées.

Au-delà de la question du nombre d'écoles, se pose

le problème des méthodes d'enseignement. Dans le cas de la France en particulier, nous apprenons essentiellement, grâce à un système qui nous vient de très loin, à admirer le beau raisonnement. A partir de certaines hypothèses, nous essayons d'avoir un raisonnement logique qui conduise à des conclusions paraissant bonnes en fonction de ces hypothèses. Mais un phénomène important n'est malheureusement pas complètement reconnu ; c'est que la valeur des hypothèses elles-mêmes n'est pas toujours vérifiée. L'étudiant français, obligé de travailler très dur mais dans un cadre assez étroit en vue de passer des examens ou des concours — forme la plus grave des sélections — n'a pas le temps de vraiment réfléchir et l'on s'étonne parfois de constater que cet étudiant, capable de bien raisonner, est en difficulté devant les problèmes pratiques, dont il ne parvient pas à saisir toutes les implications.

Autre point important. Il est reconnu aujourd'hui que l'on ne peut rien faire de bon sans un travail d'équipe. L'homme seul n'a plus les moyens d'évaluer tous les paramètres pouvant conduire à une bonne décision dans un simple problème de gestion. Il faut qu'il ait l'habitude d'utiliser un état-major, il faut qu'il sache s'adresser à des spécialistes des différentes questions et qu'il puisse faire la synthèse de l'ensemble des informations reçues. Le travail du chef d'entreprise consiste essentiellement à animer une équipe et non pas à prendre des décisions en fonction d'un certain nombre de chiffres placés devant lui. Or l'enseignement tel que nous le connaissons, c'est-à-dire basé sur une attitude constante de compétition avec les camarades d'études, ne favorise pas l'esprit d'équipe. L'Européen préfère encore le travail isolé au travail de groupe.

Il se pose un autre problème important ; c'est la question de la formation permanente des cadres. Il semble que les industriels et hommes d'affaires européens n'aient pas encore totalement compris que la formation des cadres est une nécessité absolue. Ils n'ont pas réalisé que les cours de perfectionnement peuvent améliorer la productivité d'une façon considérable, mais que seule la participation d'un grand nombre de cadres permettra d'en tirer le bénéfice maximum.

J'ai eu connaissance récemment d'un exemple absolument étonnant, illustrant bien cette incompréhension. Un institut européen avait organisé un séminaire de perfectionnement de trois semaines. Une société avait envoyé l'un de ses dirigeants à ce cours, mais l'avait rappelé au bout d'une semaine et demie car les problèmes de l'entreprise paraissaient plus importants, plus urgents que de former ce cadre supérieur. Cependant, comme l'entreprise avait versé une somme importante pour l'inscription à ce cours, la direction décida d'envoyer un collaborateur du cadre précédent pour suivre la deuxième semaine et demie du programme. Voilà un exemple qui, à mon avis, démontre le fait que dans beaucoup d'entreprises l'on ne comprend pas encore l'importance de la formation dans les méthodes de gestion.

Les problèmes d'enseignement nous font aboutir à une autre explication des différences dans les méthodes de gestion, et cette explication est d'ordre culturel.

Bien souvent dans les entreprises européennes les cadres de la Direction Générale proviennent de la fonction technique, car l'on a toujours donné au marketing une place insuffisante. Cette situation est en cours d'évolution, mais elle explique certainement les difficultés que l'on rencontre à passer du stade du laboratoire à celui de la production et de la commercialisation des produits dans un grand nombre d'entreprises.

Les exemples abondent en effet d'inventions qui ont été faites en Europe et qui n'ont pas été exploitées, soit parce que l'on n'avait pas trouvé les méthodes industrielles de fabrication conduisant à des prix de revient faibles, soit parce que les spécialistes du marketing n'avaient pas senti à temps l'importance que cette invention pouvait avoir sur le marché européen.

L'on aboutit à un produit à partir de deux voies. D'une part les découvertes faites dans le domaine technique, qui rendent possible la réalisation de certaines fonctions ; et d'autre part les besoins exprimés d'un certain marché, indiquant qu'il faut pouvoir résoudre tel ou tel problème ou satisfaire tel ou tel besoin de la clientèle. Cette synthèse nécessaire entre la demande du marché et les possibilités de réalisations technologiques est l'un des points les plus importants de l'industrie moderne. Il semble que bien souvent, en Europe, en présence d'idées technologiques nouvelles, l'on consulte rapidement les services commerciaux, qui, ne disposant pas de services d'études de marché très puissants, rejettent ou acceptent le produit en fonction de l'intuition d'un chef de service.

Une autre différence fondamentale est que les Américains ont le sens de l'expansion. En Europe, et particulièrement en France, il existait et il existe encore des chefs d'entreprises qui se contentent de ce que leur affaire ait atteint une certaine dimension et sont satisfaits si d'une année à l'autre leur chiffre d'affaires reste le même.

La doctrine américaine dans ce domaine est tout à fait différente et l'on peut dire que le but fondamental du chef d'entreprise américain n'est pas d'avoir un chiffre d'affaires stable mais croissant. L'une des raisons de cet état d'esprit est que la concurrence force à l'innovation technologique, que celle-ci ne peut se faire qu'à la condition de pouvoir investir des sommes suffisantes dans la Recherche et que dans ce but il faut pratiquer l'autofinancement, lui-même n'étant possible que si les profits dégagés de l'entreprise sont suffisants.

L'environnement est tout à fait différent. D'une part, du côté européen, existe un besoin fondamental de sécurité se manifestant par de vieilles habitudes de partage de marché, de cartels, d'associations, de discussions entre fournisseurs d'une même administration, de fixation des prix entre les entreprises d'une même profession pour entreprendre certains travaux. D'autre part, aux Etats-Unis, nous trouvons une atmosphère de concurrence — contrôlée d'ailleurs lorsque les entreprises ne veulent pas jouer le jeu de cette concurrence — par les fameuses lois anti-trust, qui ont eu une influence considérable sur l'évolution industrielle des Etats-Unis, et que l'on connaît très mal en Europe.

Dans notre monde moderne, les gouvernements sont amenés à contrôler de plus en plus la vie économique du pays, ceci dans le but essentiel d'éviter les fluctuations trop grandes de la conjoncture et d'empêcher des crises sociales qui, dans un système protégeant de plus en plus l'individu, prennent des proportions considérables. Cette intervention du Gouvernement n'est certainement pas mauvaise en soi, si elle est faite en tenant compte des règles de la libre entreprise et de la concurrence, par des personnes connaissant ces règles.

Mais étant donné le système d'éducation et les méthodes administratives, on se trouve en présence de deux mondes tout à fait séparés. D'une part le monde de l'Industrie qui désire faire des affaires, ce qui dans la langue française prend une teinte plutôt péjorative, et d'autre part le monde administratif, composé de personnes extrêmement brillantes en général, très cultivées, mais n'ayant pas de connaissances profondes sur les véritables problèmes de l'industrie et éprouvant par contre un certain mépris pour la notion de profit.

Ce n'est pas un stage de quelques mois dans l'Industrie qui peut permettre à un élève de l'E.N.A. de saisir la complexité de l'économie des affaires ni surtout les difficultés des relations humaines. D'autre part, la stabilité et la sécurité des carrières de l'administration créent un état d'esprit bien différent de celui de l'entreprise bien gérée où les cadres éprouvent constamment une « saine inquiétude » pour leur avenir.

Tout ceci crée une certaine incompréhension entre l'industrie et les hauts fonctionnaires qui en assurent le contrôle. De meilleures communications ne pourraient s'établir que si le passage des grands cadres de l'Industrie à l'Administration devenait possible.

Une autre attitude souvent rencontrée est un grand scepticisme à l'égard de l'innovation. L'industriel européen n'aime pas « essuyer les plâtres ». Ceci est dû en partie à ce que les hommes au pouvoir dans la majorité des entreprises ont été formés pendant la période de stagnation 1920-1939 et traumatisés par la guerre.

Il existe enfin un manque de volonté de la part des dirigeants d'entreprises à coopérer avec les Comités d'Entreprise et les représentants de syndicats dans leurs affaires. D'autre part, ces derniers ne comprennent pas toujours les impératifs de la bonne gestion parmi lesquels la nécessité pour l'entreprise d'être profitable. Je crois que cette situation va se modifier graduellement au fur et à mesure de l'augmentation du nombre des patrons « employés » par rapport à celui des patrons « propriétaires ». Il est bien évident que les cadres ayant fait leur carrière à tous les échelons successifs de la hiérarchie, en partant à l'origine avec seulement un diplôme, ont une attitude assez différente de ceux qui dès le début de leur carrière savaient qu'ils allaient être le patron de l'entreprise. Ceci explique peut-être que certaines entreprises familiales disparaissent et que nous allions vers des sociétés vraiment « anonymes ».

Il existe certainement des remèdes à tous ces problèmes. Des réformes profondes de l'enseignement pourraient constituer la solution la plus efficace.

Deuxième question : Existe-t-il des raisons de penser que le retard européen sur les Etats-Unis puisse être rattrapé, en particulier dans le secteur de la « big science » ?

Le retard européen n'est pas un retard général des cerveaux. Le quart des prix Nobel attribués à des Américains entre 1907 et 1961 sont allés à des savants d'origine étrangère. Lorsqu'on examine tout ce qui a été dit jusqu'à présent sur la question, l'on constate en fait que bien peu de « scientifiques » parlent de ce retard. Il est évident que les Européens ont la même puissance créatrice que les Américains, mais que la nécessité de faire des investissements importants dans la Recherche n'a pas été reconnue à temps. Nous ne sommes plus à l'époque de Bernard Palissy et des résultats ne peuvent être obtenus qu'à la condition de travailler en équipe avec des moyens puissants et en faisant appel à des spécialistes de disciplines différentes acceptant de travailler pour une cause commune et ne cherchant pas avant tout à avoir leur nom en tête d'un article.

Il semble que l'on ait un peu trop facilement oublié en Europe que la création dans le domaine scientifique puisse être dirigée. Par cela j'entends qu'il doit y avoir des besoins à satisfaire, que ce soit dans le domaine militaire ou dans le domaine aérospatial, ou médical, pour que les scientifiques se décident à entreprendre certains programmes. Les Américains ayant consacré des sommes considérables à des programmes importants dans le domaine de l'énergie atomique et dans le domaine aérospatial ont évidemment une avance appréciable sur nous. Mais pourquoi faudrait-il n'accorder de valeur à la science que dans un certain nombre de techniques de pointe ? Il doit exister des secteurs aussi importants pour la vie future de la civilisation, qui n'ayant pas reçu de priorité de la part des Américains pourraient être absorbés avec succès par l'Europe.

Si dans un domaine particulier l'Europe veut faire l'effort nécessaire, elle pourra sans aucun doute rattraper l'écart avec les Etats-Unis. Il est non moins évident qu'aucun pays seul, que ce soit la France, l'Allemagne ou l'Angleterre, ne pourra le faire, car jamais les sommes investies n'égaleront celles que les Américains peuvent consacrer à ce même problème.

Même si nous admettons que la Recherche coûte un peu moins cher en Europe, qu'il y a parfois aux Etats-Unis un gaspillage de ressources et que nous soyons capables — ce dont je doute d'ailleurs — d'avoir un effort de recherches parfaitement dirigé en évitant tout gaspillage et toute duplication, nous ne pourrons obtenir des résultats comparables aux résultats américains qu'à l'échelon européen. C'est une question de simple arithmétique.

Si l'Europe décidait donc aujourd'hui de porter tout son effort sur un domaine particulier où les Etats-Unis ont de l'avance, il n'y a aucun doute que nous arriverions à les rattraper — à condition que l'effort européen soit supérieur à l'effort américain — et même à les dépasser.

Mais on peut alors se poser la question suivante : est-il désirable de faire tous ces efforts pour se contenter de rattraper les Etats-Unis, et ne devrions-nous pas essayer de porter nos efforts sur des secteurs où l'Europe est déjà égale aux Etats-Unis et sur quelques-uns où elle peut être supérieure ? Car si l'on considère du côté européen que l'effort américain de recherches est considérable, il faut bien comprendre qu'il est tout de même limité. Malgré leur puissance, les Américains sont obligés de faire des choix et vous pourriez rencontrer aux Etats-Unis des savants qui, s'intéressant à certains domaines de la Science, trouvent qu'ils ne disposent pas des ressources nécessaires pour mener à bien leurs recherches et se plaignent de souffrir eux-mêmes d'un retard technologique par rapport à d'autres domaines.

Il est souhaitable d'établir une politique scientifique européenne, mais il faut se garder d'une politique conduisant à une hostilité systématique vis-à-vis des Etats-Unis et à une attitude de « moi aussi ». Il ne faut pas oublier, d'autre part, que les résultats de la recherche doivent conduire à la commercialisation d'un produit ou à la mise en application de méthodes nouvelles dans un marché important et avancé. Le marché américain restera pendant de nombreuses années encore le plus vaste et le plus « sophistiqué ». Il est donc absolument indispensable que les Européens s'adressent à ce marché s'ils veulent avoir des produits, des procédés, des méthodes qui résistent à la soi-disant invasion américaine. Ceci demande la coopération avec les Etats-Unis. La science est universelle et il est certainement souhaitable que nous n'entrions pas dans un système de compétition stérile où nous voudrions à tout moment rattraper ce que les autres — Américains ou Russes — ont accompli. Nous devons avoir notre propre originalité et, avant qu'il ne soit possible d'établir des plans de recherches à l'échelon mondial, décider tout au moins que l'Europe aura une meilleure place dans ce domaine si elle travaille là où les autres n'ont encore rien fait, ou peu.

Dans le domaine de la recherche scientifique, certains choix peuvent être imposés par des questions politiques, désir d'indépendance par exemple, bien que l'on puisse discuter la valeur de l'indépendance dans notre monde moderne. Les Européens ont prouvé depuis longtemps qu'ils étaient capables de se distinguer dans tous les domaines de la Science. Un grand nombre des inventions modernes dont on parle, et qui sont d'ailleurs plus souvent exploitées aux Etats-Unis qu'en Europe, sont dues à des Européens. Je crois qu'il est absurde de penser que les Européens ne puissent pas, s'ils le veulent, combler leur retard dans certains domaines, mais la question qui se pose est uniquement celle du choix de l'utilisation des fonds qu'ils peuvent se permettre de consacrer à la Recherche.

L'IMPRIMERIE HÉRISSEY
A ÉVREUX (EURE)
A COMPOSÉ CET OUVRAGE
EN OCTOBRE 1967

N° d'éditeur : 2748
N° d'imprimeur : 4302
Dépôt légal : 2e tr. 1968
Imprimé en France